O MESTRE

COLM TÓIBÍN

O Mestre

Tradução
José Geraldo Couto

A editora agradece o apoio do Ireland Literature Exchange
(Translation Fund), Dublin, Irlanda.
www.irelandliterature.com
info@irelandliterature.com

Título original
The Master

Capa
Raul Loureiro

Foto de capa
Catedral de S. Paulo do Ludgate Circus, *c.* 1905,
fotogravura de Alvin Langdon Coburn.
Colônia, Museu Ludwig, Gruber Collection.

Preparação
Beatriz Antunes

Revisão
Renato Potenza Rodrigues
Ana Maria Barbosa

Dados Internacionais de Catalogação na Publicação (CIP)
(Câmara Brasileira do Livro, SP, Brasil)

Tóibín, Colm.
O Mestre / Colm Tóibín ; tradução José Geraldo Couto. — São Paulo : Companhia das Letras, 2005.

Título original: The Master.
ISBN 85-359-0636-3

1. Ficção irlandesa I. Título.

05-2128 CDD-823.9

Índice para catálogo sistemático:
1. Ficção : Literatura irlandesa 823.9

[2005]

EDITORA SCHWARCZ LTDA.
Rua Bandeira Paulista 702 cj. 32
04532-002 — São Paulo — SP
Telefone (11) 3707-3500
Fax (11) 3707-3501
www.companhiadasletras.com.br

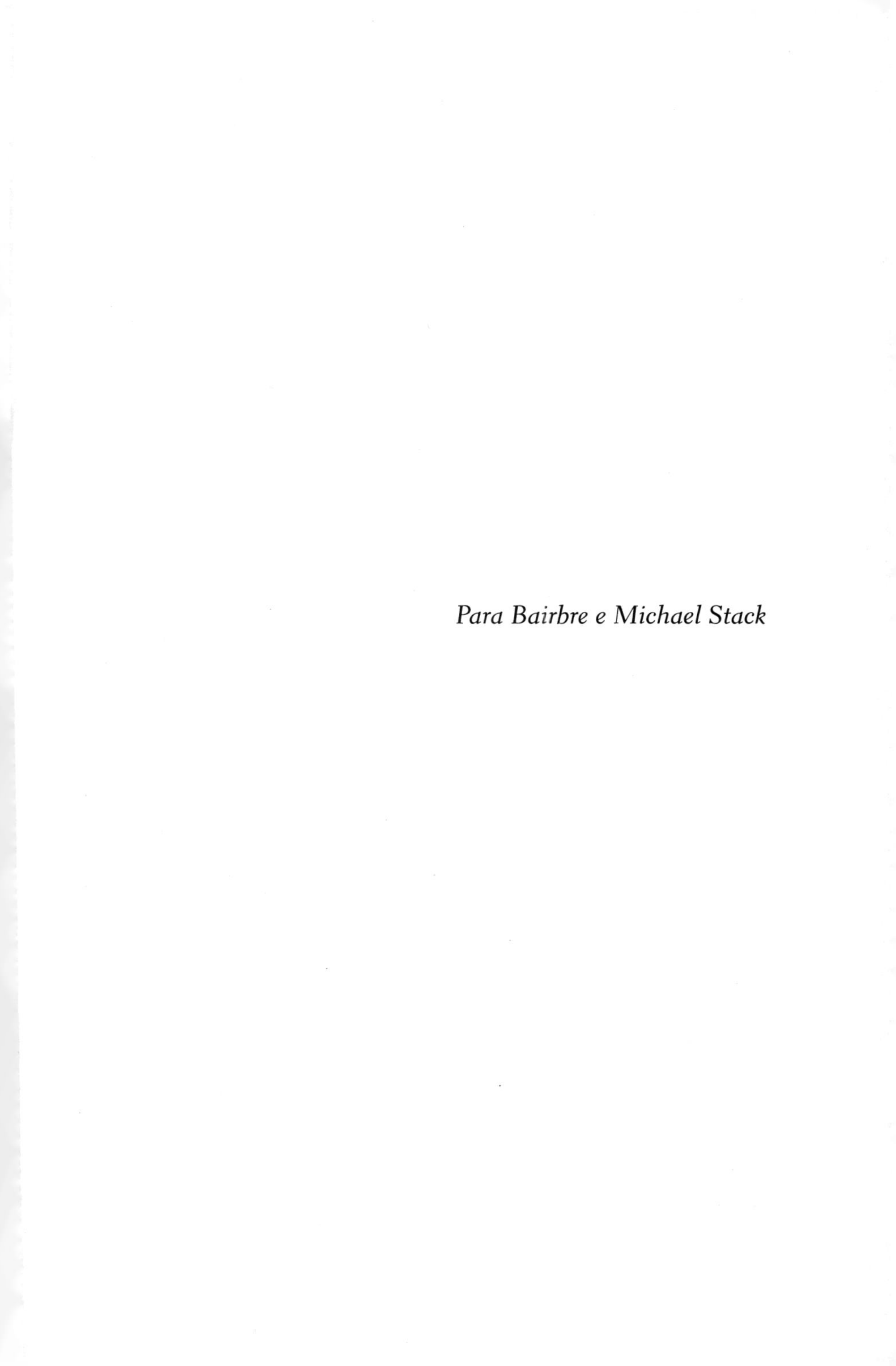

Para Bairbre e Michael Stack

1. Janeiro de 1895

Mais de uma vez, durante a noite, ele sonhou com os mortos — os rostos familiares e os outros, meio esquecidos, evocados fugazmente. Agora, ao acordar, supôs que ainda faltava uma hora ou mais para o amanhecer; não haveria nenhum som ou movimento enquanto isso. Tocou os músculos do pescoço, que haviam ficado tensos; a seus dedos eles pareceram inflexíveis e sólidos, mas não doloridos. Movendo a cabeça, podia ouvir os músculos rangerem. Sou como uma porta velha, disse consigo mesmo.

Era imperativo voltar a dormir, ele sabia. Não conseguia ficar acordado na cama durante essas horas. Queria dormir, penetrar num adorável negrume, num lugar de repouso escuro, mas não escuro demais, um lugar não assombrado, não povoado, sem nenhuma presença tremeluzente.

Quando acordou de novo, estava agitado e sem saber direito onde se encontrava. Freqüentemente acordava assim, perturbado, lembrando-se apenas de partes do sonho e desesperado para que o dia começasse. Às vezes, quando tirava um cochilo, aquecia-se à luz enevoada e suave de Bellosguardo no início da primavera, as distâncias todas indistintas, sentindo o puro prazer do sol em seu rosto, sentado numa cadeira, junto à parede da velha casa com cheiro de glicínias, rosas prematuras e jasmins. Tinha a esperança, ao acordar, de que o dia fosse como o sonho, de que vestígios do bem-estar, das cores e da luz permanecessem nos contornos das coisas até que a noite caísse de novo.

Mas aquele sonho foi diferente. Estava escuro ou escurecendo em algum lugar, uma cidade, um lugar antigo na Itália, como Orvieto ou Siena, mas nenhum lugar específico, uma cidade de sonho com ruas estreitas, e ele estava com muita pressa; agora não tinha certeza se estava sozinho ou com alguém, mas tinha pressa e havia também estudantes caminhando lentamente ladeira acima, passando por lojas iluminadas, cafés e restaurantes, e ele ansiava por ultrapassá-los, buscando meios de deixá-los para trás. Por mais que se esforçasse para lembrar, ainda não sabia ao certo se estava acompanhado; talvez estivesse, ou talvez fosse apenas alguém andando atrás dele. Não conseguia recordar muita coisa sobre essa presença obscura, intermitente, mas durante algum tempo parecia haver junto a ele uma pessoa ou uma voz que compreendia melhor a urgência, a necessidade de correr, e que insistia baixinho, em murmúrios e resmungos, para que ele andasse mais depressa e tirasse os estudantes de seu caminho.

Por que sonhou com isso? A cada extensa e vagamente iluminada entrada para uma praça, ele recordava, sentia o impulso de abandonar a rua movimentada, mas era impelido a seguir em frente. Seria seu companheiro espectral que o instava a prosseguir? Por fim entrou caminhando lentamente num vasto espaço italiano, com torres e telhados acastelados, e um céu azul-escuro como tinta de escrever, liso e espesso. Ficou ali parado e observou, como que através de uma moldura, a simetria e a textura do que via. Dessa vez — e ele sentiu um calafrio ao rememorar a cena — havia figuras no centro com as costas voltadas para ele, figuras que formavam um círculo, mas ele não podia ver o rosto de nenhuma delas. Estava prestes a andar em direção a elas quando as figuras se viraram. Uma delas era sua mãe no final da vida, sua mãe tal como a vira pela última vez. Perto dela, entre as outras mulheres, estava sua tia Kate. Ambas haviam morrido anos atrás. Estavam sorrindo para ele e se moviam lentamente em sua direção. Seus rostos estavam iluminados como rostos numa pintura. A palavra que lhe ocorreu, e estava certo de ter sonhado com a palavra tanto quanto com a cena, foi "suplicantes". Elas estavam implorando a ele ou a alguém, pedindo, ansiando, estendendo as mãos em gesto de súplica, e quando avançavam em sua direção ele acordou gelado de pavor, e desejou que elas tivessem conseguido falar, ou que ele tivesse podido oferecer algum consolo às duas pessoas que mais amara na vida. O que restou do sonho e se abateu sobre ele foi uma tristeza fatigante e corrosiva e, uma vez que ele sabia que não deveria voltar a dormir, um desejo avassalador de começar a escrever, fazer qualquer coisa que o anestesiasse, que o distraísse da visão daquelas duas mulheres que ele havia perdido.

Cobriu o rosto por um momento quando se lembrou de um átimo do sonho que o fizera acordar abruptamente. Teria dado qualquer coisa para esquecer aquele instante, para impedir que o perseguisse ao longo do dia: naquela praça ele fitara os olhos de sua mãe, e o olhar fixo dela estava cheio de pânico, a boca prestes a dar um grito. Ela queria ardentemente algo que estava além de seu alcance, algo que não podia obter, e ele não tinha como ajudá-la.

Nos dias que antecederam o Ano-Novo ele recusara todos os convites. Escreveu a lady Wolseley dizendo que passava o dia assistindo aos ensaios em companhia de uma porção de mulheres gordas encarregadas dos figurinos. Estava inquieto e aflito, quase sempre agitado, mas às vezes também se envolvia na ação que se passava no palco como se fosse uma completa novidade para ele, e ficava comovido. Pediu a ela e seu marido que rezassem por ele na noite de estréia de sua peça, agora não muito distante.

À noite não tinha o que fazer, e seu sono era intermitente. Não via ninguém, à exceção de seus criados, e estes sabiam que não deviam falar com ele ou incomodá-lo além do estritamente necessário.

Sua peça *Guy Domville*, a história de um rico herdeiro católico que deve escolher entre dar continuidade à linhagem familiar ou ingressar num mosteiro, estrearia em 5 de janeiro. Todos os convites para a noite de estréia haviam sido expedidos e ele já recebera muitas respostas e agradecimentos. Alexander, o produtor e ator principal, tinha um séquito fiel entre o público teatral, e os figurinos — a peça era ambientada no século XVIII — eram suntuosos. No entanto, apesar do novo prazer que lhe causava a companhia dos atores, apesar do esplendor da produção e de suas pequenas mudanças e aperfeiçoamentos diários, ele não fora feito, era o que dizia, para o teatro. Soltou um suspiro diante de sua escrivaninha. Preferia que fosse um dia comum e que pudesse revisar as frases de ontem, passar uma manhã vagarosa fazendo correções, e depois pôr-se em marcha mais uma vez, preenchendo a tarde com o trabalho de sempre. Entretanto sabia que esse estado de espírito poderia mudar tão rápido quanto a luz da sala poderia esmorecer, e ele facilmente voltaria a sentir só felicidade com sua vida no teatro e começaria de novo a odiar a companhia de suas páginas em branco. A meia-idade, pensou, tornara-o inconstante.

Sua visita chegara às onze em ponto. Ele não tivera como se recusar a recebê-la; em sua carta ela havia sido zelosamente insistente. Logo ela deixaria Paris para sempre, segundo dissera, e esta seria sua última visita a Londres. Havia algo de singularmente definitivo e resignado no tom dela, um tom tão estranho a seu espírito habitual que ele logo se deu conta da seriedade da situação. Fazia muitos anos que não a via, mas ao longo desses anos recebera algumas cartas e notícias suas por intermédio de outros. Naquela manhã, contudo, ainda perturbado pelo sonho e tão cheio de preocupações com respeito a sua peça, ele a via meramente como um nome em seu diário, que despertava uma velha lembrança de contornos nítidos e detalhes esmaecidos.

Quando ela entrou na sala, com seu velho rosto sorrindo calorosamente, sua figura de ossos amplos movendo-se com vagar e cuidado, seu cumprimento tão animado, aberto e afetuoso, e sua voz tão linda e suave, quase um sussurro, não foi difícil colocar de lado as preocupações com a peça e com o tempo que ele estava desperdiçando longe do teatro. Havia esquecido o quanto gostava dela e como era fácil ser levado de volta àqueles dias em que ele estava na faixa dos vinte e passava o maior tempo possível em companhia de escritores franceses e russos em Paris.

De algum modo, nos anos que se seguiram, as presenças obscuras passaram a atraí-lo tanto quanto as famosas, figuras que não haviam se tornado conhecidas, que haviam fracassado, ou que nem mesmo haviam planejado prosperar. Sua visitante fora casada com o príncipe Oblisky. O príncipe tinha a reputação de ser austero e distante; o destino da Rússia e seu exílio voluntário preocupavam-no mais que as distrações noturnas e a companhia fascinante à sua volta. A princesa era russa também, mas passara a maior parte da vida na França. Em torno do casal sempre houve indiretas, rumores e insinuações. Fazia parte da época e do lugar, ele pensava. Todo mundo que ele conhecia carregava consigo a aura de uma outra vida meio secreta e meio aberta, uma vida da qual se sabia, mas que não se devia mencionar. Naqueles anos, sondava-se cada rosto em busca daquilo que ele pudesse involuntariamente revelar, e apurava-se o ouvido para as nuanças e os indícios. Em Nova York e Boston não tinha sido assim, e em Londres, quando ele finalmente veio morar ali, as pessoas permitiam-se acreditar que o sujeito não possuía um eu oculto e secreto a não ser que declarasse enfaticamente o contrário.

Ele se lembrava do choque que sofrera ao conhecer Paris, a cultura da duplicidade fácil, a percepção que tivera daqueles homens e mulheres, vigiados pelos romancistas, dissimulando displicentemente aquilo que mais lhes importava.

Nunca tivera afeição pela intriga. Entretanto, gostava de saber segredos, porque não saber era deixar escapar quase tudo. Ele próprio aprendera a nunca revelar coisa alguma e a nunca sequer dar a entender ter percebido quando uma nova informação fora comunicada, agindo como se um mero gracejo tivesse sido dito. Os homens e mulheres nos salões da Paris literária moviam-se como participantes de um jogo do saber e do não-saber, da simulação e do disfarce. Aprendera tudo com eles.

Arranjou uma poltrona para a princesa, trouxe-lhe mais almofadas e em seguida ofereceu-lhe a opção de uma cadeira diferente, ou mesmo de uma chaise longue, que pudesse ser mais confortável.

"Na minha idade", ela sorriu para ele, "nada é confortável."

Ele parou de se movimentar pela sala e virou-se para encará-la. Descobrira que, quando fixava serenamente seus calmos olhos cinzentos em alguém, essa pessoa também se acalmava; ficava evidente, ou pelo menos era o que ele pensava, que o que se diria em seguida deveria ser sério de alguma maneira, que a hora de jogar conversa fora tinha chegado ao fim.

"Tenho que voltar à Rússia", disse ela, num francês pronunciado lenta e cuidadosamente. "É isso o que tenho de fazer. E quando digo voltar, é como se tivesse estado lá antes, e estive mesmo, mas não de maneira que significasse algo para mim. Não tenho a menor vontade de rever a Rússia, mas ele insiste para que eu more lá, para que eu deixe a França para sempre."

Ela sorria enquanto falava, como sempre fizera, mas agora havia angústia e uma espécie de perplexidade em seu rosto. Trouxera consigo o passado para dentro da sala, e para ele, agora, naqueles anos que se seguiram à morte dos pais e da irmã, qualquer lembrança de um tempo passado ocasionava uma terrível e opressiva melancolia. O tempo era impiedoso, e ele nunca havia imaginado, quando jovem, a dor que a perda poderia causar, dor que somente o trabalho e o sono podiam neutralizar agora.

A voz suave e os modos tranqüilos deixavam claro que ela não havia mudado. Seu marido era conhecido por tratá-la mal. Estava com problemas de patrimônio. Agora ela começava a falar sobre uma remota propriedade rural para onde ela seria banida.

A luz de janeiro incidia fluida e suave na sala. Ele a escutava sentado. Sabia que o príncipe Oblisky deixara o filho de seu primeiro casamento na Rússia e passara sua vida grosseiramente em Paris. Sempre houvera um sopro de intriga política em torno de sua figura, uma percepção de que ele contava de algum modo com o futuro da Rússia e de que estava esperando sua hora.

"Meu marido disse que é a hora de todos nós voltarmos para a Rússia, a terra natal. Ele se tornou um reformista. Diz que a Rússia vai desmoronar se não passar por reformas. Eu lhe disse que já desmoronou há muito tempo, mas não o fiz lembrar que ele tinha muito pouco interesse em reformas quando não estava endividado. A família de sua primeira mulher criou seu filho e não quer mais saber dele."

"Onde você vai morar?", perguntou ele.

“Vou morar numa mansão em ruínas, e camponeses meio malucos vão amassar os narizes contra o vidro das minhas janelas, se é que ainda há vidro nas janelas. É lá que eu vou morar.”

“E Paris?”

“Tenho que abrir mão de tudo, da casa, dos criados, dos amigos, da minha vida inteira. Vou morrer de frio ou de tédio. Será uma disputa entre as duas coisas.”

“Mas por quê?”

“Ele diz que gastei todo o seu dinheiro. Agora vendi a casa e passei dias queimando cartas, chorando e jogando roupas fora. Estou me despedindo de todo mundo. Vou partir de Londres amanhã e passar um mês em Veneza. Depois sigo para a Rússia. Ele diz que outros também estão voltando, mas eles estão indo para São Petersburgo. Não foi esse o destino que ele escolheu para mim.”

Ela falava com sentimento, mas enquanto a observava ele teve a sensação de estar ouvindo uma de suas atrizes deleitando-se com seu próprio desempenho. Às vezes ela falava como se estivesse contando uma história divertida sobre outra pessoa.

“Tenho visto todos os meus conhecidos que ainda estão vivos e relido todas as cartas dos que já morreram. Com algumas pessoas eu fiz as duas coisas. Queimei as cartas de Paul Joukowsky e em seguida o encontrei. Não esperava vê-lo. Está envelhecendo mal. Não esperava isso também.”

Ela olhou em seus olhos por um segundo e foi como se um lampejo de clara luz de verão tivesse invadido a sala. Paul Joukowsky estava agora com quase cinqüenta, ele calculava; fazia muitos anos que não se encontravam. Ninguém jamais tinha chegado assim e pronunciado o nome dele.

Henry teve o cuidado de tentar falar imediatamente, fazer uma pergunta, mudar de assunto. Talvez houvesse algo nas cartas, uma frase solta, ou o relato de uma conversa ou um encontro. Mas não acreditava nisso. Talvez sua visitante o estivesse deixando saber, por amor à nostalgia, o que a aura dele tinha deixado entrever naqueles anos, seu próprio eu projetado. Sua tentativa de ser sério, hesitante e educado nunca enganara mulheres como ela, que observavam a inflexão de sua voz e os movimentos de seus olhos e no mesmo instante compreendiam tudo. Obviamente elas não diziam nada, assim como ela não estava dizendo nada agora, apenas um nome, um velho nome que ressoou em seus ouvidos. Um nome que, um dia, significara tudo para ele.

"Mas você vai voltar, não vai?"

"Essa foi a promessa que ele arrancou de mim. De não voltar, de permanecer na Rússia."

O tom era teatral, e ele de repente a viu no palco, movendo-se com desenvoltura, conversando como se não prestasse atenção no que dizia, e então lançando a flecha, uma frase isolada concebida para atingir o alvo. Com base no seu relato, compreendeu pela primeira vez o que havia acontecido. Ela devia ter feito algo muito errado para se colocar de novo em poder do marido. No círculo dela haveria decerto conhecimento de causa e especulação. Alguns saberiam, e os que não soubessem estariam aptos a conjeturar. Exatamente como ela o deixava fazer agora.

Esses pensamentos o dominaram, e ele se viu observando a princesa, ponderando cuidadosamente o que ela havia dito, enquanto pensava como poderia usar aquilo. Tinha de colocar tudo no papel tão logo ela saísse. Esperava não ouvir mais nada, nenhum detalhe explícito, mas ela continuava a falar, e estava claro que se sentia apavorada e buscava mais uma vez despertar sua simpatia.

"Sabe, outros retornaram e as notícias são excelentes. Há uma nova vida em São Petersburgo, mas, como eu lhe disse, não é para lá que estou indo. E Daudet, que encontrei numa festa, disse a coisa mais tola para mim. Talvez pensasse que aquilo me consolaria. Disse que eu ainda teria minhas memórias. Mas minhas memórias não me servem para nada. Eu disse a ele que nunca tive nenhum interesse por memórias. Amo o hoje e o amanhã, e quando estou em forma amo também o dia depois de amanhã. O ano passado já foi, quem se importa com ele?"

"Daudet se importa, suponho."

"Sim, até demais."

Ela se levantou e ele a acompanhou até a porta. Quando viu que um cabriolé de aluguel a aguardava na porta, perguntou-se quem estaria pagando por ele.

"E Paul? Eu deveria ter lhe trazido algumas das cartas? Você gostaria de tê-las?"

Henry estendeu-lhe a mão como se ela não tivesse feito a pergunta. Moveu os lábios, prestes a dizer algo, mas se deteve. Segurou a mão dela por um instante. Ela estava quase em prantos quando caminhou até o cabriolé.

Morava havia quase dez anos naquela casa em De Vere Gardens, mas o nome Paul nunca havia sido pronunciado entre aquelas paredes. Sua presença fora soterrada pelo ofício diário de escrever, lembrar, imaginar. Mesmo nos sonhos, fazia anos que Paul não aparecia.

O essencial da história da princesa não precisava ser registrado agora. Ficaria guardado em sua mente. Ele não sabia como iria trabalhar a história, se seria sobre os últimos dias dela em Paris — queimando cartas, doando coisas, deixando outras para trás — ou sobre seu último salão, ou ainda sua conversa com o marido, o momento em que foi informada de seu destino.

Ele guardaria na memória sua visita, mas havia outra coisa

que queria escrever agora. Era algo que escrevera antes e que destruíra cuidadosamente. Parecia-lhe estranho, quase triste, que tivesse produzido e publicado tanto, que tivesse exposto tantas coisas pessoais, e que no entanto aquilo que ele mais precisava escrever nunca viesse a ser visto ou publicado, nunca viesse a ser conhecido ou compreendido por ninguém.

Tomou a pena e começou. Poderia ter escrito numa caligrafia indecifrável, ou usado um método estenográfico que só ele próprio pudesse compreender. Mas escreveu com clareza, sussurrando as palavras. Não sabia por que aquilo tinha de ser escrito, não sabia por que a memória não era suficiente. Mas a visita da princesa e sua conversa sobre desterro e memória, sobre coisas que estavam terminadas e não voltariam, e — agora ele parou de escrever e suspirou — o nome pronunciado por ela, como se estivesse ainda vivamente presente em algum lugar ao seu alcance, todas essas coisas determinaram o tom de sua escrita.

Colocou no papel o que havia acontecido quando voltou a Paris, depois de receber um bilhete de Paul, naquele verão de quase vinte anos atrás. Na bela cidade, tinha ficado em pé numa ruazinha ao anoitecer, olhando para cima, esperando, perscrutando a luz de uma lâmpada na janela do terceiro andar. Quando a luz se acendeu, ele aguçou a vista tentando enxergar o rosto de Paul Joukowsky na janela, seu cabelo escuro, seus olhos vivazes, a carranca que podia facilmente virar um sorriso, o nariz fino, o queixo amplo, os lábios pálidos. À medida que a noite caía, sabia que ele próprio, na rua sem iluminação, não podia ser visto, e sabia também que não era capaz de se mover, nem para retornar a seu alojamento, nem tampouco para tentar — e só de pensar nisso perdeu o fôlego — chegar aos aposentos de Paul.

O bilhete de Paul não continha ambigüidade alguma: deixara claro que ele estaria sozinho. Ninguém entrou ou saiu, e o rosto de Paul não apareceu na janela. Perguntava-se agora se aquelas horas não teriam sido as mais verdadeiras que jamais vivera. A comparação mais acurada que conseguia encontrar era com uma suave, auspiciosa e serena viagem marítima, um interlúdio suspenso entre dois países. Sentia-se como que flutuando, sabendo que um passo o levaria para dentro do impossível, do vasto desconhecido. Esperava a cada momento captar mais um relance do que estava lá, do rosto inalcançável. E durante horas ele ficou ali parado, molhado de chuva, esbarrado de quando em quando pelos transeuntes, e em nenhum momento o rosto se tornou visível à luz da lâmpada.

Escreveu a história daquela noite e pensou então no resto da história que nunca poderia ser escrito, por mais secreto que fosse o papel ou por mais depressa que este fosse queimado ou destruído. A continuação da história era imaginária, e era algo que ele nunca se permitiria traduzir em palavras. Nela, ele havia atravessado a rua durante a vigília. Avisara Paul sobre sua presença e Paul descera até a entrada, e eles então subiram juntos as escadas em silêncio. E agora estava muito claro — Paul deixara claro — o que teria acontecido.

Percebeu que suas mãos estavam tremendo. Nunca se permitira imaginar além daquele ponto. Era o mais perto que havia chegado, mas não chegara próximo de verdade. Manteve sua vigília naquela noite sob a chuva até que a luz na janela se apagou. Esperou mais um pouco para ver se acontecia alguma outra coisa, mas as janelas continuaram escuras, não revelaram nada. Ele então caminhou lentamente de volta para casa. Estava em terra firme de novo. Suas roupas estavam ensopadas, seus sapatos tinham sido destruídos pela chuva.

Amava os ensaios gerais, e punha-se a imaginar os potenciais espectadores em cada assento do teatro. A iluminação, os figurinos extravagantes e suntuosos, as vozes retumbantes enchiam-no de orgulho e prazer. Nunca, ao longo dos anos, ele havia visto alguém comprar ou ler um de seus livros. E mesmo que tivesse testemunhado tal cena, nunca teria conhecido os efeitos de suas frases. Ler era algo tão silencioso, solitário e íntimo quanto escrever. Agora, ele iria ouvir as pessoas da platéia prenderem a respiração, gritarem, ficarem em silêncio.

Acomodava amigos, rostos familiares, e então, em todos os assentos perto dele e na galeria acima — e essa era a perspectiva mais arriscada e excitante —, colocava desconhecidos. Imaginava olhos radiantes e inteligentes no rosto sensível de um homem, um fino lábio superior, pele lisa e macia, um corpo amplo conduzido com desenvoltura. Experimentava colocar essa figura na fileira atrás dele, próxima ao centro, uma mulher jovem a seu lado, com as delicadas mãozinhas unidas, quase tocando a boca com as pontas dos dedos. Sozinho no teatro — as figurinistas ainda estavam nos bastidores —, ele observava seus espectadores imaginários quando entrou em cena Alexander, interpretando Guy Domville. Ficou claro qual seria o âmago do conflito no palco. Manteve um olho na platéia que havia inventado e instalado atrás de si enquanto a peça continuava, notando como o rosto da mulher se iluminava diante do esplendor dos trajes da sra. Edward Saker, a elaborada elegância de cem anos atrás, notando em seguida como ficava sério e imóvel o rosto de seu espectador de lábio fino quando Guy Domville, a despeito de sua vasta fortuna e de seu futuro dourado, decidia renunciar ao mundo e devotar-se a uma vida de contemplação e orações num mosteiro.

Guy Domville ainda estava longa demais e ele sabia que os atores estavam inquietos quanto às discrepâncias entre o primeiro e o segundo ato. Alexander, seu imperturbável diretor, aconselhou-o a não dar atenção a eles, pois tinham sido meramente incitados pela srta. Vetch, cuja personagem estava ausente do segundo ato e mal reaparecia no terceiro. Num romance, no entanto, ele sabia que não se podia correr esse risco: um personagem, uma vez estabelecido, devia permanecer na narrativa, a não ser que fosse secundário ou que morresse antes do final. Estava experimentando numa peça aquilo que nunca havia experimentado num romance. Rezava para que desse certo.

Detestava fazer cortes na trama, mas sabia que não podia se queixar. No início havia resmungado bastante — chegara a expressar uma dolorosa perplexidade — até se tornar uma presença não muito bem-vinda na sala de Alexander. Sabia que não surtiria efeito argumentar que, se a peça necessitasse de cortes, ele os teria feito antes de concluí-la. Agora todo dia ele fazia amputações, e achava estranho que depois de algumas horas continuasse sendo o único a perceber os hiatos, os momentos que faltavam.

Durante os ensaios tinha pouca coisa a fazer. Estava ao mesmo tempo excitado e perturbado com a idéia de que só metade do trabalho era sua; a outra pertencia ao diretor, aos atores e cenógrafos. A marcação do tempo presidia o trabalho, e isso era novo para ele. Sobre o arco do proscênio havia um relógio imenso, invisível, a cujo tique-taque o dramaturgo tinha que dar atenção, com seus ponteiros movendo-se inexoravelmente a partir das oito e meia, tão precisos quanto a paciência da platéia. Naquele sobrecarregado período de duas horas, intervalos incluídos, ele precisava apresentar e resolver o problema que colocara para si próprio, caso contrário estaria condenado.

À medida que a peça passava a parecer mais distante dele, e mais real, à medida que ele observava os primeiros ensaios no palco, e em seguida os primeiros ensaios gerais, ele foi se convencendo de que havia encontrado seu ofício, de que não havia começado tarde demais a escrever para o teatro. Estava pronto agora para mudar sua vida. Antevia o fim dos dias longos e solitários; a satisfação severa que a ficção lhe dava seria substituída por uma vida na qual ele escreveria para vozes, movimento e uma presença imediata que, em toda a sua vida até então, acreditara que nunca experimentaria. Esse novo mundo estava agora ao seu alcance. Mas subitamente, sobretudo de manhã, ele começava a pensar de modo oposto, que fracassaria e não teria como voltar, querendo ou não, a seu verdadeiro meio de expressão: a página impressa. Nunca passara por dias de tamanhas mudanças e agitações.

Sentia só afeição pelos atores. Houve ocasiões em que ele teria feito qualquer coisa ao seu alcance por eles. Providenciou para que grandes cestas de comida fossem colocadas nos bastidores durante os longos dias de ensaios: carne fria de frango e de boi, saladas frescas, batatas com maionese, pão quente com manteiga. Adorava observá-los comer, desfrutando aqueles momentos em que saíam de seus papéis e voltavam à vida cotidiana. Ansiava pelos anos futuros, quando escreveria novos personagens e observaria os atores criarem os papéis e representá-los a cada noite até que a temporada terminasse e eles voltassem ao descolorido mundo de fora do teatro.

Sentia também que, como romancista, atravessava um período infeliz, e tinha cada vez menos indícios de ser valorizado por algum editor de livros ou de periódicos. Uma nova geração, formada por escritores que ele não conhecia e não estimava, tinha tomado posse em toda parte. Oprimia-o a sensação de estar quase acabado; vinha produzindo pouco, e a publicação em periódicos, outrora tão útil e lucrativa, estava se fechando para ele.

Perguntava-se se o teatro poderia vir a ser não apenas uma fonte de prazer e divertimento, mas uma tábua de salvação, um meio de recomeçar, agora que a fecundidade da escrita de ficção parecia esmorecer. *Guy Domville*, seu drama sobre o conflito entre a vida material e a vida de pura contemplação, as vicissitudes do amor humano e uma vida dedicada a uma felicidade mais elevada, fora escrita para fazer sucesso, para cair no gosto do público, e ele esperava a noite de estréia com uma mistura de puro otimismo, uma certeza absoluta de que a peça atingiria o alvo, e uma profunda angústia, uma sensação de que o deslumbramento mundano e o aplauso universal nunca lhe seriam oferecidos.

Tudo dependia da noite de estréia. Imaginara cada detalhe, exceto o que ele próprio faria. Se ficasse nos bastidores, iria atrapalhar; no auditório ficaria agitado demais, suscetível demais a deixar que qualquer murmúrio ou suspiro ou silêncio profundo o perturbasse ou alegrasse indevidamente. Pensou que poderia esconder-se no Cap and Bells, a taverna mais próxima ao teatro, e Edmund Gosse, em quem ele confiava, poderia dar uma escapada no final do segundo ato e contar-lhe como as coisas estavam indo. Mas dois dias antes da estréia concluiu que esse plano era absurdo.

Teria que fazer alguma coisa. Não havia ninguém com quem pudesse jantar, pois convidara todo mundo que conhecia para a estréia, e a maioria havia aceitado. Poderia viajar a alguma cidade próxima, pensou, fazer hora olhando seus atrativos e retornar no trem noturno a tempo de chegar para os aplausos. Mas nada, ele sabia, poderia tirar de sua cabeça a expectativa. Sentiu desejo de estar no meio da escrita de um livro, sem nenhuma necessidade de terminá-lo antes da primavera, quando começaria a sua publicação em capítulos. Sentiu desejo de poder trabalhar silenciosamente em seu escritório, com a cinzenta luz matinal do inverno londrino infiltrando-se pelas janelas. Sentiu desejo de solidão e do conforto de saber que sua vida não dependia da multidão, e sim de ele continuar sendo ele mesmo.

Decidiu, depois de muita indecisão e de discussões com Gosse e Alexander, que iria ao Haymarket para ver a nova peça de Oscar Wilde. Era a única maneira, achava, de ser obrigado a sossegar entre as oito e meia e as dez e quarenta e cinco da noite. A essa hora poderia pôr-se a caminho do St. James's Theatre. Gosse e Alexander concordaram com ele que esse era o melhor plano, o único plano. Sua mente estaria em outro lugar pelo menos por uma parte do tempo, e poderia chegar ao St. James's no momento arrebatador em que sua peça tivesse terminado ou estivesse próxima do fim.

É assim, pensou, enquanto se preparava para a noite, que funciona o mundo real, o mundo do qual ele havia se retirado, o mundo que ele apenas pressupunha. É assim que se ganha dinheiro, que reputações se estabelecem. É algo feito de risco e excitação, de frio na barriga, de coração disparado, de imaginação fervendo de possibilidades. Quantos dias da sua vida seriam como aquele? Se esta, sua primeira peça que julgava capaz de lhe trazer fortuna, terminasse de modo triunfante, as noites de estréia das próximas seriam mais brandas e menos inflamadas. No entanto ele não cessava de sentir o desejo, mesmo quando já esperava pelo cabriolé de aluguel, de estar iniciando naquele exato momento a escrita de uma nova história, de ter diante de si as páginas em branco prontas e esperando por ele, de que a noite estivesse vazia e que ele não tivesse outra coisa a fazer senão escrever. A vontade de se recolher era grande nele enquanto seguia para o Haymarket. Daria qualquer coisa agora para saltar três horas e meia em direção ao futuro, para saber o resultado, para banhar-se no aplauso e na adulação, ou para conhecer o pior.

Enquanto o cabriolé avançava rumo ao teatro, ele sentiu uma súbita, estranha, nova e feroz desolação. Era demais, pensou, estava pedindo demais. Forçou-se a pensar no cenário, na iluminação dourada, nos figurinos, no drama em si, naqueles que haviam aceitado os convites, e sentiu apenas esperança e excitação. Escolhera isso, e agora que o conseguira não devia se queixar. Mostrara a Gosse a lista dos que ocupariam as primeiras fileiras e o balcão, e Gosse dissera que uma galáxia como aquela de celebridades aristocráticas, literárias e científicas que se reuniria no St. James's Theatre nunca fora vista antes num teatro londrino.

Acima deles estariam — hesitou e sorriu, sabendo que se estivesse escrevendo agora pararia e tentaria encontrar o tom certo —, acima deles estariam, como diria? — as pessoas que haviam desembolsado dinheiro, a verdadeira platéia cujo apoio e cujo aplauso significariam mais que o apoio e o aplauso dos seus amigos. Eram, e ele quase disse isso em voz alta, as pessoas que não lêem meus livros, é assim que as conheceremos. O mundo, sorriu enquanto a frase seguinte atravessava sua mente, está cheio delas. Elas nunca deixam de obter a companhia de seus iguais. Esta noite, ele tinha esperança, essas pessoas estariam do seu lado.

Instantaneamente, assim que colocou os pés na calçada do Haymarket, ele sentiu ciúme de Oscar Wilde. Havia algo de leviano naqueles que entravam no teatro, pareciam pessoas prontas a se divertir como nunca. Ele próprio jamais havia se sentido daquele jeito, ou tido aquela aparência, e não sabia como iria administrar aquelas horas entre pessoas que pareciam tão alegres, tão despreocupadas, tão vistosas, tão bem-dispostas. Ninguém que ele tenha visto, nem sequer um único rosto, um único casal ou um único grupo, pareceu-lhe gente que apreciaria *Guy Domville*. Essas pessoas procuravam desfechos felizes. Estremeceu agora ao lembrar das discussões com Alexander sobre o final nada feliz da peça.

Lamentou não ter pedido um assento na ponta de uma fileira. No lugar que reservara, ficou cercado, e, quando a cortina subiu e a platéia começou a rir de falas que ele considerava grosseiras e canhestras, sentiu-se sitiado. Não riu sequer uma vez; não achou nenhum momento engraçado, mas, mais importante que isso, não achou nenhum momento verdadeiro. Cada fala, cada cena era representada como se a tolice fosse uma manifestação mais elevada da verdade. Não se perdia nenhuma oportunidade de retratar a estupidez como presença de espírito; o óbvio, o vazio e o superficial provocavam na platéia gargalhadas entusiásticas e sinceras.

Se *Um marido ideal* era medíocre e vulgar, ele era claramente o único que achava isso, e quando veio o primeiro intervalo seu desejo de sair do teatro era profundo. Mas a verdade era que não tinha para onde ir. Seu único consolo era que aquela não era uma noite de estréia, não havia uma multidão elegante, ninguém que ele pudesse reconhecer ou que pudesse reconhecê-lo. O maior consolo de todos era não haver nenhum sinal do próprio Wilde, espalhafatoso, grande e irlandês como era, nem de seu *entourage*.

Perguntava-se o que ele próprio poderia ter feito com uma história como aquela. O texto, fala após fala, era um arremedo de texto, um apelo ao riso fácil, às reações fáceis. A percepção de uma classe dominante corrupta era rasa; o movimento da trama era canhestro; a peça era malfeita. Uma vez terminada, pensou, ninguém se lembraria dela, e ele só se lembraria por causa da agonia que sentiu, da pura tensão por sua própria peça sendo representada perto dali. Seu drama era sobre renúncia, ele achava, e essas pessoas não tinham renunciado a nada. No final, quando chamaram os atores para receber os aplausos, percebeu por seus rostos afogueados e felizes que eles não tinham nenhum plano imediato de corrigir seu caminho.

Ao atravessar a pé a St. James's Square para tomar conhecimento de seu próprio destino, o êxito completo do que acabara de ver pareceu-lhe uma terrível premonição do naufrágio de

Guy Domville, e ele parou no meio da praça, paralisado pelo terror dessa possibilidade, temeroso de seguir adiante e ficar sabendo mais.

Depois, ao longo dos anos, ele ouviria alusões fragmentadas ao que havia ocorrido. Nunca descobriu tudo, mas sabia pelo menos isto: que o desacordo entre a platéia de convidados e os pagantes que se acomodaram acima dela foi tão intransponível quanto o fosso entre ele e o público da peça de Oscar Wilde. O público pagante, ao que parecia, tinha começado a se remexer no assento, pigarrear e cochichar antes mesmo do fim do primeiro ato. No segundo, riram quando a sra. Edward Saker apareceu em seu amplo e pródigo traje de época. E, uma vez iniciadas as risadas, os pagantes começaram a ter prazer em ser ofensivos. Não demorou para que o riso se transformasse em escárnio.

Descobriu mais tarde, aliás muito mais tarde, o que aconteceu quando Alexander proferiu as últimas palavras: "Meu senhor, sou o último dos Domville". Alguém gritou da galeria: "Ainda bem!". Seguiram-se vaias e rugidos, e quando a cortina baixou os pagantes assobiaram e gritaram insultos, enquanto os espectadores das primeiras fileiras e do balcão aplaudiam entusiasticamente.

Naquela noite ele entrou no teatro pela porta dos artistas, encontrando ao chegar o contra-regra, que lhe assegurou que tudo correra bem, a peça era um sucesso. Alguma coisa na maneira como isso foi dito levou Henry a desejar saber mais, descobrir o grau e a qualidade de tal sucesso, mas nesse exato momento começaram os aplausos, e ele parou para ouvir, confundindo as vaias com exclamações de aprovação. Entreviu Alexander, notou que ele estava tenso e sério ao sair do palco e esperar um momento antes de voltar para agradecer os aplausos. Aproximou-se mais da lateral do palco, certo de que Alexander e os outros atores saboreavam o triunfo. Os assobios e urros, acreditava ainda, indicavam um louvor especial a um ou dois dos atores, Alexander certamente entre eles.

Ficou parado escutando, próximo o suficiente dos bastidores para que Alexander o visse ao sair do palco. Mais tarde disseram-lhe que gritos de "O autor! O autor!" partiram de seus amigos na platéia, mas não foram impetuosos o suficiente para que ele os ouvisse. Alexander ouviu-os, de todo modo, ou pelo menos disse isso mais tarde, porque, ao avistar o autor, aproximou-se dele, com o rosto solene, a expressão fixa, e puxou-o lenta e firmemente pela mão até o palco.

Essa era a multidão que ele havia imaginado durante aqueles longos dias de ensaios. Imaginara-os atentos e prontos a se comover, imaginara-os quietos e sombrios. Não havia se preparado para o caos de alarido e alvoroço. Absorveu aquilo por um momento, confuso, e então curvou-se em reverência. E quando reergueu a cabeça compreendeu o que estava à sua frente. Nas poltronas e na galeria, o público pagante estava assobiando e vaiando. Olhou em volta e o que viu foi zombaria e desprezo. A platéia convidada permanecia sentada, aplaudindo, mas o aplauso era abafado pelo crescendo de uma ruidosa e selvagem desaprovação que vinha das pessoas que nunca haviam lido seus livros.

A pior parte vinha agora — não sabia o que fazer, não podia controlar a expressão de seu rosto, o olhar de pânico que não tinha como evitar. E agora distinguia os rostos dos amigos — Sargent, Gosse, Philip Burne-Jones — ainda aplaudindo corajosamente, mas em vão, sob o rugido da turba. Nada o preparara para isso. Lentamente, foi saindo do palco. Não deu atenção ao discurso de Alexander para acalmar a platéia. Censurava-o por tê-lo levado ao palco, censurava a multidão por vaiar, mas acima de tudo censurava a si próprio por estar ali. Agora não havia alternativa, teria que deixar o teatro pela porta dos fundos. Sonhara tanto com momentos de triunfo, em meio aos convidados, satisfeito de que tantos velhos amigos tivessem vindo testemunhar seu sucesso teatral. Agora caminharia para casa de cabeça baixa como um homem que tivesse cometido um crime e pudesse a qualquer momento ser preso.

Esperou no escuro atrás do palco para não ter que ver os atores. Tampouco tinha vontade de sair já, pois não sabia quem poderia encontrar nas ruas próximas ao teatro. Nem ele nem os outros saberiam o que dizer, tão grande e manifesto era o seu fracasso. Para seus amigos, essa noite entraria para os anais do não mencionável, para as páginas nas quais ele tentara tão cuidadosamente evitar que seu nome aparecesse. Depois de um tempo, contudo, percebeu que não podia trair os atores nesse momento. Não podia sucumbir ao terrível impulso de ficar sozinho no escuro, de fugir para dentro da noite e caminhar como se não tivesse escrito nada e não fosse ninguém. Teria que caminhar até eles e manifestar seu agradecimento; teria que insistir para que o jantar planejado para comemorar o triunfo fosse mantido. Na penumbra ele continuava se preparando, se fortalecendo, pronto a subjugar os ímpetos e necessidades pessoais, quaisquer que fossem. Cerrou os punhos enquanto se punha a caminho para sorrir e saudar e imaginar que a noite, em toda a sua glória, devia tudo ao talento dos atores na grande tradição do palco londrino.

2. Fevereiro de 1895

Depois do fracasso de *Guy Domville*, sua resolução de trabalhar brigava com o sentimento de ter sido derrotado e exposto. Não tinha levado em conta, percebia agora, as grandes deficiências do público, e tinha que encarar o fato melancólico de que nada do que fizesse seria popular ou universalmente estimado. Na maior parte do tempo podia, se tentasse, controlar seus pensamentos. O que não tinha como controlar era a terrível dor das manhãs, uma dor que se estendia agora até o meio-dia, e freqüentemente não cedia. Havia uma frase na peça de Oscar Wilde que lhe agradara e na qual a questão era colocada — a tristeza dos londrinos causava o *fog* ou era o *fog* que causava a tristeza dos londrinos? Sua própria tristeza, pensou, enquanto a escassa luz da manhã de inverno assomava em sua janela, era como o *fog* de Londres. Só que ela não se dissipava, e vinha acompanhada de uma fadiga que era nova para ele, e de uma letargia que o horrorizava e deprimia.

Perguntava-se se em algum ponto do futuro ficaria ainda mais fora de moda do que estava agora, se os dividendos do patrimônio de seu pai iriam esgotar-se, e se seu status diminuído representaria uma humilhação pública. A coisa se reduzia ao dinheiro, à doçura que ele adicionava à alma. O dinheiro era uma espécie de encanto. Em todos os lugares onde havia estado, a posse do dinheiro fazia as pessoas se destacarem. Dava aos homens um maravilhoso controle do mundo à distância, e às mulheres uma equilibrada percepção de si mesmas, uma luz interior que nem mesmo a velhice era capaz de apagar.

Era fácil entregar-se ao sentimento de que estava destinado a escrever para poucos, talvez para a posteridade, sem nunca colher as recompensas que lhe dariam tanto prazer agora, como sua própria casa com um lindo jardim e a ausência de angústia quanto ao futuro. Acalentava o orgulho pelas decisões tomadas, pelo fato de nunca ter feito concessões, pelo fato de que suas costas doíam e seus olhos se estragavam unicamente porque ele continuava a labutar o dia inteiro numa arte que era pura, livre de ambições meramente mercenárias.

Para seu pai e seu irmão, e para muitos em Londres também, um fracasso no mercado era uma espécie de sucesso, e um sucesso no mercado era um assunto a ser evitado. Jamais em sua vida ele buscara ativamente a dura condenação da popularidade generalizada. Não obstante, queria que seus livros vendessem, queria destacar-se no mercado e embolsar os rendimentos sem comprometer sua sagrada arte de nenhuma maneira.

Importava-lhe o modo como era visto; e ser visto como alguém que não movia um dedo para tornar suas obras populares era algo que lhe agradava; ser visto como alguém que se devotava, de modo solitário e abnegado, a uma arte nobre deixava-o satisfeito. Reconhecia, contudo, que a falta de sucesso era uma coisa, mas o fiasco abjeto era outra. Assim, seu fracasso no teatro, tão público, notório e transparente, teve o efeito de deixá-lo embaraçado na companhia dos outros e pouco disposto a enfrentar o mundo mais amplo da sociedade londrina. Sentia-se como um general que tivesse voltado do campo de batalha recendendo a derrota, e cuja presença nos radiantes e animados salões de Londres parecesse incongruente e infeliz.

Conhecia militares em Londres. Havia transitado com cuidado e desenvoltura entre os poderosos, e ouvira com muita atenção os ingleses falarem sobre intriga política e bravura militar. Quando se sentava em meio à coleção habitual de acessórios refinados e guerreiros antigos na casa de lord Wolseley, em Portman Square, freqüentemente pensava no que diria sua irmã Alice ou seu irmão William se tivessem ouvido as mais obtusas das conversas sobre as guerras imperiais após o jantar, as profundas e acaloradas discussões sobre tropas, ataques e carnificinas. Alice fora a mais antiimperialista da família; havia mesmo amado Parnell e almejado um governo autônomo para a Irlanda. William também tinha suas simpatias irlandesas, bem como suas atitudes antiinglesas.

Lord Wolseley era sofisticado, como todos eles, e também cortês e encantador, com covinhas rosadas e olhos penetrantes. Henry gozava da companhia desses homens porque as esposas deles assim queriam. As mulheres gostavam de seus modos, de seus olhos cinzentos e de sua origem americana, mas acima de tudo apreciavam seu jeito de ouvir, absorvendo cada palavra, fazendo apenas perguntas pertinentes, validando com seus gestos e respostas a inteligência de seu interlocutor.

Para ele era mais fácil quando não havia outros escritores presentes, ninguém que conhecesse sua obra. Os homens que se reuniam depois do jantar para contar casos e trocar mexericos políticos nunca lhe instigaram tanto quanto o que diziam; as mulheres, por sua vez, sempre lhe interessavam, não importava o que dissessem. Lady Wolseley interessava-lhe bastante porque era toda sagacidade, simpatia e charme, e tinha o ar, os modos e a distinção de uma americana. Ela nutria o hábito de vistoriar o salão manifestando surpresa e franca admiração diante dos convidados, em seguida voltando seu sorriso para a companhia mais próxima e falando em voz baixa como se compartilhasse um segredo.

Ele precisava sair de Londres, mas não achava que suportaria ficar sozinho em qualquer lugar. Não queria discutir sua peça e não se achava em condições de trabalhar. Decidiu que, se viajasse, as coisas seriam diferentes quando voltasse. Sua mente estava cheia de visões e idéias. Tinha esperança de que sua imaginação se convertesse em páginas escritas. Era tudo o que queria, segundo acreditava agora.

Foi para a Irlanda porque era fácil viajar para lá e porque não julgava que a viagem fosse exigir muito de seus nervos. Nem lord Houghton, o novo vice-rei,* cujo pai ele também conhecera, nem lord Wolseley, que se tornara comandante supremo das forças de Sua Majestade na Irlanda, tinham visto sua peça; ele concordou em passar uma semana com cada um deles. Tinha ficado surpreso com a veemência dos convites e com a contenda entre os dois em torno de quanto tempo ele passaria com cada um deles. Foi só quando já estava instalado no castelo de Dublin que compreendeu o problema.

A Irlanda passava por um momento de agitação e o governo de sua Majestade não apenas fracassara na tentativa de pôr fim à inquietação geral como sucumbira a ela, fazendo concessões. Havia sido relativamente fácil convencer o Parlamento a aceitá-las, mas impossível fazê-las compreensíveis aos proprietários irlandeses e às guarnições locais, que estavam boicotando

* No original em inglês, *lord lieutenant*, representante da Coroa designado diretamente pelo rei ou pela rainha. No caso da Irlanda, o ocupante desse cargo tinha o status de vice-rei. (N. T.)

todos os eventos sociais da temporada no castelo de Dublin. Lord Houghton dependia de convidados importados, e isso explicava o entusiasmo de seu convite.

Enquanto o velho lord Houghton adotara a informalidade tanto em seus modos como em seus hábitos pessoais, e dedicara seus últimos anos a deleitar a si próprio e a divertir os outros, seu filho era austero e presunçoso. Em sua posição de vice-rei, o novo lord Houghton encontrara a verdadeira felicidade. Andava de modo pomposo pelo castelo, sendo o único, ao que parece, a não perceber que, por melhores que fossem suas intenções, ele não tinha nenhuma importância. Representava a rainha na Irlanda, e fazia isso com toda a cerimônia e atenção aos detalhes de que era capaz, preenchendo seus dias com inspeções, recepções e continências, e suas noites com bailes e banquetes. Supervisionava a casa como se a rainha morasse ali e pudesse aparecer a qualquer momento em todo o seu esplendor imperial.

A pequena corte do vice-reinado em toda a sua pompa significava, para Henry, uma fadiga tanto do corpo como do espírito. Houve quatro bailes em seis dias, e banquetes todas as noites. A classe dos funcionários civis e militares povoava esses eventos, com a ajuda de convidados enfadonhos e de segunda classe vindos da Inglaterra. Felizmente, a maioria dos convidados nunca ouvira falar dele; não fez nenhum esforço para mudar isso.

"Meu conselho ao senhor", disse-lhe uma das senhoras inglesas, "é tapar o nariz, fechar os olhos e se possível tapar também os ouvidos. Comece a fazer isso no momento em que chegar à Irlanda e não pare até entrar no castelo ou nos alojamentos do vice-reinado ou onde quer que você esteja hospedado."

A tal senhora estava rubra de satisfação. Ele desejou que sua irmã Alice, que morrera havia três anos, estivesse ali para destroçá-la. Alice, ele sabia, prepararia um discurso para mais tarde e escreveria muitas cartas sobre os pêlos do rosto daquela senhora, sobre seus dentes e o estalido que acompanhava sua voz quando ela alcançava as notas mais altas de advertência. A senhora sorriu para ele.

"Espero não tê-lo alarmado. O senhor parece assustado."

Estava de fato alarmado porque encontrara uma pequena sala com uma escrivaninha, papel, tinta de escrever e alguns livros, e estava ocupado redigindo uma carta. Ocorreu-lhe subitamente que a melhor maneira de fazer aquela mulher sair seria agitar as duas mãos em sua direção, emitindo ruídos como se ela fosse um bando de galinhas ou de gansos.

"Mas aqui é adorável", continuou ela, "e no ano passado os bailes foram os acontecimentos mais brilhantes, muito melhores do que qualquer coisa em Londres, o senhor sabe."

Ele a encarou de modo rígido e, esperava, inexpressivo, sem dizer uma palavra.

"E há outras pessoas aqui", ela recomeçou, "que poderiam aprender um bocado com o vice-rei. O senhor sabe, em Londres somos convidados regularmente a várias dessas grandes casas. Mas não conhecemos lord Wolseley, nem tampouco sua esposa. Lord Houghton foi gentil o bastante para nos apresentar durante uma noitada particular que organizou quando chegamos aqui pela primeira vez, e coube a mim sentar ao lado dele, enquanto meu marido, que é um homem muito doce e bondoso e também muito rico, se me permite dizer, e honesto, evidentemente, teve o infortúnio de ser colocado ao lado de lady Wolseley."

Parou para tomar fôlego e para fazer subir um grau o tom de indignação.

"Lord Wolseley deve ter aprendido um sistema de sinalização em uma de suas guerras e instruído secretamente sua esposa a ignorar meu marido, do mesmo modo que ele me ignorou.

Que grosseria dele! E que grosseria dela! Lord Houghton ficou mortificado. Creio que eles são, refiro-me aos Wolseley, uma dupla muito, muito grosseira."

Henry decidiu que estava na hora de terminar a conversa, mas percebeu que ela estava alerta para qualquer grosseria. Não obstante, sentiu que uma grosseria seria o de menos, em comparação com minutos adicionais daquela conversa.

"Lamento ter que voltar com urgência a meus aposentos", disse.

"Oh, meu Deus", respondeu ela. Estava bloqueando a porta.

Quando ele avançou em sua direção, ela não saiu do lugar. Seu rosto estava imobilizado num sorriso ressentido.

"E é claro que não seremos convidados ao Royal Hospital agora. Meu marido diz que não iríamos mesmo se nos convidassem, mas de minha parte eu adoraria ver o lugar; as noites lá são esplêndidas, segundo fui informada, apesar da grosseria dos anfitriões. E o jovem senhor Webster, o parlamentar, que meu marido diz que tem futuro e será primeiro-ministro um dia, estará lá."

Parou de falar, contemplou o topo da cabeça dele por um momento e contraiu a bochecha. Então recomeçou.

"Mas não somos bons o bastante, foi isso o que eu disse ao meu marido. Mas o senhor tem uma grande vantagem. O senhor é um americano e ninguém sabe quem foi seu pai ou quem foi o seu avô. O senhor poderia ser qualquer pessoa."

Ele ficou parado em pé, observando-a friamente do outro lado do tapete.

"Não tive a intenção de ofender", disse ela.

Ele continuou em silêncio.

"Eu quis dizer que a América me parece uma excelente democracia."

"A senhora seria muito bem-vinda lá", disse ele, e fez uma reverência.

Dois dias depois ele percorreu o trajeto entre o castelo de Dublin e o Royal Hospital, em Kilmainham, do outro lado da cidade. Já conhecia a Irlanda, tinha viajado uma vez de Queenstown, em Cork, a Dublin, e estivera também em Kingstown por pouco tempo. Gostara de Kingstown, da luz que vinha do mar, da sensação de calma e ordem. Mas esta nova jornada trouxe-lhe à memória a viagem através do país, quando testemunhou uma miséria abjeta e onipresente. Houve ocasiões durante aquela viagem em que ele não pôde distinguir se uma choupana havia sido parcialmente demolida ou se estava completamente desabitada. Tudo parecia em ruínas, ou quase. A fumaça saía de chaminés meio apodrecidas, e ninguém, emergindo dessas choupanas, abstinha-se de gritar para uma carruagem que passava, ou de avançar malignamente em sua direção, se ela diminuísse a velocidade. Não houve momento algum em que ele tenha se sentido a salvo do olhar hostil daqueles olhos escuros e acusadores.

Dublin, em alguns aspectos, era diferente. Havia um equilíbrio maior entre a classe mendicante e aqueles que possuíam dinheiro e educação. Mas ainda assim a miséria da Irlanda chegava até os portões do castelo e deixava-o deprimido e assombrado. Agora, enquanto a carruagem oficial levava-o do castelo ao Royal Hospital, ele notava acima de tudo a expressão soturna dos irlandeses. Tentava desviar os olhos, mas não conseguia. As últimas ruas eram estreitas demais para que ele pudesse ignorar a pobreza estampada nos rostos e nas casas e evitar a sensação de que a qualquer momento o caminho seria bloqueado pelo assédio de mulheres e crianças. Se estivesse ali com ele, seu irmão

William usaria palavras fortes para definir aquele quintal negligenciado e empobrecido.

Sentiu alívio quando a carruagem começou a subir a avenida do Royal Hospital, e se surpreendeu com a magnificência do edifício, com o sentido de graça, simetria e decoro do jardim à sua volta. Era, pensou com um sorriso, como entrar no reino dos céus depois de uma árdua travessia das profundezas. Até mesmo a criadagem que veio cumprimentá-lo e recolher sua bagagem pareceu-lhe diferente, imbuída de uma disposição celestial. Pensou em pedir que trancassem os portões e salvassem-no de ter de encarar de novo a pobreza da cidade até que isso fosse inevitável.

Sabia que a casa de repouso fora construída no século XVII para velhos soldados, e em seu primeiro passeio de reconhecimento descobriu que cento e cinqüenta deles estavam hospedados ao longo dos compridos corredores que davam para uma praça central, envelhecendo felizes naquele esplêndido cenário. Quando lady Wolseley desculpou-se pela proximidade deles, respondeu-lhe que também ele, a seu modo, era um velho soldado, ou pelo menos um soldado maduro, e que certamente se sentiria em casa ali, se houvesse algum leito disponível.

Seu quarto tinha vista para o rio e o parque. De manhã, quando acordou, ainda muito cedo, havia uma névoa branca sobre a relva. Voltou a dormir, dessa vez profunda e calmamente, e foi despertado por uma presença que andava nas pontas dos pés pelo quarto, movendo-se na sombra.

"Deixei um pouco de água quente aqui, senhor, e prepararei um banho assim que o desejar."

Era uma voz de homem, com pronúncia inglesa, suave e tranqüilizadora.

"Lady Wolseley manda dizer que, se o senhor assim desejar, o café-da-manhã poderá ser servido aqui em seu quarto."

Henry pediu para que o banho fosse preparado e optou pelo café-da-manhã no quarto. Perguntou-se como sua anfitriã receberia o fato de ele não aparecer até a hora do almoço e supôs que poderia usar sua arte como licença para a solidão. A perspectiva de uma manhã sozinho, com a única companhia do panorama visto da janela e da encantadora harmonia de seu quarto, encheu-o de felicidade.

Quando perguntou ao criado como se chamava, descobriu que não era de modo algum um criado, mas um cabo do exército, e deu-se conta de que os Wolseley tinham um vasto número deles a sua disposição. Aquele se chamava Hammond e tinha uma voz tranqüila e um ar de afável discrição. Henry sentiu imediatamente que Hammond seria um criado muito disputado se algum dia o exército não o quisesse mais.

Durante o almoço a conversa girou, como ele previra, em torno dos eventos no castelo de Dublin.

"De todo modo, os irlandeses eram horríveis", disse lady Wolseley, "e o fato de não darem as caras na temporada deveria ser motivo de alívio. Aquelas lúgubres matronas arrastando suas lúgubres filhas para lá e para cá, tentando laçar durante o jantar algum marido para elas. A verdade é que ninguém quer casar com suas filhas, absolutamente ninguém."

Havia cinco convidados vindos da Inglaterra, dois dos quais ele conhecia de passagem. Notou a tranqüilidade deles, seus rostos sorridentes, que subitamente irrompiam em gargalhadas quando seu anfitrião e sua anfitriã competiam entre si para ver quem era mais divertido.

"Lord Houghton", continuou lady Wolseley, "acha que encarna a família real na Irlanda e que a primeira coisa que a família real tem de ter são súditos, mas, já que os irlandeses se recusam a ser seus súditos, resolveu importar da Inglaterra uma carga completa deles, como o senhor James certamente percebeu."

Ele ficou calado e teve o cuidado de não fazer nenhum gesto que pudesse significar assentimento.

"Ele convidou qualquer um que pudesse vir. Tivemos que resgatar o senhor James", acrescentou o marido.

Pensou em dizer que lord Houghton era um ótimo anfitrião, mas percebeu que era melhor não participar daquela conversa.

"E para fazer tudo parecer agradável e normal", continuou lady Wolseley, "ele promoveu bailes e banquetes. Pobre senhor James, estava tão exausto quando chegou aqui. E lord Houghton, na semana passada, nos convidou para uma recepção noturna em seu apartamento privativo. Foi algo horrivelmente íntimo. Fui colocada ao lado de um homem muito bronco e lord Wolseley teve a seu lado a igualmente tosca esposa do tal. O marido pelo menos sabia ficar calado, mas a esposa não era tão adestrada. Não demos atenção a eles, não demos nenhuma atenção a eles."

Naquela noite, quando ele se retirava, lady Wolseley acompanhou-o por um dos longos corredores. O tom dela sugeria que estava pronta a oferecer-lhe confidências sobre os outros convidados.

"Hammond está fazendo tudo ao seu agrado?", perguntou. "Lamento por ele não ter estado aqui para recebê-lo quando chegou."

"Ele é perfeito, não poderia ser melhor."

"Sim, e foi por isso que o escolhi", disse ela. "Hammond tem um grande encanto, não tem? E discrição, acho."

Observou-o atentamente. Ele não disse nada.

"Sim, eu sabia que o senhor concordaria. Ele está cuidando do senhor e de ninguém mais, e está, evidentemente, à sua disposição o tempo todo. Acho que se sente honrado de cuidar do senhor. Eu lhe disse que quando todos estivermos mortos e esquecidos, só o senhor será lembrado, e seus livros serão lidos. E

Hammond falou uma coisa muito amável, naquela sua voz amável e serena. Disse: 'Farei tudo para fazê-lo feliz durante sua permanência aqui'. Tão simples! E acho que estava sendo sincero."

Haviam chegado ao pé da escada; o rosto dela irradiava insinuações. Ele sorriu brandamente para ela e disse boa-noite. Ao voltar-se para subir ao segundo andar, pôde perceber que ela ainda o observava, com um sorriso estranho.

As cortinas haviam sido cerradas e uma lareira estava acesa em sua sala de estar. Num instante, Hammond entrou trazendo uma jarra de água.

"Vai ficar acordado até tarde, senhor?"

"Não. Vou me recolher em seguida."

Hammond era alto e seu rosto à luz do fogo parecia agora mais fino e macio. Caminhou até a janela, ajeitou as cortinas e em seguida aproximou-se da lareira para reavivar o fogo.

"Espero não o estar incomodando, senhor, mas este carvão é de má qualidade", disse, quase num sussurro.

Henry estava sentado numa poltrona ao lado do fogo.

"Não, por favor. Continue", disse.

"Quer que eu pegue o seu livro, senhor?"

"Meu livro?"

"O livro que o senhor estava lendo antes. Posso buscá-lo para o senhor, está no outro quarto."

Os olhos castanhos de Hammond fixaram-se nele, com expressão afável, quase jocosa. Não tinha barba, nem bigode. Ficou parado à luz amarelada da lâmpada a gás, à vontade, como se a dificuldade de Henry em responder fosse algo que ele tivesse previsto.

"Não creio que lerei agora", disse Henry, lentamente. Sorriu ao levantar-se.

"Sinto que o perturbei, senhor."

"Não, por favor, não se preocupe. Está na hora de ir para a cama."

Estendeu a Hammond uma meia coroa.

"Oh, obrigado, senhor, mas não é necessário."

"Por favor, gostaria que você aceitasse", disse ele.

"Agradecido, senhor."

Na hora do almoço do dia seguinte, mais convidados haviam chegado para povoar os quartos e corredores vazios da residência de lord e lady Wolseley. Em pouco tempo, ruídos animados e muita risada encheram o ambiente. Os Wolseley anunciaram que dariam seu próprio baile, e lady Wolseley acrescentou que aqueles que estavam no castelo poderiam aproveitar para ter uma aula sobre como organizar um baile apropriado tão longe de casa.

Quando alguém falou em fantasia, porém, Henry objetou, declarando-se demasiado antiquado para vestir uma. Quando ele conversava com lady Wolseley no final da noite, ela insistindo que ele se fantasiasse de militar, e ele insistindo que não, um homem jovem, certamente um dos recém-chegados, interrompeu-os. Era impetuoso, seguro de si, e obviamente um protegido de lady Wolseley.

"Senhor James", disse ele, "minha mulher quer ir vestida de Daisy Miller; talvez o senhor possa nos ajudar a desenhar seu figurino."

"Ninguém pode ser Daisy Miller", disse lady Wolseley, "a regra para as senhoras é que sejamos um Gainsborough, um Romney ou um sir Joshua. E devo dizer, senhor Webster, que pretendo brilhar mais que todas."

"Que estranho", replicou o homem, "é precisamente o que a minha esposa disse esta manhã. Que coincidência extraordinária!"

"Ninguém pode ser Daisy Miller, senhor Webster", disse lady Wolseley asperamente, como se estivesse irritada, "e, por favor, lembre-se de que meu marido comanda um exército, e tenha em mente também que alguns dos velhos pensionistas, quando provocados, podem ser muito ferozes."

Mais tarde, Henry puxou lady Wolseley para um canto.

"E quem, por obséquio, é esse senhor Webster?", perguntou.

"Oh, ele é um membro do Parlamento. E lord Wolseley diz que ele terá futuro se conseguir parar de ser tão espertinho. Ele fala muito na Câmara, e isso é outra coisa que meu marido diz que deveria parar de fazer. A esposa dele é muito rica. Cereais, ou farinha de trigo, se não me engano, ou aveia. Dinheiro, de todo modo. Ela tem o dinheiro e ele tem todo o resto que se pode querer, exceto tato. E é por isso que estou tão feliz com a presença do senhor aqui. Talvez possa ensinar um pouco a ele."

Hammond era irlandês, embora falasse com pronúncia londrina, por ter sido levado à Inglaterra ainda criança. Parecia gostar de demorar-se em suas tarefas e de conversar enquanto fazia a limpeza. Pedia desculpas cada vez que entrava e saía. Henry deixou claro que não se importava com as interrupções.

"Eu gosto do hospital, senhor, e dos velhos soldados", disse. Sua voz era suave. "A maioria deles esteve em guerras e alguns ainda travam suas batalhas o dia todo, senhor. Pensam que as janelas e portas são turcos e zulus ou coisa que o valha, e querem atacá-los. É divertido aqui, senhor. É metade Irlanda, metade Inglaterra, como eu mesmo. Talvez seja por isso que eu me sinta em casa."

Sua presença era natural e bem-vinda. Era ágil e leve ao caminhar, apesar da altura. Seus olhos nunca baixavam, olhavam sempre em frente de uma maneira que colocava seu dono à altura do que via, fazendo-o imediatamente absorver tudo, compreender tudo. Parecia desenvolver raciocínios serenos enquanto se movia de um lado para outro.

"Lady Wolseley disse-me que devo ler um de seus livros, senhor. Afirmou que eles são muito bons. Gostaria de ler um deles, senhor."

Henry disse a Hammond que lhe enviaria um livro quando retornasse a Londres. Iria enviá-lo para o Royal Hospital.

"Para Tom Hammond, senhor, cabo Tom Hammond."

Cada vez que Henry voltava a seus aposentos depois de uma refeição ou de uma caminhada pelo jardim, Hammond encontrava um motivo para visitá-lo. Os motivos eram sempre bons. Nunca ficava à toa, nem fazia ruídos desnecessários, mas lentamente, à medida que os dias passavam, tornava-se mais relaxado, passava algum tempo em pé diante da janela conversando, fazendo perguntas e escutando com atenção.

"E o senhor veio da América para a Inglaterra, senhor. A maioria das pessoas faz o contrário. O senhor gosta de Londres? Imagino que goste."

Henry fez um gesto afirmativo e disse que sim, gostava de fato de Londres, mas tentou explicar que às vezes era muito difícil trabalhar lá, por conta dos muitos convites e distrações.

Às refeições, em meio a toda a conversa, todo o riso, todo o esforço para entreter, Henry tinha saudades do momento em que Hammond entrou pela primeira vez em seu quarto. Era por esse momento que ele esperava, o momento que preenchia seus pensamentos quando ele estava ali sentado durante o jantar, lady Wolseley e o sr. Webster competindo entre si na conversação. Pensava em Hammond em pé diante da janela da sala de estar, escutando. De volta a seus aposentos, porém, depois de umas poucas perguntas de Hammond, ou depois de haver tentado explicar alguma coisa a ele, ansiava por silêncio novamente, queria que Hammond o deixasse no mesmo instante.

Sabia que tudo o que havia feito na vida, incluindo tudo o que havia escrito, sua formação familiar e seus anos em Londres, soaria irremediavelmente estranho a Hammond. A despeito disso, havia momentos, quando Hammond estava em seus aposentos, em que se sentia próximo dele, enaltecido de alguma maneira pela conversa que se estabelecia entre eles. Mas então Hammond começava a falar sobre sua própria vida, ou suas esperanças, ou suas opiniões sobre o mundo, e uma vasta distância surgia entre eles, tornada ainda maior na medida em que Hammond não a percebia, enquanto seguia falando, honesto e inconsciente de si mesmo, e também — Henry tinha que admitir — discretamente tedioso.

"Se houvesse uma guerra entre a Grã-Bretanha e os Estados Unidos, senhor James, de que lado ficaria a sua lealdade?", perguntou-lhe Webster durante uma calmaria na conversa após o jantar.

"Minha lealdade ficaria em buscar a paz entre os dois lados."

"E se isso falhasse?", perguntou Webster.

"Por acaso eu sei a resposta", interrompeu lady Wolseley. "O senhor James iria averiguar de que lado estava a França e em seguida iria aderir a esse lado."

"Mas na história do senhor James sobre Agatha Grice, seu americano abomina a Inglaterra e tem as coisas mais horríveis a dizer sobre nós", disse Webster, em voz tão alta que agora toda a mesa prestava atenção. "Penso que ele deve se explicar", continuou.

Henry olhou por sobre a mesa para Webster, cujas faces estavam avermelhadas pelo calor da sala, e cujos olhos brilhavam de excitação por manter a mesa assim, em suspenso, conduzindo a conversação.

"Senhor Webster", disse Henry calmamente quando teve certeza de que o jovem havia finalmente terminado, "testemunhei uma guerra e vi os ferimentos e os estragos que ela causou. Meu próprio irmão esteve perto da morte na Guerra Civil Americana. Seus ferimentos eram inenarráveis. Eu, senhor Webster, não falo levianamente sobre a guerra."

"Ora, ora", disse lord Wolseley. "Falou bem!"

"Só fiz ao senhor James uma simples pergunta", disse Webster.

"E ele lhe deu uma resposta muito simples que o senhor parece ter dificuldade em compreender", replicou lord Wolseley.

Enquanto lord e lady Wolseley faziam preparativos para o baile, consultando os convidados acerca de arranjos e detalhes, e gastando bastante tempo na supervisão da decoração do Great Hall, mais amigos começavam a chegar, incluindo uma mulher que Henry encontrara diversas vezes na residência de lady Wolseley. Seu nome era Gaynor, e seu finado marido havia ocupado algum posto importante no exército. Ela apareceu com sua filha Mona, de dez ou onze anos, e esta, na qualidade de única criança entre eles, tornou-se muito admirada e discutida por causa de sua beleza tímida e seus bons modos inatos. Deslocava-se com harmonia e conseguia parecer feliz sem falar muito ou fazer qualquer exigência, mostrando-se presente de maneira encantadora.

Na véspera do baile uma frente fria baixou sobre Dublin e Henry foi obrigado a voltar mais cedo de seu passeio pelos jardins. Viu-se passando diante de uma das pequenas salas do andar de baixo, na área privativa dos Wolseley. Lady Wolseley estava ocupada juntando perucas para que as senhoras pudessem experimentá-las antes do jantar. O sr. Webster estava com ela, e

Henry parou na soleira da porta, preparando-se para dirigir-lhes a palavra. Os dois estavam entretidos na brincadeira de escolher as perucas, examiná-las e passá-las, rindo, de um para o outro, como conspiradores numa espécie de sonho feliz. Foi então que lady Wolseley forçou Webster a experimentar uma delas e em seguida jogou a cabeça para trás numa gargalhada, enquanto ele tentava experimentá-la nela. Estavam imersos demais na conspiração para ser decentemente interrompidos. De súbito, ele notou que a menina Mona estava sentada numa das poltronas. Não fazia nada, nem os ajudava na mesa circular, nem tampouco participava da brincadeira que os levava mais uma vez a virar-se um para o outro, lady Wolseley cobrindo a boca com a mão.

Mona era um retrato da perfeição em forma de menina, mas ao observá-la Henry notou quão intensamente ela parecia concentrada na cena à sua frente. Seu olhar não era de perplexidade nem de dor, mas havia uma sensação de que ela estava esforçando-se para demonstrar doçura e algum contentamento.

Ele se afastou da porta no exato momento em que lady Wolseley soltava outra risada aguda em resposta a alguma observação do sr. Webster. Em seu último relance de Mona, ela estava sorrindo como se o gracejo tivesse sido uma brincadeira feita para alegrá-la, mas tudo nela transparecia um esforço para disfarçar o fato de que estava claramente num lugar onde não devia, ouvindo palavras ou insinuações que não precisaria ouvir. Ele voltou para os seus aposentos.

Pensou a respeito da cena que havia presenciado, o quanto era vívida para ele, como um evento que já observara antes e que conhecia muito bem. Sentou-se em sua própria poltrona e permitiu que sua mente imaginasse outros quartos e umbrais, outras trocas silenciosas de olhares e sua própria presença distante, enquanto atribuía ao momento um significado profundamente ambíguo. Percebia agora que isso era algo que ele descrevera em seus livros incontáveis vezes, figuras vistas a partir de uma janela ou de um vão de porta, um pequeno ato representando um relacionamento muito mais intenso, algo oculto que é subitamente revelado. Escrevera isso, mas agora ele via a coisa ganhar vida, e no entanto não estava seguro quanto ao seu significado. Imaginou aquilo de novo, a menina tão inocente, e sua inocência tão crucial para a cena. Não havia nada, nenhuma nuance ou subentendido, que ela não parecesse capaz de compreender.

Quando levantou os olhos, Hammond o observava calmamente.

"Espero não tê-lo incomodado, senhor. O fogo precisa de atenção constante com este tempo. Vou tentar não fazer barulho."

No momento em que levantou a cabeça, saindo de seus devaneios, Henry teve consciência de que Hammond o estivera examinando sem nenhuma cautela. E agora procurava disfarçar sua indiscrição movendo-se rapidamente, como se fosse recolher o balde de carvão sem falar mais nada.

"Você viu Mona, a garotinha?", perguntou-lhe Henry.

"Recentemente, senhor?"

"Não, quero dizer desde que ela chegou."

"Sim, eu encontro com ela nos corredores o tempo todo, senhor."

"É estranho ela estar aqui sozinha, sem ninguém da sua idade. Ela tem uma babá que a acompanha?"

"Tem sim, senhor, e a mãe dela."

"O que ela faz o dia todo, então?"

"Sabe Deus, senhor."

Hammond o estava perscrutando de novo, examinando-o com uma intensidade quase descortês. Henry devolveu seu olhar tão calmamente quanto pôde. Fez-se silêncio entre eles. Quando Hammond finalmente desviou os olhos, parecia pensativo e deprimido.

"Tenho uma irmã da idade de Mona, senhor. Ela é bonita."

"Em Londres?"

"Sim, senhor, ela é a caçula temporã. É a luz da vida de todos nós, senhor."

"Mona faz você lembrar dela quando a vê?"

"Minha irmã não fica perambulando sem controle, senhor; ela é um verdadeiro tesouro."

"Mas com certeza Mona é protegida por sua babá e, claro, pela sua mãe, não é?"

"Estou certo que sim, senhor."

Hammond baixou os olhos, parecendo perturbado, como se quisesse dizer algo e não pudesse. Virou a cabeça para a janela e permaneceu calado. A luz banhava metade de seu rosto, deixando a outra metade na sombra; a sala estava silenciosa o bastante para que Henry ouvisse sua respiração. Nenhum dos dois se moveu ou falou. Henry avaliou que se alguém pudesse vê-los agora, se outros se postassem no vão da porta, como ele havia feito anteriormente, ou conseguissem enxergá-los através da janela, presumiriam que algo momentoso ocorrera entre eles, que o silêncio de ambos emergira porque muito tinha sido dito. Subitamente, Hammond deixou escapar uma breve expiração e sorriu para ele de modo gentil e bondoso, antes de recolher uma bandeja da mesa e deixar a sala.

Naquela noite, na ceia, Henry viu-se próximo de lord Wolseley e portanto livre, presumiu, de Webster. Uma das senhoras a seu lado lera vários de seus livros e sentia-se um tanto perturbada por seus desfechos e pela idéia de um americano escrever sobre a vida inglesa.

"O senhor deve nos considerar completamente enfadonhos em comparação com os americanos", disse ela. "As irmãs de lord Warburton em seu romance são completamente enfadonhas. Agora, Isabel não é enfadonha, nem Daisy Miller. Se George Eliot tivesse criado americanos em sua literatura, ela os teria feito completamente enfadonhos também." Ela evidentemente gostava da expressão "completamente enfadonho" e a inseriu em vários outros comentários.

Webster, enquanto isso, não conseguia parar de tentar ser o centro da mesa. Depois de importunar todas as mulheres dizendo o que elas não poderiam, não gostariam ou não deveriam vestir no baile, voltou sua atenção para o romancista.

"Senhor James, o senhor vai visitar algum de seus parentes irlandeses durante sua permanência aqui?"

"Não, senhor Webster, não tenho nenhum plano nesse sentido." Falou com calma e frieza.

"Ora, senhor James, as estradas, graças ao firme comando militar de lord Wolseley, estão a salvo de saqueadores. Estou seguro de que lady Wolseley colocaria uma carruagem à sua disposição."

"Senhor Webster, não tenho nenhum plano."

"Qual é o nome do lugar, lady Wolseley? Bailieborough, é isso, Bailieborough, em County Cavan. É ali que se encontra a base da família James."

Henry notou que lady Wolseley corou e manteve os olhos afastados dele. Olhou para ela e para ninguém mais antes de voltar-se para lord Wolseley e falar suavemente.

"O senhor Webster não vai desistir", disse James.

"Sim, um período no quartel poderia melhorar o seu comportamento geral", disse lord Wolseley.

Webster não ouviu esse diálogo, mas o viu, e pareceu deixá-lo irritado o fato de que os dois homens haviam sorrido um para o outro com ironia.

"O senhor James e eu", lord Wolseley troou em direção à mesa, "estávamos comentando que o senhor tem um talento considerável para se fazer ouvir, senhor Webster. Deveria considerar a idéia de utilizá-lo para um propósito útil."

Lord Wolseley olhou para a esposa.

"O senhor Webster será um dia um grande orador, um grande parlamentar", disse lady Wolseley.

"Quando ele aprender a arte do silêncio será de fato um grande orador, maior ainda do que já é", retrucou lord Wolseley.

Lord Wolseley voltou-se para Henry. Ambos ignoraram cuidadosamente a outra ponta da mesa. Henry sentia-se como se tivesse sido golpeado por alguma coisa e o golpe o tivesse deixado tonto. Fazia de conta que estava acompanhando lord Wolseley, enquanto na verdade, com toda sua energia secreta, concentrava-se no que acabara de ser dito.

Não se importava com a evidente malícia de Webster; nunca mais, segundo esperava, teria de vê-lo novamente, e as palavras de lord Wolseley significavam que Webster não seria capaz de elevar a voz à mesa de novo. Era antes o sorriso de escárnio no rosto de lady Wolseley quando Webster mencionou Bailieborough que Henry guardava na lembrança. Havia desaparecido rapidamente, aquele sorriso, mas mesmo assim ele o havia visto e ela sabia disso. Ainda estava chocado demais para saber se tinha sido uma expressão involuntária ou deliberada. Sabia simplesmente que não havia feito nada para provocá-la. Sabia também que Webster e lady Wolseley tinham conversado sobre ele e as origens de sua família em County Cavan. Não sabia, porém, onde eles tinham conseguido a informação.

Desejou poder deixar a casa agora mesmo. Quando olhou de novo para a mesa, viu de relance lady Wolseley dialogando com a pessoa a seu lado. Parecia penalizada, mas ele se perguntou se isso não seria apenas fruto de sua imaginação, por desejar vê-la desse jeito. Fez um cuidadoso gesto afirmativo quando lord Wolseley chegou ao fim da história de uma de suas campanhas; sorriu o melhor que pôde.

Quando Webster se levantou, Henry percebeu em seu rosto que ele estava perturbado, que havia levado a sério a observação de lord Wolseley sobre o silêncio. Henry sabia, e Webster também devia saber, que lord Wolseley havia falado do modo mais furioso de que era capaz fora de um tribunal militar. Além disso, a pronta defesa de Webster por lady Wolseley viera depressa demais. Teria sido melhor que ela não tivesse dito nada. Henry sabia agora que era importante chegar aos seus aposentos sem cruzar o caminho de Webster nem o de lady Wolseley, que ainda estavam ambos na sala de jantar, mantendo-se afastados um do outro, sem se envolver diretamente em nenhuma conversa.

As lâmpadas a gás estavam acesas em seu apartamento e o fogo ardia na lareira. Era como se Hammond soubesse que ele voltaria cedo. A sala de estar era bela tal como estava, madeira antiga, sombras bruxuleantes, cortinas longas de veludo escuro. Era estranho, pensou, quão familiares aqueles aposentos haviam se tornado para ele, e como ele precisava da paz que eles proporcionavam.

Pouco depois de ele ter se acomodado numa poltrona junto ao fogo, Hammond chegou trazendo chá numa bandeja.

"Eu o vi no corredor, senhor, e me pareceu abatido."

Não vira Hammond, e sentiu-se triste por ter sido observado enquanto retornava da sala de jantar.

"O senhor tem a aparência de quem viu um fantasma, senhor."

"Foram os vivos que eu estive olhando", disse.

"Trouxe-lhe chá, e vou me certificar de que a lareira esteja funcionando bem no seu quarto de dormir. O senhor precisa de uma longa noite de repouso, senhor."

Henry não respondeu. Hammond apanhou uma mesinha, colocou sobre ela a bandeja e começou a servir o chá.

"O senhor vai querer o seu livro, senhor?"

"Não, obrigado, acho que tomarei meu chá e em seguida irei para a cama, como você sugeriu."

"O senhor parece abalado, senhor. Tem certeza de que vai ficar tudo bem?"

"Sim, muito obrigado."

"Posso verificar se está tudo certo durante a noite, se o senhor quiser."

Hammond estava caminhando em direção ao quarto de dormir. Seu olhar, enquanto falava, era despreocupado, como se não estivesse dizendo nada de incomum. Henry não estava certo de haver compreendido bem, não sabia se o oferecimento havia sido feito com inocência ou não. Só tinha certeza de sua própria suscetibilidade; podia sentir sua respiração suspensa.

Como ele não respondeu, Hammond parou e virou-se para ele, e os olhares dos dois se cruzaram. A expressão do rosto de Hammond era de discreta preocupação, mas Henry não saberia dizer o que ela escondia.

"Não, obrigado, estou cansado e acho que dormirei bem."

"Ótimo, senhor. Vou ver se está tudo em ordem no quarto e depois o deixarei em paz."

Henry deitou-se na cama e ficou pensando na casa onde estavam, uma casa cheia de portas e corredores, rangidos estranhos e sons noturnos esquisitos. Pensou em sua anfitriã, no sr. Webster, no tom de zombaria deles. Gostaria de poder partir agora, fazer as malas e hospedar-se num hotel da cidade. Mas sabia que não podia fazer isso, o baile seria na noite seguinte, e partir antes do baile seria uma ofensa. Partiria na manhã depois do baile.

Sentia-se magoado e ferido, sabendo que sua anfitriã havia conspirado contra ele. Pensou no que Webster dissera. Ele nunca falara a ninguém do círculo de lady Wolseley a respeito de County Cavan. Não era um segredo, nem uma questão de vergonha, embora o tom irônico de Webster tivesse dado a entender que essa era a intenção. Era simplesmente o lugar onde seu avô nascera e que seu pai visitara quase sessenta anos atrás. O que poderia significar para ele? Seu avô fora para a América em busca de liberdade, e na América alcançara mais do que apenas liberdade. Alcançara uma grande fortuna, e isso mudara tudo. Henry não dava a menor importância a County Cavan.

Colocou as mãos atrás da cabeça na escuridão do quarto, a luz vinda da lareira já bastante escassa. Perturbava-lhe a idéia de que sentia falta, agora mais do que nunca, naquela casa alheia, naquele país alheio, de alguém que o abraçasse, sem falar ou sequer se mover, mas que o abraçasse, ficasse com ele. Precisava disso agora, e dizê-lo para si mesmo tornou a necessidade mais próxima, mais urgente e mais impossível.

Na manhã seguinte, já tarde, ele se sentou junto à janela e ficou observando o diáfano céu azul sobre o Liffey. Era mais um dia gelado, e por isso ele ficou surpreso ao ver a menina Mona no gramado, desacompanhada e com a cabeça descoberta. Ele próprio havia saído mais cedo para fazer uma caminhada e sentira-se feliz ao voltar para o conforto da casa. A menina, ele notou, estava com os braços estendidos e movia-se em círculos; o gramado era amplo e ele procurou com os olhos pela babá ou pela mãe, mas não viu nenhuma das duas.

Se alguém a visse, pensou, haveria de sentir o mesmo que

ele. Ela precisava ser resgatada, havia muita relva, muito território desguarnecido em torno dela. Era assustador que estivesse ali sem proteção naquela manhã fria de março. Ela ainda estava andando de um lado para outro, no centro do gramado, dando umas corridinhas e parando, seguindo uma rota inventada por ela mesma. Seu casaco, ele viu, estava aberto. À medida que o tempo passava e ninguém chegava para levá-la para dentro, ele imaginou uma figura nas sombras observando-a, ou uma figura emergindo das sombras. Subitamente, ela interrompeu os movimentos, encarando-o. Ele podia ver que ela estava tremendo de frio. Ela fez um gesto e abanou a cabeça. Ele se deu conta de que ela devia estar em contato silencioso com alguém em outra janela, presumivelmente sua mãe ou a babá. Ela não se moveu mais, ficou ali parada sozinha no gramado.

Era o silêncio estagnado e inerte do longo olhar dela que prendia sua atenção. Em sua imobilidade, ela parecia ao mesmo tempo assustada e submissa, e ele não podia sequer começar a imaginar o que a pessoa que a observava da janela estava lhe mostrando.

Pegou seu capote no cabide perto da porta. Não podia resistir a inspecionar a cena pessoalmente, e planejou dobrar casualmente a esquina do prédio e olhar para cima em direção à janela, sem perder um momento, assim que o ângulo permitisse. Acreditava que a pessoa na janela, quem quer que fosse, iria retroceder tão logo ele aparecesse. Qualquer um, pensou, se sentiria envergonhado por desempenhar a partir de uma janela superior a tarefa de vigiar uma garotinha, que em todo caso deveria estar dentro de casa. Chegou até a porta lateral sem encontrar ninguém.

O dia ficara ainda mais frio e ele tiritava ao dar a volta na casa em direção ao gramado. Esperou na esquina durante um segundo e então virou abruptamente, olhando de imediato para as janelas do seu andar antes mesmo de verificar se Mona ainda estava no jardim. Não viu ninguém nas janelas, ninguém recuou para as sombras como ele havia previsto. Em vez disso, bem à sua frente, vestindo um chapéu azul e com o casaco bem fechado, estava Mona, com a babá. A menina estava sendo trazida pela mão na direção dele. Ele cumprimentou as duas e passou por elas rapidamente. Quando voltou-se para observá-las, notou que a babá falava de maneira delicada com a criança, e que Mona sorria de volta para ela, contente e sem sentir falta de nada. Averiguou mais uma vez todas as janelas superiores, mas não havia ninguém espiando.

Ao passar pelo Great Hall, viu que os criados já estavam trabalhando, arrumando as mesas, colocando as velas no lugar, decorando a sala. Hammond não estava entre eles.

Dissera pela segunda vez a lady Wolseley naquela manhã que não vestiria nenhum tipo de fantasia, pois não era nem lorde nem dândi, mas apenas um pobre escrevinhador. Ela lhe dissera que ele ficaria sozinho no baile, já que as senhoras estavam todas preparadas e nenhum cavalheiro viria sem fantasia.

"O senhor está entre amigos, senhor James", disse.

Quando estava falando, ela parou por um momento e hesitou, claramente decidindo não fazer a afirmação que lhe passara pela cabeça. Ele a observou cuidadosa e diretamente, a ponto de ela parecer um pouco embaraçada, e então disse-lhe que partiria na manhã seguinte.

"E Hammond? Não sentirá falta dele?", perguntou-lhe ela, tentando restituir um tom brincalhão à conversa.

"Hammond?" Ele pareceu confuso. "Oh, o criado. Sim, obrigado, ele tem sido esplêndido."

"Normalmente ele é muito sério, mas passou a semana toda sorrindo."

"A senhora sabe", disse Henry, "que sentirei uma falta enorme da sua hospitalidade."

Decidiu que não dirigiria a palavra a Webster naquela noite, e que o evitaria a todo custo. Porém, tão logo chegou à escada, a caminho do baile, Webster surgiu à sua frente. Vestia um traje de caça que Henry considerou ridículo e brandia um envelope com um ar de horrendo divertimento.

"Não sabia que tínhamos amigos em comum", disse ele.

Henry fez uma reverência.

"Procurei pelo senhor esta manhã", disse Webster, "para dizer-lhe que tenho aqui uma carta do senhor Wilde, do senhor Oscar Wilde, que lhe envia suas afetuosas saudações. Pelo menos ele diz que envia, com ele nunca se sabe. Diz que gostaria de estar aqui, e claro que seria uma atração a mais, ele que é um dos protegidos de lady Wolseley. Lord Wolseley, pelo que entendi, prefere manter uma certa distância dele. Não creio que ele quisesse ter o senhor Wilde em seu regimento."

Webster parou e fez menção de descer as escadas, diante de Henry. Este permaneceu imóvel.

"Naturalmente, o senhor Wilde está muito ocupado com o teatro. Ele me conta que uma peça do senhor foi tirada de cartaz para dar lugar ao segundo sucesso dele na temporada, e ele parece bastante satisfeito com a coincidência. A sua peça era sobre um monge, ele me disse. Todos os irlandeses são escritores por natureza, como diz minha esposa, é algo natural para eles. Ela adora o senhor Wilde."

Henry permaneceu em silêncio. Quando Webster parou como que para deixá-lo falar, ele se curvou novamente e fez um sinal para que Webster descesse as escadas, mas Webster não se moveu.

"O senhor Wilde diz que anseia por vê-lo em Londres. Ele tem muitos amigos. O senhor conhece os amigos dele?"

"Não, senhor Webster, não creio que tenho a sorte de conhecer seus amigos."

"Bem, talvez o senhor os conheça e não saiba que são amigos dele. Lady Wolseley foi conosco assistir à peça sobre Ernest. O senhor precisa assistir conosco à próxima peça. Vou informar lady Wolseley a esse propósito."

Webster fazia um esforço maior que o habitual para ser divertido. Também conseguia de algum modo evitar que houvesse qualquer hiato na conversa que permitisse a Henry se afastar. Era evidente que tinha algo mais a dizer.

"Naturalmente, penso que artistas e políticos têm uma coisa em comum. Todos pagamos o preço, creio, a menos que tenhamos sorte e trabalhemos com afinco. O senhor Wilde está tendo problemas com a esposa. É uma época difícil para ele, tenho certeza que o senhor compreende. Lady Wolseley me diz que o senhor não tem esposa. Essa poderia ser uma solução. Desde que não vire moda, suponho."

Virou-se e indicou a Henry que agora eles podiam descer as escadas juntos.

"Mas o fato de ser solteiro deve deixá-lo aberto a todo tipo de... Como posso me expressar? Todo tipo de afinidade."

O Great Hall do Royal Hospital aquecia-se ao fogo de mil velas. Havia música tocada por uma pequena orquestra e garçons deslocavam-se em meio aos convidados oferecendo champanhe. As mesas estavam postas, como lady Wolseley lhe havia dito, com as baixelas de prata que lord Wolseley herdara recentemente, remetidas de Londres especialmente para a ocasião. Até agora só os homens estavam presentes. Ele foi informado de que nenhuma das senhoras queria ser a primeira a chegar, portanto todas estavam em seus aposentos aguardando notícias trazidas por suas criadas, que espiavam regularmente o salão a partir do poço da escada. Lord Houghton exibia todo o seu fausto de representante de rainha na Irlanda e defendia a opinião de que lord Wolseley teria de organizar uma carga de cavalaria para forçar as senhoras a aparecer. Lady Wolseley, ao que parecia, era a mais recalcitrante de todas e havia jurado que seria a última a chegar ao salão.

Henry observava Webster; não o perdia de vista nem por um momento. Estava farto dele. Se Webster se deslocasse na sua direção, estaria pronto para mudar de lugar abruptamente. Isso queria dizer que não podia, sob hipótese alguma, ver-se envolvido numa conversa que prendesse a atenção.

À medida que Webster, abandonando-se a um riso constante, circulava pelo salão, Henry o seguia com o olhar, e foi assim que notou Hammond pela primeira vez. Hammond vestia terno preto, camisa branca e gravata-borboleta preta. Seu cabelo escuro parecia mais brilhante e comprido que antes. Estava bem barbeado, e isso dava a seu rosto uma beleza tênue e pura. Assim que Henry o viu, soube que ele o estivera examinando com demasiada atenção. Soube também que ele próprio deixara transparecer, num átimo, mais do que deixara durante toda a semana. Hammond não parecia perturbado e não desviou os olhos. Carregava uma bandeja, mas não se moveu e conseguiu, sem nenhum traço de emoção, encarar Henry, que estava em pé junto a um grupo, ouvindo sem atenção uma anedota. Henry voltou sua atenção para os vizinhos. Uma vez recolhido o olhar, teve o cuidado de não olhar de novo.

Lord Wolseley encomendara à orquestra um pequeno toque de clarins, e combinara com as criadas que, ao som da música, cada uma das damas, incluindo sua própria esposa, deveria sair de seu quarto e apresentar-se no salão para o alvoroço e a admiração de todos. Nenhuma tinha permissão para se atrasar. Quando os clarins soaram, os cavalheiros deram um passo para trás e as portas foram abertas cerimoniosamente. Duas dúzias de senhoras desceram ao salão, todas elas vestindo elaboradas perucas, torrões de maquiagem e vestidos saídos diretamente das grandes pinturas de Gainsborough, Reynolds e Romney. Os cavalheiros aplaudiram e a orquestra passou a tocar a abertura de uma valsa.

Lady Wolseley estava certa quando disse-lhes que sua fantasia iria triunfar. Uma mistura de azul pavão e vermelho vivo, seu vestido de seda tinha uma enorme cinta e era repleto de pregas, ornatos e saliências. Era decotado de uma maneira que nenhuma das outras damas teria ousado. Lady Wolseley não usava peruca, apenas seu cabelo natural acrescido de madeixas, e a emenda entre os fios naturais e os falsos era imperceptível. O rosto e os olhos tinham sido pintados com tanta perícia que ela dava impressão de não estar usando maquiagem alguma. Tendo pedido à orquestra que parasse de tocar, ela indicou com gestos aos convidados que recuassem um pouco. Seu marido parecia não saber quem ou o que estava do outro lado. As portas foram fechadas e então começaram lentamente a abrir-se de novo.

O que elas revelaram foi a menina Mona como a Infanta de Velázquez, trajando um vestido cinco vezes maior que ela. Chegou até o vão da porta e parou em silêncio, mantendo a mirada distante, desempenhando perfeitamente o papel da princesa nobre demais para observar seus súditos, absorvida por seu grande destino, sorrindo suavemente enquanto os convidados aplaudiam, proclamando-a o êxito e a surpresa da noite.

Imediatamente Henry se sentiu perturbado por ela, pela ostentação de sua feminilidade, por sua equilibrada consciência do próprio fascínio. Perscrutou os rostos dos outros convidados para ver se alguém fazia o mesmo juízo que ele da estranha precocidade da criança, da natureza inconveniente da atenção que ela atraía. Mas eles tomavam seus assentos numa atmosfera de inocência e hilaridade.

Quando Henry virou-se para falar com a dama à sua esquerda, não a reconheceu. Ela vestia uma peruca vermelha grotescamente grande e uma quantidade excessiva de pintura facial, mas o que talvez fosse mais importante é que ela não havia aberto a boca. Assim que ela falou, ele a reconheceu de imediato como a senhora que estava hospedada no castelo de Dublin e que fora ignorada pelos Wolseley.

"Senhor James", sussurrou-lhe ela, "não me pergunte se fui convidada, pois terei de lhe dizer que não. Meu marido se recusa a falar comigo e ficou amuado no castelo. Mas lord Houghton, que tem aversão à grosseria, insistiu para que eu viesse e pediu às outras damas que inspecionassem minha fantasia e me tornassem irreconhecível."

Ela olhou em volta para ver se alguém estava ouvindo.

"Meu marido diz que só devemos ir aonde somos chamados, mas o propósito de uma fantasia é justamente abolir as regras."

Ele estava aflito com a possibilidade de alguém ouvi-la e, com as mãos, aconselhou-a a baixar a voz.

Mona era o foco das atenções, a convidada mais reverenciada. O sr. Webster, que estava perto dela, não parava de bradar comentários lisonjeiros e elogios ambíguos a ela; lady Wolseley, sentada junto ao marido, estava embriagada de excitação.

Hammond circulava com uma garrafa na mão, servindo bebida. Mantinha-se calmo e imperturbável, por mais que estivesse atarefado. Tinha, considerou Henry, a mais bela índole do salão naquela noite.

Henry não dançava, mas se o fizesse teria certamente que dançar com Mona, porque todos os homens assim o fizeram. A cada dança que terminava, um novo par já a esperava. Ao flertar com ela e tratá-la como uma adulta, pensava Henry, eles acabavam por zombar dela. Não davam atenção alguma ao fato de que ela era uma garotinha que se fantasiara e que já devia estar na cama àquela hora. Henry observou Hammond a observá-la, compreendendo que ele devia ser a única outra pessoa no salão que via as brincadeiras dela de modo nada complacente.

Na maior parte do tempo Henry permaneceu sozinho, ou com algum outro cavalheiro ou par de cavalheiros, observando a dança, as velas se consumindo lentamente, os vestidos e perucas parecendo cada vez mais espalhafatosos, as bochechas dos dançarinos ardendo em brasa e a orquestra visivelmente cansada. De repente se deu conta de que o que gostaria de ter agora era a companhia de um americano, de preferência alguém de Boston, um compatriota que compreenderia ou ao menos perceberia, como ninguém presente parecia perceber, a estranheza reinante.

Esses eram os ingleses na Irlanda. O edifício era um oásis cercado pelo caos e pela miséria. Os Wolseley tinham importado sua prataria do mesmo modo que tinham importado seus convidados e sua conduta. Ele gostava de lord Wolseley e não desejava julgá-lo com severidade. Não obstante, sentia falta das opiniões de um americano formado nos ideais de liberdade, igualdade e democracia. Pela primeira vez em anos, sentiu a profunda tristeza do exílio, sabendo que estava completamente sozinho ali, um forasteiro, e demasiado consciente das ironias, das sutilezas, dos modos e, naturalmente, da moralidade vigentes para que se sentisse capaz de participar.

Ao acordar de seu devaneio, viu Hammond à sua frente, ostentando ainda a mesma postura de grande simpatia que irradiara durante toda a noite. Estava extraordinariamente bonito. Henry pegou um copo de água da bandeja e sorriu para ele, mas nenhum dos dois disse qualquer coisa. Com toda a probabilidade, percebeu Henry, eles não voltariam a se encontrar.

Do outro lado do salão, Mona estava sentada no joelho de Webster. Ele segurava as mãos dela, balançando-a para cima e para baixo. Henry sorriu ao pensar em seu amigo americano imaginário entrando agora na sala e testemunhando essa cena nada edificante. Enquanto ele os observava, Webster captou seu olhar e encolheu os ombros despreocupadamente.

Era tarde agora e Hammond se juntara aos criados na tarefa de recolher copos e remover a cera que havia caído das velas sobre as mesas e o chão. Ele já sentia saudades do clarão de prazer que o rosto calmo de Hammond lhe havia proporcionado. Logo, esse clarão estaria extinto para ele, e isso lhe deu a sensação de ser um grande forasteiro, sem nada que satisfizesse seus anseios, um homem distante de seu próprio país, examinando o mundo como um mero observador na janela. Abruptamente, deixou o salão e caminhou com firmeza para seus aposentos.

3. Março de 1895

No decorrer dos anos ele adaptara à sua própria prática, de modo firme e discreto, algo que aprendera com os ingleses. Havia observado como os homens na Inglaterra geralmente respeitavam seus próprios hábitos até que as pessoas ao seu redor aprendessem a seguir o exemplo. Conhecia homens que não saíam da cama antes do meio-dia, ou que dormiam numa cadeira todas as tardes, ou que comiam carne bovina no café-da-manhã, e notava que esses costumes tornavam-se parte da rotina doméstica e quase nunca eram comentados. Os hábitos dele próprio, naturalmente, eram sociáveis e, no essencial, fáceis; suas inclinações eram civilizadas e suas idiossincrasias, moderadas. Assim, tornara-se conveniente para ele, e simples de explicar aos outros, a recusa de convites, confessando-se sobrecarregado de trabalho, dedicado dia e noite a sua arte. Sua fase de inveterado freqüentador de jantares nas grandes casas de Londres havia, ele esperava, chegado ao fim.

Amava o silêncio glorioso trazido pela manhã, quando sabia que não teria nenhum compromisso à tarde e nenhuma obrigação à noite. Havia engordado de solidão, pensava, e aprendera a não esperar nada do dia, a não ser, quando muito, um insípido contentamento. Às vezes a insipidez se impunha na forma de uma dor estranha e insistente que o ocupava por um momento, mas que ele aprendeu a manter sob controle. Em geral, entretanto, era o contentamento que o ocupava; o bem-estar indolente e o silêncio eram capazes, depois que caía a noite, de enchê-lo de uma felicidade que nada — nem a sociedade nem a companhia de indivíduo algum, nem o glamour nem o deslumbramento — podia igualar.

Naqueles dias que se seguiram à noite de estréia e ao seu retorno da Irlanda, ele descobriu que era capaz de controlar a tristeza que certas lembranças traziam consigo. Quando mágoas, medos e terrores vinham até ele logo depois de despertar ou à noite, eram como criados que vinham acender uma lâmpada ou levar embora uma bandeja. Cuidadosamente treinados no decorrer dos anos, eles logo desapareciam por conta própria, cientes de que não deveriam ficar.

Não obstante, ele se lembrava do choque e da vergonha da noite de estréia de *Guy Domville*. Dizia a si mesmo que a lembrança iria desaparecer, e com essa determinação procurava tirar da mente todos os pensamentos de fracasso.

Em lugar disso, pensava em dinheiro, examinando quantias que havia recebido e quantias devidas; pensava em viagens, em locais para onde iria e quando. Pensava no trabalho, em idéias e personagens, momentos de claridade. Controlava esses pensamentos, sabia que eram como velas conduzindo-o através da escuridão. Se não se concentrasse, eles podiam facilmente se apagar, e ele ficaria de novo remoendo derrotas e frustrações que, se não fossem bem manobradas, poderiam deixá-lo desesperado e com medo.

Acordava cedo às vezes e, quando tais pensamentos predominavam, sabia que não tinha escolha senão levantar da cama.

Agindo com decisão, como se estivesse correndo para algum lugar, como se estivesse atrasado para pegar um trem, acreditava poder expulsá-los.

Todavia, sabia que precisava conceder liberdades a sua mente. Vivia das operações aleatórias dela e agora, ao raiar do dia, via-se mergulhado numa nova série de meditações e idéias. Admirava-se de como uma idéia podia mudar tão facilmente de forma e aparecer fresca sob nova aparência; não sabia quão próximo da superfície essa história tinha estado à espreita. Era um conto simples, tornado ainda mais simples pelo pai de seu amigo Benson, o arcebispo de Canterbury, que tentara entretê-lo com ela uma noite depois do fracasso de sua peça. Ele hesitara demais e parara no meio com demasiada freqüência ao tentar contar uma história de fantasmas, não conhecendo nem o seu meio nem o seu final e inseguro até mesmo quanto aos contornos do seu começo.

Henry a havia colocado no papel tão logo chegara em casa. Escreveu em seu caderno de anotações:

> Anoto aqui a história de fantasmas que me foi contada em Addington (na noite de quinta-feira, dia 10), pelo arcebispo de Canterbury. O esboço mais vago e sem detalhes dela: a história das crianças (número e idade indefinidos), deixadas aos cuidados de criados numa velha casa de campo, por conta, presumivelmente, da morte de seus pais. Os criados, perversos e corrompidos, corrompem e pervertem as crianças: as crianças tornam-se más, repletas de maldade num grau sinistro. Os criados morrem (a história é vaga quanto à maneira como isso ocorre) e seus espectros voltam para assombrar a casa e as crianças.

Não precisava recorrer ao caderno para ser lembrado da história; os eventos permaneciam com ele. Pensou em ambientá-la em Newport, numa casa remota junto aos rochedos, ou numa das mansões mais novas de Nova York, mas nenhum desses cenários o conquistou, e ele gradualmente abandonou a idéia de uma família americana. Passou a ser uma história inglesa ambientada no passado; e na lenta elaboração inicial ele reduziu as crianças a apenas duas — um menino e sua irmã mais nova.

Ele pensava com freqüência na morte de sua irmã Alice, ocorrida três anos antes. Havia lido os diários dela, cheios de indiscrições, pela primeira vez. Agora sentia-se sozinho, como ela se sentira ao longo de toda a vida, e próximo dela, embora nunca tivesse sentido seus sintomas ou doenças e carecesse de seu estoicismo e resignação.

Em seus momentos mais sombrios, ele sentia que ambos tinham de alguma forma sido abandonados nas ocasiões em que sua família viajara pela Europa e voltara, muitas vezes sem razão nenhuma, para a América. Eles nunca haviam sido plenamente incluídos na excitação dos eventos e dos lugares, tendo permanecido como observadores não participantes. Seu irmão William, o mais velho, e depois Wilky e Bob, que vieram entre Henry e Alice, tinham sido preparados para o mundo, moldados habilmente, enquanto Henry e Alice tinham sido deixados desprotegidos e despreparados. Ele se tornara um escritor e ela passara a vida acamada.

Lembrava-se claramente da primeira vez que percebera o pânico de Alice. Eles tinham sido surpreendidos pela chuva em Newport, por estarem distraídos demais pela própria conversa e pelas próprias risadas para dar atenção ao escurecimento do céu. Ela devia ter catorze ou quinze anos, mas não desenvolvera ainda nem um pouco da estranha e cautelosa segurança que suas primas exibiam nessa idade; a maneira equilibrada e atenta como elas entravam numa sala ou falavam com um estranho, seu modo espontâneo e natural de se comportar com os amigos e a família, toda essa confiança era algo de que Alice carecia.

Começou a chover forte naquele dia quente de verão e o céu sobre o mar virou uma massa purpúrea e cinzenta de nuvens. Ele estava vestindo um paletó leve, mas Alice trajava apenas um vestido de verão e um frágil chapéu de palha. Não havia nenhum abrigo à vista. Eles tentaram algumas vezes abrigar-se sob arbustos, mas a chuva, impelida pelo vento, era insistente. Ele tirou o paletó e cobriu com ele suas cabeças, então caminharam para casa devagar e em silêncio, apertados um contra o outro. Ele percebia que a felicidade dela era intensa, quase aguda. Nunca antes compreendera a extensão da necessidade que ela sentia da plena atenção, da plena piedade e proteção dele, ou de William, ou de seus pais. Naqueles minutos, enquanto eles caminhavam sobre a terra arenosa e molhada da alameda entre a praia e a aldeia, ele sentiu a irmã febril de satisfação por estar junto a ele. Observando seu esplendor e deleite ao se aproximarem de casa, ele teve a primeira percepção de como as coisas seriam difíceis para ela.

Começou a observá-la. Até então, considerara a brincadeira de que William casaria com ela apenas uma leve provocação, uma maneira de fazê-la sorrir e William gargalhar, contagiando toda a família. Era também uma exibição para o divertimento das visitas. William, o primogênito, era seis anos mais velho que Alice. Tão logo Alice começou a aparecer diante das visitas, usar vestidos coloridos e tornar-se consciente do efeito que podia causar numa sala cheia de adultos, a brincadeira de que ela iria se casar com William tornou-se uma espécie de ritual.

"Oh, ela vai casar com William", dizia tia Kate, e se William estivesse presente, caminhava até ela, tomava seu braço e beijava-a no rosto. Ela não dizia nada, simplesmente observava todo mundo, com os olhos quase hostis diante de seus sorrisos e risadas. O pai a levantava nos braços e a abraçava.

"Oh, agora não vai demorar", dizia ele.

Alice, segundo pensava Henry, nunca acreditou que iria se casar com William. Ela era racional e, mesmo quando ainda estava na adolescência, sua inteligência tinha em seu cerne uma raiva quebradiça. Contudo, como a idéia de que ela deveria se casar com William tinha sido repetida tantas vezes, e como nenhum estranho apresentou-se ao menos como vagamente plausível, a noção entrara de modo sub-reptício, mas firme, nos recantos silenciosos de sua alma.

Ao tentar dar forma à história das duas crianças abandonadas que o arcebispo lhe contara, ele se viu refletindo sobre a presença desconcertante de sua irmã no mundo. Passou em revista as cenas em que ela deixou claro para todos sua considerável inteligência e sua franca vulnerabilidade. Ela era a única garotinha que ele havia conhecido, e agora, quando começava a imaginar uma garotinha, foi o fantasma inquieto de sua irmã que veio até ele.

Lembrava-se de uma cena ocorrida quando Alice devia ter uns dezesseis anos. Era um daqueles demorados jantares com um ou dois convidados, ele recordava, e alguém dissertava sobre a vida e a morte e o encontro com membros da família depois da morte, ou a esperança disso, ou a crença de que isso era possível. Então um dos convidados, ou tia Kate, sugerira uma oração pelo encontro com os entes queridos na próxima vida, quando subitamente a voz de Alice se elevou sobre as outras e todos pararam e olharam para ela.

"Ninguém precisa rezar por nada", disse ela. "A referência àqueles que devemos reencontrar me dá calafrios. É uma invasão da santidade deles. É o tipo de pretensão pessoal à qual me oponho profundamente."

Ela havia soado como a tia de Emerson, como alguém embebido na filosofia da vida e da morte, alguém que se orgulhava da independência de seu pensamento. Estava claro para a família que ela possuía uma mente perspicaz e um grande espírito, mas que sabia que teria de escondê-los se quisesse ser como as outras jovens da sua idade.

Alice tinha amigos e visitas e saía para passeios. Aprendeu a ser aceitável para as irmãs dos companheiros de seus irmãos. Mas Henry a observava quando um rapaz entrava na sala, e percebia a mudança em seu comportamento. Ela não conseguia relaxar e seus silêncios eram forçados. Tornava-se tagarela, falando uma mistura de absurdos e paradoxos. Havia uma terrível estridência e desassossego nela. Ele notava como essas ocasiões sociais deviam exauri-la.

Até mesmo as refeições em família podiam ser uma provação para ela, uma vez que Bob e Wilky foram aprendendo a deleitar-se em provocá-la e deixá-la sem defesa. Aqueles foram os anos da grande inquietação de seu pai, quando eles atravessaram o Altântico em busca de algo que nenhum deles compreendia, um alívio para a ávida e impetuosa desorientação de seu pai. Eles foram arrastados de cidade em cidade, de hotel a apartamento, de tutores a escolas. Falavam francês fluentemente e tinham consciência da própria singularidade. Isso fez com que todos os cinco ficassem à margem de sua geração; eles sabiam ao mesmo tempo mais e menos que os outros. Mais sobre opulência, história e cidades européias, mais sobre solidão e incerteza, mais sobre estar só e ser independente. Menos sobre a América e a rede de conexões e afeições que estava sendo tecida por seus contemporâneos. Naqueles anos, eles aprenderam a aprender uns com os outros, a oferecer uns aos outros uma linguagem particular, uma contenção, uma coerência. Eram como uma velha cidade fortificada. Ninguém, por mais intenso que fosse o cerco, conseguiria romper suas defesas. E Alice, ao se tornar mais velha, ficou presa do lado de dentro.

Henry não tinha nenhuma lembrança nítida da visita de

Thackeray à mesa da família em Paris, embora se recordasse de outras aparições dele. A história era contada e recontada, e todos na família, incluindo a mãe, que normalmente era cautelosa e reticente, julgavam valer a pena narrá-la a cada novo visitante.

Alice estava com oito ou nove anos na época. Tinha sido colocada ao lado do romancista, e Henry sabia que isso não devia ter sido fácil para ela. Decerto ficara nervosa a cada gesto que fazia, a cada porção de comida tocada por seu garfo e sua faca. Devia ter passado a refeição toda perguntando-se o que o grande homem estaria pensando dela. Henry sabia que naquelas ocasiões o batimento cardíaco da irmã se acelerava, e que seus esforços para causar boa impressão eram complexos, autoconscientes e penosos.

Ele nunca se lembrava dela usando espartilho naqueles anos, mas a história centrava-se nisso. Thackeray virou-se para ela e examinou seu traje.

"Espartilho!", disse ele. "Eu nunca teria imaginado. Tão jovem e tão devassa!"

O comentário, que talvez tivesse uma intenção afável, deve ter atingido sua irmã como um golpe súbito. Nos momentos que se seguiram, ela deve ter sentido apenas vergonha, como se uma parte secreta e obscura dela tivesse sido exposta. Ele imaginava a brusquidão do comentário, via a incompreensão da irmã, sua tentativa de sorrir. Só Henry compreendia plenamente a crueldade daquilo, mas não fazia nada para calar o restante da família quando alardeavam a história para quem quisesse ouvir, tanto mais contentes se Alice estivesse na sala para escutar o relato de sua própria humilhação nas mãos de um dos mais destacados romancistas da época.

William era o mais velho e o menos vulnerável. A quantidade de viagens e de rupturas parecia não fazer nenhuma diferença para ele. Era forte e popular entre seus colegas de escola.

Estava sempre certo de ter um lugar no próximo jogo. Adorava gritos e barulho; adorava companheiros estridentes. Adorava bater portas e praticar esportes. Ninguém notava a parte livresca dele, e ele próprio talvez não a tivesse notado até começar a discutir destemidamente com seu pai. Debatia com tanto gosto e exuberância que, no início da adolescência, passou a fazer com as palavras, frases e opiniões o que até então havia feito com cercas e gramados bem cuidados.

Alice tentava mostrar-se sofisticada para William, uma mulher do mundo, uma daquelas francesas do século XVIII que escreviam diários. A mãe deles comentou um dia quão profundamente Ned Lowell tinha sido afetado pela Boston retratada no novo romance de Howells. Alice claramente quis dizer alguma coisa e todos se voltaram para ela. Ela não conseguia começar. Seu rosto enrubesceu.

"Oh, coitado!", ela balbuciou. "Se ele é tão afetado por um romance, é o caso de se perguntar o que ele sente diante do saque de Roma, ou mesmo dos flertes de sua própria esposa."

Mais uma vez a mesa ficou imóvel. A mãe fez menção de se levantar, e puxou a cadeira para trás. Os outros olharam para Alice com surpresa. William não sorriu para ela. Ela manteve os olhos baixos. Tinha avaliado mal o momento, e eles tinham percebido a estranha impressão que ela poderia causar se fosse deixada solta no mundo.

Aquela imagem dela permaneceu com ele; o fosso entre sua vida interior, em toda a sua confusa privacidade, e a vida que havia sido traçada para ela era algo que o intrigava. Quando o longo inverno londrino começou a amainar e os dias ficaram mais longos, ele não estava trabalhando em nenhum romance, mas sim tomando notas para contos e experimentando alguns começos. A morte prematura da irmã o perseguia, e os detalhes de sua estranha vida apareciam-lhe quando ele menos esperava, intensificando seu sentimento do passado irrecuperável.

Lembrava-se também de uma noite quando sua irmã devia ter dezoito ou dezenove anos. Ele voltara para casa com algum tipo de notícia, uma palestra que ouvira e que interessaria a seu pai, ou alguma coisa que havia publicado. Entrara na sala cheio de expectativa e dera com sua tia Kate, que imediatamente o alertou para o fato de que sua irmã não estava bem.

Sentado no andar de baixo, ele ouvia Alice berrar. Os pais cuidavam dela, e tia Kate subia a todo instante as escadas para rondar o quarto ou juntar-se brevemente a eles e em seguida trazia a Henry notícias comunicadas em voz baixa. Ele não conseguia lembrar com precisão os termos empregados por sua tia para descrever o mal de Alice. Alice estava tendo um ataque, talvez, ou estava sofrendo dos nervos, mas ele sabia que durante a noite o pai e a mãe tinham vindo falar com ele em turnos, e notara o nervosismo deles diante do novo dilema que lhes era apresentado. A filha nervosa e sua estranha enfermidade mereciam toda a compaixão e atenção da parte deles.

Aquela noite, quando os soluços dela não paravam no andar de cima, e ele sabia que ela estava sendo abraçada e confortada, Henry notara também que sua mãe, habitualmente menosprezada por Alice por conta de suas preocupações banais com o meramente doméstico, agora era chamada desesperadamente pela filha e dava a impressão, na penumbra da velha sala onde ela vinha sentar-se ao lado de Henry, de extrair uma certa satisfação do fato de ser tão solicitada.

Nada era o que parecia. Ele tinha uma imagem para sua história de uma governanta, uma pessoa cheia de doçura, inteligência e competência, excitada pelo desafio de seu novo encargo, o de cuidar do menino e da menina de quem o arcebispo havia lhe falado. E tinha também uma imagem de sua própria mãe e de sua tia Kate, uma delas carregando uma lâmpada, entrando na sala onde ele estava sentado, ambas com aparência preocupada e exausta, os lábios da mãe apertados, mas os olhos brilhando e o rosto corado, ambas sentando com ele enquanto os gritos amortecidos de Alice chegavam do andar de cima, ambas as mulheres austeras e zelosas em suas cadeiras, mais vivas, mais intensamente envolvidas do que ele as havia visto por muitos anos.

Tinha também uma imagem dele próprio em Genebra com Alice e tia Kate alguns anos mais tarde, numa época em que nenhum deles ousava dizer a Alice, nem um ao outro, que o sofrimento dela parecia quase desejado. Tentavam nomear sua enfermidade, e o mais próximo que sua mãe conseguiu chegar para descrevê-la foi dizer que Alice estava sofrendo de autêntica histeria. Seu mal era incurável, percebeu Henry, pois ela o acalentava e se apegava a ele como se fosse um visitante pelo qual estivesse irremediavelmente apaixonada. Em Genebra, durante o passeio deles pela Europa, devem ter parecido a quem os visse, e às vezes a eles mesmos, um retrato de respeitosos e diligentes nativos da Nova Inglaterra desfrutando dos pontos turísticos, observando o Velho Mundo com olhos sensíveis e inteligentes, o irmão e a irmã viajando com a tia antes de sossegar o espírito. Sua irmã nunca lhe parecera tão feliz, tão espirituosa e cheia de esperança.

Lembrava-se de como, a cada tarde, os três caminhavam junto ao lago, depois que tia Kate se assegurava de que Alice havia descansado o bastante pela manhã.

"Os livros de geografia nunca mencionaram", disse Alice numa dessas caminhadas, "que os lagos têm ondas. Toda a poesia terá que ser reescrita."

"Por onde devemos começar?", perguntou Henry.

"Vou escrever a William", respondeu ela. "Ele há de saber."

"Você precisa descansar todo dia, querida, e não escrever uma torrente de cartas", disse tia Kate.

"De que outro modo posso fazê-lo saber?", perguntou Alice. "Caminhar é mais cansativo que escrever cartas, e temo que todo esse ar fresco acabe por significar a minha morte."

Deu um sorriso condescendente para a tia, que não pareceu gostar nem um pouco, Henry notou, da menção à morte.

"Os pulmões adoram hotéis", disse Alice. "Sentem falta do saguão e das escadas, e também do restaurante e do quarto de dormir, se lá houver uma bela vista e uma janela fechada."

"Caminhe devagar, meu bem", disse tia Kate.

Henry observava Alice enquanto ela tentava pensar em algum novo comentário que o divertisse e aborrecesse tia Kate, e então, à medida que eles continuavam a andar, ela ficou por um momento satisfeita com o próprio silêncio e com a companhia deles.

"O coração", retomou ela, "prefere um trem belo e cálido, e o cérebro, evidentemente, clama por um navio de cruzeiro. Devo contar tudo isso a William assim que voltar ao hotel, e temos que andar depressa, tia, pois andar devagar é um anátema para a memória."

"A meu ver, se Dorothy Wordsworth", disse Henry, "tivesse deixado seu irmão saber tais coisas, a poesia dele teria melhorado bastante."

"Dorothy Wordsworth não era a esposa do poeta?", perguntou tia Kate.

"Não, essa era Fanny Brawne", disse Alice, e deu um sorriso travesso para Henry.

"Ande devagar, querida", repetiu tia Kate.

Naquela noite, quando ela desceu para o jantar, Henry notou o cuidado que Alice tivera ao se vestir e ao arrumar o cabelo, e soube que as coisas poderiam ter sido diferentes para ela se tivesse sido uma beldade, ou se não tivesse sido a única filha mulher, ou se sua inteligência tivesse sido menos aguda, ou mais convencional a sua infância.

"Não poderíamos viajar pelo mundo e ficar sempre em hotéis agradáveis, só nós três, e escrever cartas para casa sempre que um comentário muito espirituoso fosse feito por um de nós?", perguntou Alice. "Não poderíamos fazer isso para sempre?"

"Não, não poderíamos", disse tia Kate.

Tia Kate assumiu o papel, conforme Henry recordava, de uma governanta severa mas benevolente, cuidando de duas crianças órfãs, sendo Henry o obediente, atencioso e confiável, e Alice a estouvada, mas também pronta a fazer o que lhe pediam. Os três foram felizes naqueles meses porque não pensavam no que seria de Alice quando voltasse para casa.

Ninguém que os observasse poderia imaginar que Alice era já uma estranha e arguta inválida. Na companhia deles, ela chegou perto da cura, mas Henry já na época sabia que não poderiam viajar com ela de cidade em cidade para sempre. Por trás do rosto sorridente da figura que descia as escadas do hotel para encontrá-los no saguão a cada manhã, havia uma escuridão pronta a emergir quando chegasse a hora. Já então a danação de Alice estava de algum modo inscrita em cada aspecto do seu ser, e, apesar daqueles dias de harmonia e felicidade em Genebra, o que estava à sua frente tinha a forma de uma história que agora o desconcertava e fascinava, a de uma jovem que parecia ser alegre, ambiciosa e diligente, mas que logo ouviria sons penetrantes durante a noite e veria rostos assustadores na janela, deixando que seus devaneios se convertessem em pesadelos.

A pior época para ela foi o período anterior e imediatamente posterior ao casamento de William, quando um retorno agravado dos antigos males provocou seu mais grave colapso nervoso. Na Inglaterra, anos depois, ela contou a Henry que a maior parte dela havia morrido então, que no terrível verão do casamento de William com uma mulher bonita, prática e imensamente saudável, cujo nome, para cúmulo da crueldade, era também

Alice, Alice James desceu para as profundezas do mar, e as ondas escuras turvaram sua visão.

No entanto, apesar de suas temíveis e debilitantes enfermidades, ela manteve uma estranha energia mental; nada do que fazia era previsível ou isento de ironias e contradições deliberadas. Quando sua mãe morreu, a família vigiou-a com atenção, julgando que aquilo certamente causaria sua desintegração final e completa. Henry demorou-se em Boston, imaginando maneiras de ajudar a ela e seu pai. Mas Alice não teve mais ataques; tornou-se, do modo mais plausível que pôde, a filha competente, zelosa e terna, que organizava a vida doméstica com um espírito leve e relacionava-se com o restante da família como se fosse o eixo que mantivesse as coisas em pé. Antes de partir para Londres, ele a viu um dia parada no vão da porta da casa, despedindo-se de uma visita e recomendando a ela, de braços cruzados e olhos brilhantes, que voltasse logo. Ele viu sua irmã sorrir com ternura e, em seguida, quase com tristeza enquanto fechava a porta. Naqueles momentos, tudo nela, a postura, a expressão do rosto e os movimentos que fez ao voltar para o corredor, parecia vir de sua mãe. Ela estava fazendo um esforço, Henry percebeu, para se tornar a mulher da casa.

O pai deles morreu dentro de um ano, e logo que foi enterrado a encenação de Alice desmoronou. Ela desenvolvera uma amizade próxima com Katherine Loring, cuja inteligência equiparava-se à sua. No entanto, sua amiga era forte na mesma medida em que Alice era fraca. A srta. Loring acompanhou-a à Inglaterra quando ela decidiu escapar dos cuidados de tia Kate, num ato de rebeldia e independência, mas também, claro, num pedido de socorro a Henry. Ela ainda viveria mais oito anos, mas eles seriam passados essencialmente na cama. Era, como ela costumava dizer, apenas o tempo que a vagem, esvaziada das ervilhas, levava para secar por completo.

* * *

Ele se lembrou disso enquanto a aguardava em Liverpool, na Inglaterra, e sabia que o obstinado senso de resolução e prioridade que ela possuía, e a considerável herança que lhe fora legada pelo pai, iriam, com a ajuda da srta. Loring, adiar esse processo de secagem por algum tempo. Decidiu não alimentar a idéia de que ela perturbaria sua solidão e a fertilidade de seu exílio. Todavia, alarmou-se quando a viu ser carregada para fora do navio, impotente e enferma. Ela não conseguiu falar nada quando ele se aproximou; e quando pensou que ele fosse tocá-la, fechou os olhos e virou o rosto para o outro lado, aflita. Estava claro que ela não deveria ter viajado. A srta. Loring supervisionou a condução de Alice a uma hospedagem adequada e a contratação de uma enfermeira. Ela dependia do estado de invalidez de sua irmã, sentiu Henry, tanto quanto Alice dependia dela.

Alice não queria perder a amiga de vista. Havia deixado a família e a saúde para trás, mas sua vontade unia-se agora à necessidade intensa de ter Katherine Loring só para si. Henry notou que, quando a srta. Loring estava ausente, a doença de Alice beirava a histeria, mas quando ela voltava e prometia ficar a seu lado e cuidar dela, Alice recolhia-se à cama com calma e quase com alegria. Escreveu a sua tia Kate e a William a respeito daquela estranha dupla. Tentou deixar clara sua gratidão à srta. Loring por sua dedicação, tão generosa e impecável, mas sabia que tal dedicação dependia do fato de Alice permanecer inválida. Estava descontente com a ligação entre elas, com o modo doentio como essa ligação se dava. Não gostava da dependência abjeta de Alice para com sua amiga inseparável. Por vezes chegou a acreditar que a srta. Loring fazia mal a sua irmã, mas não conseguia ver quem, no lugar dela, poderia fazer-lhe bem, e acabou se resignando a ela.

A srta. Loring ficava com Alice a maior parte do tempo, cuidando dela, tolerando-a, admirando-a como ninguém nunca fizera. Alice passara a se especializar em opiniões fortes e conversas mórbidas, e a srta. Loring parecia gostar de ouvi-la expressar suas posições sobre a morte e os prazeres que a acompanham, sobre a questão irlandesa e a iniqüidade do governo, e sobre a sordidez da vida inglesa. Quando a srta. Loring estava ausente, ainda que por pouco tempo, Alice ficava triste e indignada com o fato de que ela, que se sentara à mesma mesa com os irmãos e o pai, as maiores inteligências da época, agora estivesse relegada à rasa compaixão de uma enfermeira inglesa que sua amiga havia contratado.

Henry a visitava com tanta freqüência quanto podia, mesmo quando ela e a srta. Loring se hospedavam fora de Londres. Às vezes ele a ouvia com espanto e fascinação. Ela adorava gracejos elaborados; tornar alguma coisa pequena e ocasional tremendamente engraçada, apenas pela força de sua personalidade. A devoção da sra. Charles Kingsley a seu falecido marido era um assunto que a deleitava. Mostrava-se disposta a repetir a história inúmeras vezes com furioso escárnio, levando as visitas a concordar que o caso merecia ser contado de novo, antes mesmo de haver terminado.

"Vocês sabiam", dizia ela, "que a senhora Charles Kingsley era devotada à memória do marido?"

Detinha-se como se aquilo fosse o bastante e não houvesse mais nada a ser dito. E então, com um movimento da cabeça, deixava claro que estava pronta para continuar.

"Vocês sabiam que ela se sentava com o busto dele a seu lado? Quando se visitava a senhora Charles Kingsley, era-se obrigado a visitar o marido também. Ambos olhavam para as visitas como se as ameaçassem."

A própria Alice olhava ameaçadoramente, como se descrevesse o mal em estado puro.

"E o que é pior", prosseguia, "a senhora Charles Kingsley tem a foto do falecido presa com alfinete no travesseiro sobressalente da sua cama!"

Ela fechava os olhos e ria cáustica e demoradamente.

"Oh, uma boa noite de sono para a senhora Charles Kingsley! Vocês podem imaginar algo mais repugnante?"

Havia também os médicos. Suas visitas e prognósticos enchiam-na ao mesmo tempo de desdém e divertimento, mesmo quando lhe diziam que tinha câncer. Uma pequena tolice de um médico alimentava a conversa de vários dias. Ela declarou um dia que fora visitada por sir Andrew Clarke e seu sorriso espectral, como se este último fosse um conhecido apêndice dele. E então, ofegando, ela contava a história de como um amigo, anos antes, tivera que ficar esperando por ele, que ao chegar se anunciou como "o atrasado sir Andrew Clarke".*

"Então eu disse à senhorita Loring, enquanto esperávamos por sir Andrew, que eu apostava que ele iria fazer precisamente a mesma exclamação tantos anos depois ao entrar em nossa sala. 'Escute só', eu disse, e a porta se abriu, revelando um vistoso cavalheiro que entrou com seu sorriso espectral e tudo, e a frase 'o atrasado sir Andrew Clark' saiu de seus lábios, como se ele a estivesse dizendo pela primeira vez, seguida por uma eclosão bastante madura de hilaridade por parte do mesmo sir Andrew, aliás madura demais, na verdade."

Ela examinava a si própria buscando ansiosamente sinais da morte, parecendo tão destemida em face da mortalidade quanto o era em face de todo o resto. Ela não gostava do sacerdote que morava no apartamento do andar de baixo, e dizia ter

* "*The late* Sir Andrew Clarke": em inglês, *late* tem, entre outros sentidos, o de "atrasado" e o de "falecido" e é neles que se baseia a graça da anedota contada por Alice James. (N. T.)

medo de que, se ela caísse doente durante a noite, ele pudesse ministrar-lhe a extrema-unção antes que alguém o impedisse.

"Imagine", disse ela, "abrir os olhos pela última vez e ver aquele padre com cara de morcego."

Olhava fixo para a distância enquanto falava.

"Isso estragaria a expressão póstuma que venho exercitando há anos."

Riu com amargura.

"É terrível ser uma criatura desprotegida."

Com o passar do tempo, ele compreendeu que a irmã não sairia mais da cama e descobriu que a srta. Loring tinha a mesma opinião. Ela prometeu permanecer com Alice até o fim. Essa constante conversa sobre "o fim" perturbava-o, e algumas vezes, quando observava as duas juntas — a paciente perpétua e sua companheira, tão alegre, alvoroçada e vivaz —, ele sentia uma necessidade urgente de afastar-se delas, abreviar sua permanência, voltar para sua própria solidão arduamente conquistada.

Escreveu dois romances durante a permanência de Alice na Inglaterra, os quais estavam saturados com a atmosfera peculiar do mundo de sua irmã. Compreendia o dilema de uma mulher numa era de reformas, dividida entre as regras da educação e a necessidade de mudar essas mesmas regras, mas também, e mais crucialmente, a seu ver, o dilema de uma mulher criada numa família livre-pensadora que reservava seu livre-pensamento às conversas, permanecendo respeitável e conformista em tudo o mais. Quando se pôs a escrever *Os bostonianos*, não teve dificuldade alguma em imaginar o conflito entre duas pessoas que buscavam o poder sobre uma terceira. Tal confronto havia ocorrido brevemente entre ele e a srta. Loring, antes de ele abandonar o campo de batalha. No outro romance, *A princesa Casa-*

massima, também escrito depois da chegada de Alice à Inglaterra, ele realizou, a princípio sem perceber, um duplo retrato dela. Em uma metade ela era a própria princesa, sutil, brilhante e obscuramente poderosa, recém-chegada a Londres. Na outra metade ela deve ter se reconhecido: era Rosy Munniment, confinada à própria cama, "uma pequena inválida estranha e enfeitada", uma "irmã miúda, velha, mordaz, aleijada e tagarela", uma "criatura dura e brilhante, polida, por assim dizer, pelo sofrimento".

Ela lia toda a obra dele, e expressou sua grande admiração por esse novo romance sem mencionar a irmã acamada que tanto desagrada aos dois personagens principais. Em seu diário, ela escreveu sobre o trabalho árduo de Henry e o sucesso de William. Não era, escreveu ela, um mau desempenho para uma família, especialmente, acrescentou, se eu tratar de morrer, a tarefa mais difícil de todas.

Assim, tendo mudado para Londres, ela começou a morrer a sério, ela que durante tanto tempo tinha feito de conta que morria. Ansiava, revelou a Henry, por uma doença palpável, e a chegada do câncer foi recebida por ela com enorme alívio. Tinha apenas quarenta e três anos. Sonhou que tinha visto um barco sendo lançado ao mar, e sob uma grande nuvem negra ela viu sua falecida amiga Annie Dixwell passar e lhe retribuir o olhar. Estava pronta para juntar-se a ela.

Henry e a srta. Loring cuidaram dela enquanto ela se debilitava, controlando sua dor à base de morfina. Ela parecia não melhorar nem um pouco, e ele se perguntava se ela poderia escapar dessa maneira; morrer, por assim dizer, sem perceber. Mas sua agonia não foi fácil.

Um dia ele entrou no quarto da irmã e ficou chocado com a mudança que ela havia sofrido. Estava aflita, respirando com dificuldade, o pulso fraco e irregular. Uma febre a aquietara, mas de quando em quando vinha uma tosse intensa que a levava a ter ânsias de vômito, então se recostava de novo, exausta. Quando tentava falar, a tosse voltava e sacudia-a toda, e então ela ficava em silêncio. O médico disse que não havia razão para duvidar de que ela pudesse seguir assim durante dias.

Henry a velava, desesperado para oferecer algum conforto. Sentia medo por ela, e acreditava que, a despeito de tudo o que dizia, também ela estava com medo. A cada instante ele pensava que sua irmã fosse partir, e esperava por esse momento sabendo que ela precisaria dizer uma última coisa antes de submergir.

Então veio outra mudança. Em poucas horas, a dor e o desconforto pareceram cessar, toda aquela tosse e até mesmo a febre diminuíram, e a expressão de morte em seu rosto assumiu uma nova intensidade. Ela não dormiu. Sentado junto ao leito, ele desejou que sua mãe estivesse ali para conversar com Alice, agora usando palavras que a ajudassem a ir embora, que aliviassem sua partida do mundo. Tentou imaginar sua mãe no aposento, quase sussurrou a ela que entrasse agora no quarto, desça aqui, mãe, ajude Alice com sua ternura. Teve vontade de perguntar à irmã se era capaz de sentir o espírito da mãe presente no quarto.

Estava claro que ela não iria durar, no entanto Katherine Loring insistiu para que ele não ficasse no quarto durante a madrugada e ele concordou; não havia nada que pudesse fazer. Preparou-se para sair. Mas antes disso viu-a agitada novamente, incapaz de ajeitar-se na cama e lutando para respirar. Então ela murmurou, e ele e a srta. Loring lançaram um ao outro um olhar cruciante. Lentamente, com esforço, Alice ergueu a voz e fez-se escutar, agora com clareza.

"Não posso suportar viver mais um dia", disse. "Rogo que isso não seja exigido de mim."

As palavras serviram-lhe de apoio enquanto ele caminhava

lentamente através de Kensington para seus próprios aposentos. Sempre tivera medo de que, quando o final chegasse para ela, ficasse claro que aquilo era o que ela mais temera, ou seja, que toda aquela conversa de querer morrer acabasse se revelando, nos últimos dias, mera bravata. Sentia-se aliviado ao saber que sua irmã era sincera no que dizia. Ele a havia observado, sabendo que em seu lugar estaria apavorado, mas ela era diferente. Ela não fraquejou.

Ao longo da noite, conforme Katherine Loring lhe contou, ela imergiu num sono suave. Ao dar início a uma nova vigília diurna junto a seu leito, ele se perguntava a respeito dos sonhos dela, com a esperança de que a morfina os tornasse dourados e levasse embora toda a escuridão e o medo que haviam ensombrecido sua vida. Desejava que ela fosse feliz. Mas não conseguia impedir-se de querer que ela continuasse respirando, apesar de tudo, que não se deixasse levar. Não conseguia imaginar a morte da irmã, depois de tê-la visto agonizar por tanto tempo. O médico, quando chegou, pediu dispensa de continuar o tratamento, uma vez que ela não precisava mais de assistência médica.

Para Henry, beirando agora os cinqüenta anos, aquela era sua primeira perda. Não estivera presente por ocasião do falecimento de sua mãe, nem do de seu pai. Tinha se sentado junto ao corpo da mãe morta, mas não testemunhara seu último suspiro. Descrevera a morte em seus livros, mas sem conhecê-la. O longo dia de espera enquanto a respiração de sua irmã enfraquecia, parecia extinguir-se, e em seguida ressurgia mais uma vez. Tentou imaginar o que estava acontecendo com a consciência dela, com sua grande e farpada inteligência, e acabou sentindo que tudo o que restava era a respiração vacilante e o pulso debilitado. Não havia nenhuma vontade e nenhum conhecimento, apenas o corpo marchando lentamente rumo ao fim. E isso, a seus olhos, tornava-a ainda mais digna de compaixão.

Sempre tivera a imagem da casa onde se morre como um lugar silencioso, calmo e vigilante, mas agora sabia que não havia silêncio nessa casa porque o som da respiração da irmã, com todas as mudanças de intensidade, enchia o ar. O pulso dela vacilou, parou por um momento, mas ela ainda não morreu. Ele se perguntava se a morte de sua mãe tinha sido assim. Alice era a única que poderia saber, a única a quem ele poderia ter perguntado.

Levantou-se e tocou-a quando sua respiração se tornou mais fluente e regular, seu sono tranqüilo. Isso durou uma hora. Ela ainda não estava pronta para partir, e ele se perguntava quem era ela agora, que parte dela existia naquelas últimas horas? Quando a respiração dela parou, ele prestou atenção, alarmado. Não estava preparado, apesar de todos aqueles dias e noites de vigília. Ela tomou um novo alento, penoso e superficial. Ele desejou novamente que sua mãe estivesse ali para sentar perto dele e segurar sua mão enquanto Alice finalmente ia embora. A srta. Loring agora começou a cronometrar a respiração, apenas uma inspiração a cada minuto, disse ela. Quando chegou o fim, o rosto de Alice pareceu se iluminar de uma maneira estranha e singularmente tocante. Ele se levantou e foi abrir a janela para deixar entrar um pouco de luz, e quando voltou à cama ela havia soltado o último suspiro. O quarto enfim estava em silêncio.

Ele ficou junto ao corpo, sabendo que repousar em paz era o que sua irmã tinha almejado. Parecia linda e nobre, e ele pensou que se, depois de todos os seus infortúnios anteriores, ela pudesse ver a si própria enquanto seu corpo esperava pela cremação, sentiria um soturno deleite diante daquilo em que havia se tornado. Significava muito para ele que suas cinzas fossem levadas de volta à América para jazer ao lado dos pais no cemitério de Cambridge. Consolava-o saber que ela não seria enterrada na Inglaterra, não seria deixada longe de casa naquele solo gelado.

Seu rosto morto se alterava de acordo com as mudanças de luz. Parecia jovem e velha, exaurida e plenamente linda. Ele sorria para ela, deitada em paz, o rosto pálido e cansado, e ainda assim delicado e aprazível. Lembrava-se da fúria dela por ter herdado de tia Kate um xale e outros bens pessoais. A exemplo da irmã, Henry também morreria sem deixar filhos; o que eles possuíam só seria deles enquanto vivessem. Não haveria nenhum herdeiro direto. Ambos haviam fugido dos compromissos amorosos, das companhias íntimas, do entusiasmo do amor. Nunca quiseram isso. Ele sentia que ambos haviam sido banidos, enviados para o exílio, deixados sozinhos, enquanto seus irmãos tinham casado e seus pais tinham seguido um ao outro na morte. De modo triste e terno, ele tocou-lhe as mãos frias e serenas.

4. Abril de 1895

Uma noite, quando era levado por uma carruagem estrepitosa para jantar, ocorreu-lhe uma idéia para uma história cujo drama residiria na intensa e peculiar afeição entre um irmão e uma irmã órfãos. Não teve de imediato uma imagem do par, nem tampouco imaginou quais seriam exatamente suas condições. O que veio a ele era algo vago, com contornos apenas suficientes para serem registrados em seu caderno de anotações. O irmão e a irmã estavam unidos num enlace de simpatia e ternura que implicava que cada um deles podia ler os sentimentos e impulsos do outro. Porém não exerciam controle um sobre o outro, mas compreendiam-se muito bem. Fatalmente bem, pensou ele, e anotou isso em seu caderno sem fazer idéia de uma trama ou de um incidente que pudessem ilustrar a questão. Talvez fosse um exagero, mas a idéia de um eu amalgamado permaneceu com ele. Dois seres com uma só sensibilidade, uma só imaginação, vibrando os mesmos nervos, o mesmo sofrimento. Duas vidas, mas praticamente uma só experiência. Ambos, por exemplo, agudamente sensíveis ao perecimento dos pais, a irrevogável perda que os perseguia com dramaticidade quase paralisante.

Com muita freqüência, as idéias vinham a ele dessa maneira, sem aviso prévio; muitas vezes, ocorriam-lhe nos momentos em que estava ocupado com outra coisa. Essa nova idéia para uma narrativa sobre um irmão e uma irmã evoluiu com uma espécie de urgência, como algo que ele mal precisasse colocar no papel. Não a esqueceria. A idéia permaneceu vívida e clara em sua imaginação. Lenta e misteriosamente, ela começou a se fundir com a história de fantasmas contada a ele pelo arcebispo de Canterbury, e aos poucos ele começou a ver alguma coisa se tornar estável e precisa, como se os próprios processos de imaginação fossem um fantasma que se tornasse cada vez mais corpóreo. Viu o menino e a irmã, sozinhos e abandonados em algum lugar, irmãos banidos numa velha casa sem amor, ambos agindo com uma só mente, uma só alma, iguais em seu sofrimento e despreparo para a grande provação que surgiria em seu caminho.

Uma vez que se tornou mais sólida, a história emergente, com todas as suas ramificações e possibilidades, elevou-o acima das trevas do seu fracasso. Resolveu dedicar-se mais arduamente ao trabalho. Tomou sua pena de novo — a pena de todos os seus inesquecíveis esforços e sagradas batalhas. Era agora, acreditava, que iria fazer a obra da sua vida. Estava pronto a começar de novo, a voltar para a velha e grande arte da ficção, agora com ambições tão profundas e puras que era impossível expressá-las.

No ócio das tardes ele às vezes deixava seu olhar percorrer novamente ao acaso os cadernos de anotações. Um dia, quase sorriu consigo mesmo ao deparar com umas poucas linhas que menos de três anos antes tinham lhe parecido tão promissoras, que chegaram a ocupar seu dia de trabalho e seus sonhos, as mesmas linhas que foram a causa dos meses de letargia, dor e frustração dos quais ele agora emergia. Obrigou-se a lê-las até o fim:

> Situação daquele legendário membro de uma antiga família veneziana (esqueci qual), que se tornara monge, e que fora tirado quase à força do mosteiro e trazido de volta ao mundo para impedir que sua família fosse extinta.
>
> Ele era o *último* — era absolutamente necessário que ele casasse. Adaptar isso de uma maneira ou de outra para os dias de hoje.

Seus olhos deslocaram-se rapidamente para a lista de nomes, de nomes-fantasmas tirados de obituários e notícias de falecimento, nomes para personagens e lugares, nomes que poderiam jazer inertes em seus cadernos ou ser aproveitados ainda; seria capaz de passar dia após dia dando vida a eles. *Beague — Vena (prenome) — Doreen (idem) — Passmore — Trafford — Norval — Lancelot — Vyner — Bygrave — Husson — Domville*. Estas últimas oito letras tinham sido colocadas na página em completa inocência. Não recordava agora de onde o nome tinha saído, nem a exata proveniência de nenhum dos outros que o antecediam. Nem tampouco tinha alguma idéia concreta de por que aquele nome fora usado e os outros não. A anotação e o nome soavam distantes agora, e parecia-lhe extraordinário que sua peça tivesse surgido de origens tão pouco auspiciosas e, uma vez que fora substituída por uma nova peça de Oscar Wilde, que tivesse padecido de um final igualmente pouco auspicioso.

A morte de seus pais, ele pensava, trouxera consigo um estranho alívio. Era a percepção de que aquilo não teria como ocorrer de novo, de que o corpo de sua mãe só podia jazer em repouso uma única vez, de que ela só podia ser entregue à terra em uma única ocasião. E essa ocasião, em todo o seu pesar tenebroso e brutal, já passara. Após a morte dos pais e a partida de Alice, ele julgava que nada mais podia atingi-lo. Por isso, seu fracasso no teatro causou-lhe um choque duradouro, algo cuja intensidade e aspereza ele acreditara que nunca mais teria de enfrentar. Tinha que reconhecer que era algo próximo do luto, embora soubesse que esse reconhecimento era uma espécie de blasfêmia.

Sabia que não voltaria a sofrer a injúria das platéias de teatro; iria dedicar-se, como prometera, à silenciosa arte da ficção. Agora, bastava poder trabalhar para que seu dia fosse perfeito, repleto do deleite da solidão e do prazer extraído das páginas concluídas.

Não muito tempo depois de seu retorno da Irlanda, enquanto estabelecia para si próprio uma rotina de leitura, de correspondência e de criação de uma ordem doméstica, seu jovem amigo Johathan Sturges chegou com notícias, repetidas em seguida por Edmund Gosse. Elas diziam respeito a Oscar Wilde.

Wilde freqüentara bastante os pensamentos de Henry durante os meses anteriores. Suas duas peças ainda estavam em cartaz no Haymarket e no St. James's. Não foi difícil para Henry calcular o dinheiro que Wilde vinha ganhando. Escreveu a William a respeito, comentando um dos novos fenômenos da vida londrina, o inescapável Oscar Wilde, subitamente próspero em vez de ridículo, subitamente diligente e sério em vez de alguém ocupado apenas em desperdiçar o seu tempo e o dos outros.

Tanto Sturges como Gosse traziam, porém, informações que Henry não passou adiante para William, nem para qualquer outra pessoa. Ambos os amigos gostavam de saber e contar notícias frescas, e ele permitiu que cada um deles pensasse ser o primeiro a trazê-las, em parte porque não tinha muita certeza de querer que eles soubessem que as extravagâncias de Oscar Wilde eram assunto muito discutido sob o seu teto.

Mesmo antes de partir para a Irlanda, Henry ouvira dizer que Wilde abandonara toda a discrição. Estava fazendo o que queria em Londres e falando sobre isso a quem quisesse ouvir. Estava em toda parte, ostentando seu dinheiro, seu sucesso e sua fama recentes, e ostentando também o filho do marquês de Queensberry, um rapaz tão desagradável quanto o pai, na opinião de Gosse, mas bastante bem-apanhado, conforme Sturges se permitiu admitir.

Henry supunha que o que lhe retransmitiam seus dois visitantes era algo sabido de todos. Sabia que o relacionamento de Wilde com o filho de Queensberry era de conhecimento público, mas tanto Sturges como Gosse pareciam pensar que só eles e uns poucos outros conheciam os detalhes, e os detalhes, insistiam, eram tão assustadores que mal podiam ser sussurrados. Henry observou-os com calma, serviu-lhes chá e escutou cuidadosamente aquele palavreado sobre assuntos que não eram, para dizer o mínimo, muito delicados. Rapazes da rua, Gosse definiu-os, mas Sturges divertiu-o mais ao mencionar em voz baixa jovens cujo domicílio não era muito fixo.

"Ele os aluga como se aluga uma carruagem", Gosse declarou enfim, com clareza.

"Mediante pagamento?", perguntou Henry, com inocência.

Diante da expressão grave com que Gosse acenou afirmativamente, Henry sentiu vontade de sorrir, mas permaneceu sério.

Aquilo não lhe pareceu bizarro ou chocante; tudo em Wilde, desde o momento em que Henry o vira pela primeira vez, ou mesmo quando o encontrara em Washington na casa de Clover Adams, sugeria profundos níveis e camadas de ocultamento. Se Gosse e Sturges lhe tivessem dito que ele saía de casa toda noite vestido como uma mulher de padre para dar esmolas aos pobres, isso não o teria surpreendido. Henry lembrava-se de algo vago que lhe haviam contado sobre os pais dele: a loucura ou o espírito revolucionário da mãe, ou ambas as coisas; o comportamento mulherengo do pai; ou talvez o espírito revolucionário *do próprio* Wilde. A Irlanda, supunha, era pequena demais para alguém como ele, embora sempre tivesse carregado consigo alguma marca do seu país de origem. Mesmo Londres não o comportava, com suas duas peças e muitos boatos, tudo em cartaz ao mesmo tempo.

"Onde está a esposa de Wilde?", perguntou a Gosse.

"Em casa, esperando por ele, com uma porção de contas atrasadas e dois filhos pequenos."

Henry não conseguia imaginar a sra. Wilde; provavelmente nunca estivera com ela. Nem sequer sabia, e Gosse tampouco, se ela era irlandesa ou não. Mas a idéia dos dois meninos, que segundo Gosse pareciam dois anjos, comovia-o violentamente. Imaginou os dois filhos esperando pela volta do pai monstruoso e sentiu-se contente por não saber seus nomes. Pensou neles, inconscientes da reputação do pai, mas aos poucos formando uma noção a seu respeito e sentindo sua falta agora que estava longe.

Apesar de acreditar que por conta de tantos mexericos já conhecia bem Wilde, Henry reteve a respiração e ficou andando pela sala em silêncio. Então Gosse lhe contou que Wilde estava abrindo um processo público contra o marquês de Queensberry por tê-lo chamado de sodomita.

"Parece que ele não conseguiu sequer soletrar a palavra", disse Gosse.

"Soletrar, suponho, nunca foi seu forte." Henry parou diante da janela e ficou olhando para fora, como se esperasse que Wilde ou o próprio marquês fossem aparecer na rua.

Gosse sempre dava um jeito de sugerir que suas informações vinham das fontes mais elevadas e seguras. Dava a entender de algum modo que estava em contato com membros do ministério, ou com o gabinete do primeiro-ministro, ou ainda, em certas ocasiões, com um informante próximo do príncipe de Gales. Sturges, por sua vez, deixava claro que tudo o que sabia provinha de mexericos de salão ou de encontros casuais com informantes que talvez não fossem muito confiáveis. As visitas de Gosse e Sturges nunca coincidiram durante aquelas semanas agitadas, o que foi uma sorte, pensou Henry, pois quando cada um deles chegava, trazia exatamente as mesmas informações.

Gosse começou a visitá-lo todos os dias, Sturges apenas quando tinha novidades, embora tenha passado a vir também diariamente depois que começou o julgamento. Havia sempre algum aperfeiçoamento e algum novo elemento de intriga. Gosse se avistara com George Bernard Shaw, que lhe contara sobre seu encontro com Wilde e sobre o alerta que lhe fizera para não levar adiante o processo contra o marquês de Queensberry. Wilde concordara, segundo Shaw, que aquilo não seria sensato, e tudo pareceu se acalmar, até que chegou lord Alfred Douglas, descarado e petulante, na descrição de Shaw, exigindo que Wilde processasse seu pai, atacando quem aconselhava prudência e insistindo que Wilde partisse com ele no mesmo instante. Douglas estava vermelho de raiva como um garoto mimado, disse Shaw. O estranho, porém, era que Wilde dava impressão de estar inteiramente sob seu poder, seguindo-o como se tivesse se rendido a ele. Dissolvia-se ao calor da fúria do rapaz.

Sturges foi o primeiro a trazer a notícia do que o marquês de Queensberry pretendia declarar-se no tribunal.

“Segundo me disseram, ele tem testemunhas. Testemunhas que não vão omitir nenhum detalhe.”

Henry olhou para o rosto jovem de Sturges e seus olhos arregalados. Desejou dar-lhe um tapinha nas costas e dizer-lhe que estava ansioso por ouvir todos os detalhes, tão logo eles fossem conhecidos; não queria perder nada.

A história de Wilde preenchia agora os dias de Henry. Lia tudo o que era publicado sobre o caso e ficava à espera de novidades. Escreveu a William sobre o julgamento, deixando claro que não tinha respeito algum pelo réu; tinha aversão tanto pelo seu trabalho como por sua atuação no palco da sociedade londrina. Wilde, insistia, nunca despertara seu interesse, mas agora, ao mandar às favas a prudência e mostrar-se pronto a transformar-se num mártir público, o dramaturgo irlandês começava a interessar-lhe enormemente.

"Ouvi notícias de grande importância." Gosse nem esperou para se sentar antes de falar, movendo-se como se estivesse em pé no convés de um navio.

"Acho que o pai de Douglas vai apresentar uma porção de cafajestes. Rapazinhos da ralé trarão a público provas contra Wilde e, segundo fui informado, suas provas serão irrefutáveis."

Henry sabia que não havia necessidade de fazer perguntas. De todo modo, não saberia bem como formular a pergunta que precisava ser feita.

"Eu vi os nomes das testemunhas", disse Gosse dramaticamente, "e elas incluem uma porção de indivíduos desprezíveis. Wilde, ao que parece, andou se relacionando com patifes, ladrões e chantagistas. O preço deve ter parecido baixo na ocasião, mas parece que agora essas relações vão lhe custar muito caro."

"E Douglas?", perguntou Henry.

"Dizem que está afundado nisso até o pescoço. Mas Wilde quer mantê-lo de fora. Parece que, quando Wilde não queria mais saber de suas jovens aquisições, passava-as para Douglas, e sabe

Deus a quem mais. Parece que existe uma lista dos que alugavam esses rapazes."

Henry notou que Gosse o observava, à espera de uma resposta sua.

"É um caso pavoroso", disse.

"Sim, uma lista", disse Gosse, como se Henry não tivesse dito nada.

Nem Sturges nem Gosse compareceram ao julgamento, contudo ambos pareciam saber de cor o que era dito no tribunal. Wilde, diziam, estava seguro e arrogante. Falava, segundo Sturges, como alguém que podia queimar seus navios porque estava de partida para a França. Estava espirituoso e altivo, despreocupado e desdenhoso. Uma noite, Gosse ouviu de suas fontes habituais que Wilde já havia partido, mas no dia seguinte, quando ficou claro que isso não ocorrera, Gosse não mencionou o assunto. Todavia, ambos os informantes de Henry estavam seguros de que ele iria para a França e ambos tinham nomes de rapazes que prestariam testemunho. Falavam deles como se fossem personalidades, cada um com seu próprio caráter e perfil.

No terceiro dia do julgamento, Henry notou uma nova intensidade tanto no tom de Gosse como no de Sturges. Tinham, separadamente, ficado acordados até tarde na noite anterior, discutindo o caso; tinham esperado por notícias até saber que Wilde comparecera ao tribunal naquele dia, de modo que poderiam chegar com novidades. Gosse passara parte da noite anterior com o poeta Yeats, que, segundo Gosse, era o único entre aqueles com quem conversara que declarava sua admiração por Wilde e não tinha senão elogios a sua coragem. O poeta atacara a hipocrisia do público, disse Gosse.

"Eu não sabia", acrescentou, "que era o público que andava lançando sua rede de pesca nos esgotos, e disse isso a Yeats."

"Ele conhece Wilde?", perguntou Henry.

"São ambos irlandeses", disse Gosse.

"Ele o conhece bem?", insistiu Henry.

"Ele me contou uma história extraordinária", respondeu Gosse. "Falou-me de um dia de Natal que passou com os Wilde. A casa, disse ele, era mais linda do que lhe haviam dito, toda branca e cheia de objetos estranhos e belos. Mas quem se destacava entre todas as coisas, disse, era a própria senhora Wilde, inteligente e muito bonita, segundo Yeats. E os dois meninos, disse, eram retratos da inocência e da doçura com cabelos anelados, criaturas perfeitas. Tudo era perfeito, disse ele, um lar de perfeição infinita, não apenas de muito bom gosto, mas de muita ternura e beleza, e muito amor."

"Obviamente não o bastante", disse Henry secamente, "ou talvez em demasia."

"Yeats pretende visitá-lo", disse Gosse. "Desejei-lhe boa sorte."

Sturges ouviu com atenção quando Henry, pela primeira vez, retransmitiu-lhe o que Gosse lhe dissera.

"Está tudo muito claro", disse Sturges. "Bosie é o amor da vida dele. Largaria tudo por ele. Wilde encontrou o amor da sua vida."

"Então por que não pode levá-lo consigo para a França?", perguntou Henry. "É para lá que tais pessoas geralmente são levadas."

"Ele pode ainda ir para a França", disse Sturges.

"O fato de ainda não ter ido é inexplicável", disse Henry.

"Acho que eu sei por que ele não foi", disse Sturges. "Passei bastante tempo discutindo isso com aqueles que o conhecem, ou pensam que conhecem, e acho que talvez eu saiba."

"Diga então, por favor", disse Henry, acomodando-se numa cadeira perto da janela.

"Em menos de um mês", disse Sturges, falando lentamente como se pensasse na frase que diria em seguida, "ele se sentou em meio ao público de duas de suas peças e testemunhou o triunfo, o louvor universal, viu seu nome escrito em grandes letras. Isso perturbaria qualquer um. Ninguém que tenha publicado recentemente um livro ou encenado uma peça deve julgá-lo."

Henry não disse nada.

"No mesmo período", prosseguiu Sturges, "ele esteve também na Argélia, imagine, e notícias de algumas de suas atividades por lá acabaram chegando aqui. Parece que nem ele nem Douglas tiveram vergonha de se fazer conhecidos pelas tribos locais, e a emoção deve ter sido perturbadora para Wilde, bem como, sem dúvida, para as tribos, se não para outras pessoas."

"Posso imaginar", disse Henry.

"E ao voltar ele estava sem casa; tem vivido em hotéis. E também não tem mais dinheiro."

"Não é esse o caso", disse Henry. "Calculei a renda que ele obteve com o teatro. É muito alta."

"Bosie gastou-a por ele", respondeu Sturges, "e havia dívidas a pagar. Acho que ele não tem dinheiro suficiente para pagar sua conta no hotel, e o gerente apreendeu seus pertences, por poucos que sejam."

"Isso não o impede de ir para a França", disse Henry. "Pode adquirir alguns pertences por lá, talvez até melhores que os que possuía aqui."

"Ele perdeu sua âncora, perdeu seu bom senso", disse Sturges. "É incapaz de tomar uma decisão. O sucesso, o amor, os quartos de hotel, tudo isso foi demais para ele. Além disso, acredita que seu julgamento será uma desgraça para a Irlanda, mas isso eu não consigo entender."

* * *

Uma vez terminado o julgamento, ficou claro para Gosse que Wilde, se não fugisse, seria preso. A cada hora que passava, já que a polícia sabia onde ele estava, era mais provável que fosse indiciado por indecência ou coisa pior, com testemunhas surgindo dos esgotos de Londres, disse Gosse.

"Há uma lista, como eu lhe disse, e há uma grande ansiedade na cidade e uma grande determinação por parte do governo de erradicar essa indecência desenfreada. Isso foi o que me disseram com alguma autoridade. Temo que outros sejam presos. Tenho ouvido nomes. É muito chocante."

Henry examinou Gosse e prestou atenção a seu tom de voz. Subitamente, seu velho amigo se tornara um fanático defensor da erradicação da indecência. Desejou que houvesse na sala algum francês para acalmar Gosse, pois seu amigo aparentemente havia se juntado ao público inglês num de seus momentos de farisaísmo. Queria alertá-lo de que isso não ajudaria em nada o estilo de sua prosa.

"Talvez um período de confinamento solitário ajude Wilde", disse Henry. "Mas não o martírio. Não se deve desejar isso a ninguém."

"Ao que parece, o conselho de ministros discutiu a lista", retomou Gosse. "A polícia, parece, já está interrogando pessoas e muitas estão sendo aconselhadas a cruzar o canal. E muitas devem estar fazendo isso enquanto estamos aqui conversando."

"Sim", disse Henry, "e, além do clima moral, também a dieta lhes parecerá melhor por lá."

"Não está claro quem está sob suspeita, mas há muitos rumores e insinuações", prosseguiu Gosse.

Henry notou que Gosse o observava.

"É aconselhável, penso, que qualquer um que esteja, por

assim dizer, comprometido trate de viajar o mais depressa possível. Londres é uma grande metrópole, e muita coisa pode acontecer aqui sem que ninguém tome conhecimento, mas agora o sigilo foi despedaçado."

Henry levantou, foi até a estante entre as janelas e ficou examinando os livros.

"Eu me pergunto se você, se talvez...", começou Gosse.

"Não", voltou-se Henry bruscamente. "Você não se pergunta. Não há nada sobre o que se perguntar."

"Bem, isso é um alívio, se me permite dizer", disse Gosse discretamente, pondo-se de pé.

"É isso que você veio aqui perguntar?" Henry manteve os olhos fixos em Gosse, um olhar direto e hostil o bastante para impedir qualquer resposta.

Sturges continuou a visitá-lo no período de preparação do julgamento de Wilde, quando este se encontrava sob custódia e toda a possibilidade de partir para a França se esvaíra.

"A mãe dele, segundo me contaram, está exultante", disse Sturges. "Ela acredita que ele desferiu um golpe certeiro contra o Império."

"É difícil imaginar que ele tenha uma mãe", disse Henry.

Henry perguntou a seus dois visitantes, e a todas as outras pessoas que viu durante aquelas semanas, se tinham alguma notícia dos dois filhos preciosos de Wilde, crianças cujo próprio nome estava desgraçado para sempre. Foi Gosse quem trouxe as notícias.

"Embora ele esteja falido, sua esposa não está. Ela tem seu próprio dinheiro e mudou-se para a Suíça, até onde sei. E mudou seu nome e o dos filhos. Eles não carregam mais o nome do pai."

“Ela sabia sobre o marido antes do julgamento?”, perguntou Henry.

“Não, pelo que entendi ela não sabia. Foi um enorme choque.”

“E o que sabem os meninos?”

“Não sei dizer. Não ouvi nada sobre isso”, disse Gosse.

Por vários dias ele pensou neles, criaturas lindas em estado de alerta num país onde não compreendiam uma palavra da língua, seus próprios nomes suprimidos, seu pai responsável por algum crime obscuro e sem nome. Imaginou-os num prédio de apartamentos suíço ornado com torres, num andar elevado com vista para o lago, sua babá se recusando a explicar a razão de eles terem ido parar lá, a razão de tanto silêncio, a razão de sua mãe ficar afastada deles e de repente se aproximar como se estivessem em perigo. Pensou no quão pouco eles precisavam dizer um ao outro sobre os demônios que os cercavam, sobre seu novo nome, seu grande isolamento, a reviravolta que os levara a passar os dias sozinhos naqueles quartos frios, como que à espera de uma catástrofe iminente, seu pai reduzido a uma lembrança espectral, sorrindo para eles e acenando das sombras, quando subiam a escadaria mal iluminada.

Depois que Wilde foi sentenciado e o escândalo envolvendo o obscuro submundo londrino arrefeceu, o relacionamento de Henry com Edmund Gosse voltou a ser como era, e o próprio Gosse passou por uma restauração de sua antiga personalidade. Imediatamente após a prisão de Wilde, Gosse parou de falar como um membro da Casa dos Lordes.

Uma tarde, quando tomavam chá no estúdio de Henry, veio à baila um velho tema de conversa entre eles, que voltara a freqüentar os pensamentos de Henry. O assunto era John Addington Symonds, amigo e correspondente de Gosse, que morrera dois anos antes. Henry disse que, entre todas as pessoas que teriam se fascinado com cada momento do caso Wilde, com certeza JAS, como o chamava, teria sido a mais interessada. Era algo que quase o teria feito voltar à Inglaterra.

"Ele se indignaria com Wilde, evidentemente", disse Gosse, "com a vulgaridade e a imundície."

"Sim", disse Henry pacientemente, "mas se deixaria balançar pelo que veio a público."

Symonds vivera principalmente na Itália e escrevera com grande, talvez excessiva, sensualidade sobre a paisagem, a arte e a arquitetura. Tornou-se um fino conhecedor da luz e da cor italianas, mas também um perito em outra matéria mais perigosa, aquilo que ele chamava de um problema da ética grega, o amor entre dois homens.

Dez anos antes, Henry e Gosse haviam discutido Symonds com a mesma avidez com que discutiram Wilde durante o julgamento. Isso ocorrera quando Gosse se movia com menos desenvoltura entre os poderosos, e houvera entre os dois um tácito entendimento de que essas preocupações de Symonds importavam a ambos pessoalmente, entendimento que foi diminuindo ao longo dos anos.

Durante toda a década de 1880, Symonds não fez segredo sobre suas próprias inclinações nas cartas que remetia da Itália. Escreveu explicitamente a todos os seus amigos e a muitos que não eram seus amigos. Enviou seu livro sobre o assunto àqueles na Inglaterra que ele julgava capazes de iniciar um debate. Muitos que o receberam ficaram furiosos e constrangidos. Symonds queria que a obra fosse exposta à luz, discutida abertamente, e isso, conforme Henry comentou com Gosse na época, era um sinal do longo tempo que ele passara longe da Inglaterra, dos longos anos que vivera sob o sol italiano. Gosse estava interessado na vida pública e desejava discutir as implicações do que Symonds estava dizendo no campo da legislação e das atitudes públicas. Henry, por sua vez, ficou fascinado por Symonds. Na época, recebera várias cartas dele a respeito da Itália, e casualmente, vários anos antes, sentara ao lado da esposa de Symonds durante um jantar. Lembrava-se dela como predominantemente calada, bastante aborrecida, e quando se interessou por seu caso, não conseguiu recordar uma única palavra que ela tivesse dito.

No entanto fazia dela a imagem de alguém de idéias fixas e atitudes endurecidas, e à medida que Gosse contava-lhe mais sobre Symonds, Henry começou a exercitar sua imaginação em torno da sra. Symonds, como se fosse um pintor de retratos. Ela não tinha, dizia Gosse, nenhum tipo de simpatia pelo que o marido escrevia, reprovava seu tom quando escrevia sobre a Itália, o estilo hiperesteticista adotado por ele a aterrorizava, e por fim ela rejeitava todo o seu interesse pelo amor entre homens. Para começar, dizia Gosse, ela era de uma fria e tacanha disposição calvinista, tão doentia em sua busca de propósito moral quanto o marido em sua busca da beleza suprema. Cada um deles, dizia Gosse, parecia exasperar o outro de tal maneira que, com o decorrer do tempo, a sra. Symonds passou a almejar cada vez mais o traje de luto, enquanto seu marido ansiava pelo amor grego.

Gosse falava despreocupadamente sobre os Symonds e não percebia o quanto Henry absorvia aquilo. Em todo caso, a história ocorreu a Henry de maneira tão rápida e fácil que ele não teve tempo de contar a Gosse. Pôs-se a trabalhar.

E se aquele casal tivesse um filho, um menino impressionável, inteligente, alerta para o mundo a sua volta e profundamente amado pelos pais? Como essa criança seria educada? Como seria ensinada a encarar a vida? Ele ouvia Gosse e fazia perguntas, e das respostas começava a construir sua história. Suas primeiras idéias revelaram-se mais tarde demasiado rígidas, e por isso ele abandonou as ambições dos pais com relação ao filho — a mãe querendo que ele servisse a Igreja, o pai querendo que se tornasse um artista. Em vez disso, desenvolveu a idéia de que a mãe simplesmente queria salvar a alma do filho, e para cumprir esse objetivo precisava protegê-lo dos escritos do pai.

Perguntou-se primeiramente se devia deixar o filho crescer rústico e ignorante, tão distante das esperanças da mãe quanto das ambições do pai. Mas enquanto trabalhava sozinho, longe da conversa de Gosse, decidiu lidar apenas com o garoto e dar à história um enquadramento temporal curto e dramático. Introduziria um forasteiro, um americano, admirador da obra do pai e um dos poucos que compreendiam seu verdadeiro gênio. O pai, achava Henry, podia ser um poeta ou um romancista, ou ambas as coisas. O americano é recebido muito cordialmente e mantém-se próximo da família por algumas semanas, semanas que coincidem com a doença e a morte da criança. O americano compreende algo que o pai não sabe — que durante a noite, quando o menino jazia doente na cama, sua mãe decidiu secretamente que o melhor era que ele morresse, e ficou observando-o definhar, segurando sua mão, mas sem fazer nada, permitindo, por pura ternura, que ele expirasse. O americano nunca revela essa informação ao autor que ele tanto admira.

Henry escreveu o esqueleto da história uma noite depois que Gosse deixara sua casa e, a partir de então, trabalhou nela continuamente, todos os dias. Sabia que ela exigiria uma prodigiosa delicadeza de toque, e que mesmo assim corria o risco de resultar horripilante e desnaturada. Ainda assim, a história o intrigava, e ele resolveu tentar, pois a idéia geral, uma mistura de corrupção, puritanismo e inocência, era bastante interessante e típica de certas situações modernas.

Gosse, ele se lembrava, ficara aterrado com a publicação da história nas páginas da revista *English Illustrated*. A maioria das pessoas reconheceria os Symonds, dissera ele, e aqueles que não o fizessem imaginariam que o modelo de Henry era Robert Louis Stevenson. Henry disse-lhe que agora a história estava escrita e publicada; não dava a menor importância a quem se reconhecesse nela ou identificasse outras pessoas. Gosse continuou nervoso, sabendo o quanto ele próprio contribuíra com detalhes. Insistia que escrever uma história usando material factual e pessoas reais era desonesto, estranho e, de alguma forma, desleal. Henry se recusou a ouvi-lo. Como retaliação, Gosse passou a abster-se de abastecê-lo com seu usual estoque de mexericos. Porém logo esqueceu suas objeções à arte da ficção baseada numa incursão barata pelo real e voltou a contar a Henry todas as novidades que colhera desde que tinham se encontrado pela última vez.

Quando Sturges contou-lhe que a esposa de Wilde viera da Suíça para dar pessoalmente a seu marido detento a notícia da morte da mãe dele, Henry meditou mais uma vez sobre o destino dos filhos de uma união entre duas forças opostas. Lembrou-se de si próprio ao lado de William na janela do Hôtel de l'Ecu, em Genebra, quando tinha doze anos e seu irmão treze, e a temporada dos dois na Suíça parecia-lhe uma seqüência de infortúnios: horas infinitas de aborrecimento, as ruas sombrias, os pátios e becos negros de tão velhos. Imaginou os dois filhos de Oscar Wilde, com os nomes mudados e o destino incerto, vendo de uma janela sua mãe partir. Perguntou-se o que eles mais temeriam agora, quando a noite caía, duas crianças assustadas na cidade implacável, com suas sombras abruptas e lúgubres, sem saber muito bem por que sua mãe os deixara aos cuidados de serviçais, perseguidos por pavores sem nome, pelo vago entendimento e pela escassa lembrança de seu pai infeliz que tinha sido trancafiado.

5. Maio de 1896

Doía-lhe a mão. Ao escrever, movendo a pena calmamente e sem floreios, não sentia o menor desconforto, mas quando parava de escrever, quando fazia outros movimentos com a mão — para girar uma maçaneta, por exemplo, ou fazer a barba —, podia sentir uma dor cruciante no pulso e nos ossos que se ligavam a seu dedo mínimo. Virar uma folha de papel era então uma forma moderada de tortura. Perguntava-se se seria uma mensagem dos deuses para que continuasse escrevendo, para que empunhasse a pena o tempo todo.

A cada ano, com a aproximação do verão, ele sentia a mesma surda angústia que acabava por desembocar no pânico. À medida que se tornavam mais fáceis e confortáveis, as viagens transatlânticas tornavam-se também mais populares. Com o passar do tempo, seus muitos primos da América pareciam multiplicar-se em mais primos, e seus amigos em muitos outros amigos. Em Londres, todos eles queriam visitar a Torre, a abadia de Westminster e a National Gallery, e no decorrer dos anos também seu nome fora acrescentado à lista dos grandes monumentos locais, de visita obrigatória. Tão logo as tardes se alongavam e as andorinhas voltavam do sul, as cartas começavam a chegar, cartas de apresentação e o que ele chamava de cartas de resolução dos próprios turistas, certos de que sua visita à capital careceria do devido brilho, se eles deixassem de ver o famoso escritor e de receber a graça da sua companhia e de seus conselhos. Se suas portas estivessem fechadas para eles, insinuavam — freqüentemente insistindo e implorando — que eles não fariam valer plenamente o dinheiro gasto, e isso, pelo que ele descobriu, tinha cada vez mais importância para seus compatriotas à medida que o século se aproximava do fim.

Ele se lembrou do que escrevera em seu caderno de anotações no ano anterior; era uma cena que não saíra de sua mente desde então. Jonathan Sturges lhe falara de um encontro em Paris com William Dean Howells, que beirava então os sessenta anos. Howells dissera-lhe que não conhecia a cidade, que tudo nela era novo para ele, e que cada sensação lhe arrebatava com frescor. Howells parecia triste e pensativo, como se sugerisse que já era tarde demais para ele, no crepúsculo da vida, quando não podia fazer mais nada, senão absorver as sensações e lamentar que não as tivesse encontrado quando ainda era moço. Então, em resposta a algo que Sturges dissera, Howells colocou-lhe a mão sobre os ombros e exclamou: "Oh, você é jovem, alegre-se com isso e viva, viva tudo o que puder; seria um erro deixar de fazê-lo. Não importa muito o que você faça — o importante é que viva". Sturges dramatizara as falas, transformando-as num estranho e pungente apelo, numa súbita erupção teatral, como se Howells estivesse falando a verdade pela primeira vez na vida.

Henry conhecia Howells havia trinta anos e correspondia-se com ele regularmente. Toda vez que vinha a Londres, Howells se comportava como se estivesse em casa, como se fosse um cavalheiro viajado e cosmopolita. Henry espantou-se, portanto, com sua reação a Paris, com a sensação que passou a Sturges de não ter vivido verdadeiramente e de julgar que era tarde demais para começar a fazê-lo agora.

Henry bem que gostaria que Londres fizesse seus visitantes americanos expressarem-se como Howells. Gostaria que os pontos turísticos provocassem neles admiração ou pesar, ou que os fizessem compreender como nunca antes o mundo e o lugar que ocupavam nele. Em vez disso, ouvia-os dizer uns aos outros ou a ele mesmo que havia torres nos Estados Unidos também, e que algumas instituições correcionais de seu país sobrepujavam em tamanho, se não em outras coisas, a Torre de Londres. E, de resto, que o Charles River parecia cumprir seu propósito de modo mais eficiente que o Tâmisa.

No entanto, a cada verão, observar Londres pelos olhos de seus visitantes era algo que lhe interessava; imaginava-se no lugar deles, vendo Londres pela primeira vez, exatamente como, ao ir para a Itália ou em suas visitas de retorno aos Estados Unidos, imaginava as vidas que poderia ter vivido. Uma nova paisagem urbana, até mesmo um único edifício, poderia enchê-lo de pensamentos sobre quem ele poderia ter se tornado, quem poderia ser agora se tivesse ficado em Boston ou passado seus dias em Roma ou Florença.

Na infância, para ele e para William, e talvez também para Wilky e Bob e até mesmo para Alice, as razões alegadas para as mudanças de Paris para Boulogne ou de Boulogne para Londres, ou da Europa em geral de volta aos Estados Unidos, nunca pareceram tão palpáveis quanto a própria inquietação do pai, sua grande agitação, que eles conheciam mas nunca conseguiram compreender. Encontrar um ancoradouro para logo abandoná-lo ou, como foi freqüente ao longo de sua infância, chegar a mais uma infeliz residência temporária, sem saber em quanto tempo seu pai anunciaria que eles estavam novamente de partida, tudo isso o fazia ansiar por segurança e fixação num lugar. Não conseguia entender por que sua família se deslocara de Paris a Boulogne. Ele teria na época doze ou treze anos, e devia ter havido uma crise na bolsa de valores, ou a falência de algum arrendatário, ou ainda uma carta alarmante sobre dividendos.

Na época em que viveram em Boulogne, Henry costumava caminhar com o pai pela praia. Numa dessas ocasiões, o dia estava calmo e sem vento, era início do verão, e havia uma longa faixa de areia e uma ampla extensão de mar. Eles haviam estado num café com grandes janelas claras cujo chão era salpicado de farelo de trigo, o que para Henry conferia ao lugar um pouco do encanto de um circo. Estava vazio, exceto por um velho cavalheiro que palitava os dentes fazendo caretas e outro que, para o deleite fascinado de Henry, afundava seu pãozinho com manteiga na xícara de café e depois o atirava na pequena fenda entre o nariz e o queixo. Henry não tinha vontade de sair dali, mas seu pai queria dar sua caminhada diária pela praia e então ele foi obrigado a abandonar o prazer de observar os hábitos alimentares dos franceses.

Seu pai deve ter conversado com ele enquanto caminhavam. A imagem que restava em sua mente agora, em todo caso, era dele gesticulando, discutindo uma palestra, um livro ou uma nova série de idéias. Gostava das conversas do pai, especialmente quando William não estava presente.

Eles não chapinhavam, nem andavam muito perto da água. Em sua lembrança, caminhavam com firmeza. Seu pai talvez até carregasse uma bengala. Era um quadro de felicidade. E, para um estranho que observasse de fora, poderia ter permanecido assim, uma cena idílica de pai e filho em harmonia no final da manhã na praia de Boulogne. Havia uma mulher tomando banho de mar, uma jovem observada da praia por uma mulher mais velha. A banhista era grande, talvez um tanto acima do peso, e bem protegida dos olhares alheios por um elaborado traje de banho. Nadava com destreza e deixava-se trazer de volta boiando de costas nas ondas. Então ela ficou em pé, olhando para o mar e brincando com as mãos na água. Henry a princípio mal a notou, quando seu pai parou e fez de conta que examinava alguma coisa no horizonte distante. Então seu pai continuou a andar por um momento, absorto em seu silêncio, e virou-se para investigar o horizonte novamente. Dessa vez Henry percebeu que ele estava observando a banhista, examinando-a de modo ardente e ávido. Em seguida deu meia-volta, observando as pequenas dunas às suas costas, fingindo que elas também tinham para ele um imenso interesse.

Quando seu pai virou-se uma vez mais e começou a caminhar para casa, parecia estar sem fôlego e não dizia nada. Henry queria encontrar uma desculpa para correr na frente e livrar-se dele, mas então seu pai se voltou novamente, com uma expressão intensa no rosto, a pele manchada e os olhos cortantes, como se estivesse encolerizado. Seu pai agora estava de pé na praia, tremendo, observando a nadadora que dava as costas para ele, com o traje de banho colado ao corpo. Seu pai não fazia mais nenhum esforço para parecer distraído. O olhar era deliberado e penetrante, mas ninguém mais o notava. A mulher não olhou para trás, e sua acompanhante havia partido. Henry sabia que era importante fazer de conta que aquilo não era nada, que não havia a menor possibilidade de o assunto ser mencionado ou comentado. Seu pai não se mexia e parecia ignorar sua presença, mas devia saber que ele estava lá, pensou Henry, e fosse aquilo o que fosse, aquele olhar obcecado absorvendo a banhista era algo que bastava para fazer seu pai não se importar com a sua presença. Finalmente, depois de girar o corpo e pôr-se a caminho de casa, seu pai ainda olhou para trás algumas vezes, com a expressão de alguém que foi enxotado e derrotado. A mulher, mais uma vez, nadou para o mar aberto.

Henry amava a suavidade das cores na praia perto de Rye, a luz cambiante, as nuvens leitosas deslocando-se pelo céu como se obedecessem a um propósito. Passara os últimos verões aqui, e neste verão em particular, enquanto caminhava com firmeza, tentando uma vez na vida desfrutar o dia sem fazer planos, não conseguia deixar de se perguntar o que poderia almejar agora, e de responder a si mesmo que só queria mais do que já estava tendo — trabalho calmo, dias calmos, uma linda casinha e aquela suave luz de verão. Antes de partir de Londres comprara a bicicleta que agora esperava por ele estendida na alameda que levava à praia. Deu-se conta de que não queria o passado de volta, de que aprendera a não esperar por isso. Seus mortos não retornariam. Estar livre do medo de que eles se fossem dava-lhe aquela estranha satisfação, o sentimento de que só o que queria agora era que o tempo passasse devagar.

A cada manhã, em pé em seu terraço, ele desejava poder encontrar um meio de apreender essa imagem da beleza e mantê-la junto de si. O terraço era assoalhado e curvo como a proa de um navio e projetava-se sobre um cenário tão puro e cheio de mudanças quanto uma extensão de mar. E abaixo estava Rye, o menos inglês dos lugares ingleses, de telhados vermelhos, ruas sinuosas e prédios apinhados, uma verdadeira cidade italiana de montanha com suas ruas de pedra, sua atmosfera sensual, mas também reticente e às vezes austera. Ele caminhava pelas ruas de Rye quase todos os dias, observando atentamente as casas, as lojas antigas com pequenas vitrines, a torre da igreja da praça, a beleza desgastada do tijolo. De volta a casa, o terraço era seu camarote de ópera, de onde podia inspecionar todos os reinos da terra. O terraço, pensava, era tão amável quanto uma pessoa, talvez até mais. Quisera poder comprar aquela casa; percebeu que já começara a lamentar os planos do proprietário de retomar o chalé no final de julho.

Em junho praticamente não havia noites. Ele permanecia no terraço enquanto uma lenta névoa vinha cobrir o vale e caía uma tênue gaze na escuridão. Em poucas horas haveria indícios da chegada da manhã. Seu único visitante naqueles dias de labuta e indolência escreveu mais uma vez para confirmar as datas de sua chegada e de sua partida. Oliver Wendell Holmes, júnior, era um velho amigo, agora distante; fazia parte de um grupo de camaradas, rapazes que ele conhecera em Newport e Boston, que haviam se tornado eminentes na faixa dos trinta anos e que agora exerciam grande influência. Quando vinham à Inglaterra, pareciam-lhe misteriosos, sempre tão confiantes, tão competentes ao concluir suas frases, tão habituados a ser ouvidos com atenção, e ainda assim, comparados com seus correlatos da Inglaterra e da França, singularmente crus e pueris, sua impetuosidade revelando-se uma espécie de inocência. Seu irmão William tinha tudo isso também, mas essa era apenas uma metade dele; a outra metade era feita de uma profunda autoconsciência, em que toda a crueza e todo o frescor tinham sido soterrados pela ironia. William conhecia o efeito que sua própria personalidade complexa e circunspecta poderia causar, mas isso era algo que os seus contemporâneos, que detinham o poder na literatura norte-americana ou no terreno das leis, desconheciam absolutamente. Eles se mantinham em estado natural, e isso, para Henry, era um assunto de enorme interesse.

Assim, William Dean Howells podia enamorar-se de Paris, pois não tinha construído defesa alguma contra o mundo das sensações, defesas que qualquer europeu de sua idade teria desenvolvido com zelo e aplicação. Howells estava pronto a ser seduzido pela beleza e preparado para lamentar profundamente que ela o tivesse abandonado em Boston. Henry amava a ávida franqueza dos americanos, sua disposição para a experiência, seus olhos que brilhavam de expectativa e promessa. Ao trabalhar em seus romances sobre a moralidade e os costumes ingleses, reconhecia a natureza árida da experiência inglesa — segura de seu próprio lugar e despreparada para a mudança, imersa no sólido e no social, num sistema de conduta desenvolvido sem muitas interrupções ao longo de mil anos. Por sua vez, esses poderosos e instruídos visitantes americanos pareciam tão lustrosos, tão dispostos a ser novos, tão seguros de que sua hora havia chegado, que agora, sentado em seu terraço ao anoitecer, ele sentia a força deles, sentia o quanto ainda podia ser feito com eles e quão pouca atenção lhes tinha dedicado nos anos recentes. Sentia-se contente então por ter convidado Oliver Wendell Holmes para passar uma temporada em Point Hill e desejava vê-lo também em Londres, se fosse possível. Ele, que temia as interrupções dos visitantes, viu-se bastante interessado daquela vez.

Quando começou a imaginar Holmes, a situá-lo no pano de fundo da ocasião em que o conhecera, lembrou-se da aura de certeza e confiança que cercava o amigo. Já então, aos vinte e dois anos, Holmes acreditava que o mundo a sua volta era onde ele iria prosperar. Era como uma máquina de terraplanagem devoradora de tudo o que havia no sulco profundo que ia cavando pela vida. Providenciava para que toda experiência nova que lhe aparecesse pela frente fosse rica, compensadora e prazerosa. À medida que aprendeu a pensar, porém, sua mente foi ficando parecida com uma mola retesada. Assim, via-se dividido entre a venalidade e o rigor, e isso tornava sua presença exaltada e estimulante. Encontrara uma voz pública, uma maneira de se conter, de construir frases, de expressar diplomacia e bom senso, e garantir assim que o pessoal e o carnal ficassem sob controle, longe das vistas. Era capaz de ser imponente e ameaçador quando queria. Henry conhecia-o bem demais para que isso o afetasse, ainda que ao mesmo tempo, instigado por William, tivesse dado atenção suficiente ao papel de Holmes como juiz para sentir-se profundamente impressionado por ele.

Também com William ele tomou conhecimento de facetas que Holmes tivera o cuidado de nunca lhe mostrar. Holmes adorava, ao que parecia, conversar alegremente sobre mulheres com seus velhos amigos. Isso era algo que proporcionava a William uma considerável diversão, especialmente depois que soube que Holmes nunca aludia a esses assuntos quando Henry estava presente. Com os camaradas, insistia William, Holmes também adorava reconstituir as batalhas da Guerra Civil e explicar seus ferimentos aos ouvintes reunidos.

"Quando a noite avança", disse William, "Holmes fica parecido com seu pai, o velho médico e autocrata. Ele se deleita com suas anedotas repetidas e adora ter audiência."

William mostrava-se incrédulo de que Holmes, em seus encontros com Henry ao longo de trinta anos, nunca houvesse mencionado a Guerra Civil.

"É o dia inteiro e noite adentro", prosseguiu William, "balas zunindo, fuzis, homens atacando, mortos estendidos por toda parte, feridos sem conta. E, claro, os ferimentos dele próprio, pois mesmo quando há senhoras presentes ele discute seus ferimentos. Só o que espanta é ele não ter morrido em decorrência deles. Com certeza ele os mostrou a você, não mostrou?"

Henry recordava que essa conversa acontecera na biblioteca de William. Podia ver seu irmão se deliciando com seu próprio tom, permitindo-se liberdades com ele que normalmente reservava para a esposa.

Henry lembrava-se com satisfação de como a conversa terminara.

"Sobre o que, então, vocês dois conversam?", perguntou William. Parecia querer informações concretas, uma resposta factual.

Henry hesitou e fitou o vazio, em seguida focalizou o olhar em alguns volumes de capa de couro numa prateleira distante e respondeu calmamente: "Receio que Wendell tenha sido moldado para testemunhar única e exclusivamente sobre si mesmo".

Ao cair da noite, esperava em seu terraço após o jantar. Holmes, lembrava-se agora, falava-lhe geralmente sobre sua carreira, seus colegas, novas causas, novos progressos no direito e na política, novas conquistas que fizera no seio da aristocracia britânica. Fuxicava sobre velhos amigos e jactava-se dos novos, falando de modo livre e solene. Henry gostava de seu mundanismo, de suas frases ensaiadas e buriladas, e da súbita irrupção de uma outra coisa, quando ele se permitia usar palavras e frases que pertenciam menos ao direito ou à guerra que ao púlpito ou ao ensaio literário. Holmes adorava especular, discutir consigo mesmo, explicar sua própria lógica com muito drama interior como se ela fosse um partido em confronto com forças adversárias.

Henry não se importava com o que Holmes dizia. Via-o raramente e sabia que o que os unia era algo simples. Eles faziam parte de um mundo antigo, respeitável e singularmente puritano, dirigido pelas mentes inquiridoras e multiformes de seus pais e pelos olhos cheios de prudência e vigilância de suas mães. Ambos tinham uma percepção de seu destino. Mais precisamente, pertenciam ao grupo de rapazes que estiveram em Harvard e conheceram e amaram Minny Temple; sentaram em seus joelhos, buscaram sua aprovação e foram perseguidos por sua imagem ao entrarem na meia-idade. Na companhia dela, recordavam, tudo o que tinham vivido não significava nada, tampouco sua inocência, já que o que ela exigia deles era outra coisa. Ela os enchia de júbilo, e eles sentiam uma estranha e persistente nostalgia quando rememoravam a época em que a tinham conhecido.

Ela era prima de Henry, uma das seis crianças Temple, tornadas órfãs quando os pais morreram. Para Henry e para William, a idéia de que os Temple não tinham pais tornava seus primos interessantes e românticos. Sua condição parecia invejável, uma vez que toda autoridade sobre eles era vaga e provisória. Isso os fazia parecer livres e soltos, e foi só mais tarde, quando eles tiveram de lançar-se à luta, cada um a sua maneira, o que envolveu muito sofrimento, que ele compreendeu a natureza irremediável e a profunda tristeza de sua perda.

Houve, entre a época em que ele os invejava e a época em que se compadecia deles, um longo hiato. Quando voltou a encontrar Minny Temple, aos dezessete, depois de ter ficado sem vê-la por alguns anos, ainda sentia por ela grande admiração, até mesmo reverência. Soube instantaneamente que ela, entre todas as suas irmãs, seria especial para ele e assim permaneceria. Havia muitas palavras para descrevê-la: leve, curiosa, espontânea, natural — o que era importante —, e ainda havia o fato de não ter pais. Ele achava que isso conferia-lhe talvez uma espécie de desembaraço e frescor; ela nunca tivera que se espelhar em ninguém, nem tentar ser como outra pessoa, ou lutar contra tais influências. Talvez, pensou ele mais tarde, à sombra de tanta morte, ela tivesse desenvolvido aquele que era seu traço mais marcante — o gosto pela vida. Sua mente era inquieta, não havia nada que ela não quisesse saber, nenhum assunto sobre o qual não desejasse especular. Conseguia, na opinião dele, conjugar uma vida interior inquiridora a uma ativa percepção do social. Adorava entrar numa sala onde houvesse outras pessoas. Mais que qualquer outra coisa, ele recordava seu riso, súbito e abundante, jovial, com seu som estranho, comovente e melodioso.

Ela não lhe parecera assim tão etérea quando o impressionou pela primeira vez com a sua força moral. Viera a Newport com uma de suas irmãs, e elas lhe pareceram lindas, lúcidas e livres, sob os brandos cuidados da tia e do tio. Naquela primeira visita Minny discutira com o pai de Henry. Henry nunca conhecera uma época em que as pessoas não discutissem com seu pai. Desde que começara a escutar, presenciara William e seu pai em profundas discussões que envolviam vozes em tom elevado e acaloradas divergências de opinião. A maioria dos visitantes homens, e também algumas mulheres, parecia vir até sua casa especialmente para discutir. A liberdade sob várias formas, e sobretudo a liberdade religiosa, era o grande tema de seu pai, mas ele tinha muitos outros. Não acreditava em autocensura, esse era um de seus princípios.

Minny Temple sentou-se no jardim e a princípio ouviu em silêncio o pai de Henry, que endereçava a maior parte de seus comentários a William, movendo a cabeça às vezes na direção de Henry e das irmãs Temple. Havia uma jarra de limonada e alguns copos na mesa baixa do jardim, e poderia ter sido um corriqueiro e afável encontro de verão de primos que se entretêm junto à geração mais velha. Tudo o que seu pai estava dizendo tinha sido formulado muitas vezes antes, mas apesar disso William deu um sorriso de estímulo quando o pai começou a discutir as mulheres e sua extrema inferioridade, bem como a necessidade de que permanecessem não apenas subservientes como também pacientes.

"Por natureza", disse ele de modo rápido e enfático, "a mulher é inferior ao homem. Ela é inferior a ele em paixão, em intelecto e em força física."

"Meu pai tem muitas convicções", disse William cordialmente. Sorriu para Minny, mas essa não retribuiu seu sorriso. Seu olhar estava imóvel e sério. Ela se endireitou na cadeira, parecendo tensa, como se quisesse falar. O pai de Henry notou seu desconforto e olhou para ela com impaciência. Por alguns momentos, o grupo ficou em silêncio, esperando para ver se ela diria alguma coisa. Sua voz saiu baixa quando finalmente começou, de modo que o velho teve de se esforçar para ouvi-la.

"Talvez seja minha própria inferioridade", disse ela, "que me obriga a fazer essa pergunta para mim mesma."

"Que pergunta?", indagou William.

"Quer mesmo saber?", perguntou ela, quase rindo.

"Fale logo", disse o pai.

"Muito simplesmente, senhor, eu me pergunto se o que o senhor está dizendo está certo." De repente, seu tom era claro e direto.

"Você quer dizer que discorda?", perguntou William.

"Não, não é o que eu quero dizer", disse Minny. "Se fosse, eu teria dito isso. O que quero dizer é o que eu disse. Eu me pergunto se está certo." Uma certa veemência se introduzira em seu tom.

"Claro que está certo." Os olhos do velho agora deixavam patente a sua raiva. "Um homem é fisicamente mais forte que uma mulher. Até aí está claro, até aí está certo, se certo é a palavra que você quer. E na paixão o homem é mais forte, como eu disse. E também no intelecto. Platão não era mulher, nem Sófocles, nem tampouco Shakespeare."

"Como podemos saber que Shakespeare não era uma mulher?", cortou William.

"O que eu disse a satisfaz, senhorita Temple?", perguntou o pai.

Minny não respondeu.

"É tarefa de uma mulher", continuou ele, "ser submissa.

Cuidar do seu bordado, da sua cozinha e do seu aprendizado para vir a ser a incansável guardiã dos filhos de seu marido. Julgamos uma mulher por sua obediência e atenção ao dever."

Sua voz tornara-se rancorosa e ele dava sinais evidentes de aborrecimento.

"Assim falou nosso pai", disse William.

"Chegamos a um acordo então?", o velho perguntou a Minny.

"De forma nenhuma, senhor. Não chegamos a acordo algum." Ela sorriu para ele. Quando prosseguiu, sua expressão era quase condescendente. "Muito simplesmente, não sei se o fato de sermos fisicamente mais fracas que os homens significa que tenhamos menos entendimento ou que vivamos de modo menos inteligente no mundo. Veja, tenho um indício ao alcance da mão, que é minha própria mente fraca, mas não acho que ela seja mais fraca que a de qualquer outra pessoa."

"As mulheres devem viver com humildade cristã", disse Henry pai.

"Isso estaria na Bíblia, senhor, seria um dos mandamentos, ou o senhor aprendeu na escola?", perguntou Minny.

Por volta da hora do jantar, a notícia tinha se espalhado. A sra. James, tia Kate e Alice tinham sido alertadas sobre a afronta que ocorrera.

"Ela não faz objeção a ter mulheres cozinhando e cuidando da casa para ela", a mãe de Henry disse a ele, quando se encontraram no corredor. "Não recebeu disciplina nem educação, e só nos cabe ter pena dela, porque seu futuro será horrível."

No verão de 1865, com a Guerra Civil encerrada e seus dois primeiros contos publicados, Henry se preparava para passar o mês de agosto com os Temple em New Hampshire. Oliver Wendell Holmes, que recusara um convite para ir a Newport, concordou em ir a North Conway, onde os Temple passavam a temporada, assim que soube que encontraria ali uma abundante companhia feminina. Ele viajaria com Henry, e atrás deles iria John Gray, também recém-saído da Guerra Civil. Henry escreveu a Holmes para contar-lhe que Minny Temple, à custa de esforços sobre-humanos, havia desencavado um quarto de solteiro, o único na região, e que o canalha do proprietário do quarto se recusara, apesar dos protestos e encantos de Minny, a mobiliá-lo com duas camas.

Eles iriam, disse-lhe Henry, arrancar a própria cama do sujeito. Nesse meio tempo, Minny estava à procura de outra cama ou, de preferência, de outro quarto. Holmes parecia vibrar com a idéia de um inimigo que poderia ser forçado a ceder sua cama às visitas. Durante a viagem para North Conway, ele arrolou as táticas que poderiam adotar, mencionando vários termos técnicos, colocando-se em primeiro plano, como líder e herói, e relegando Henry, que era dois anos mais jovem e não tinha ido à guerra, ao papel de mera isca. Aparentemente, não se importou quando Henry caiu no sono.

Eles deviam chegar para o jantar, de acordo com o convite, na casa onde as garotas Temple estavam sob a vigilância de sua tia-avó, que na opinião de Henry era parecida com George Washington. Mas, ao chegar a North Conway, tentaram primeiro encontrar o lugar onde se hospedariam; depois de vários erros de percurso, avistaram um grande e rabugento senhorio que imediatamente deu um jeito de expressar sua antipatia por pessoas que não tinham nascido e crescido em North Conway e arredores. Nem o uniforme que Holmes vestia nem seu bigode pareciam impressioná-lo. O senhorio não olhou para Henry. Uma cama, disse ele, era isso que tinha dito à moça, e era isso o que seria, mas o quarto tinha um belo chão limpo onde podia dormir um regimento inteiro, acrescentou insolentemente ao dar-lhes a chave.

O quarto não tinha nada, exceto um lavabo, composto de jarro e bacia, um armário e uma pequena cama de ferro coberta por uma linda colcha colorida, que não combinava com o cenário espartano. Deixaram a bagagem junto à porta, como se estivessem indecisos sobre ficar ou não.

"Acho que devíamos chamar reforços e atacá-lo sem demora", disse Holmes.

Henry experimentou a cama, que tinha um afundamento no meio.

"Talvez seja o tipo de quarto que se beneficia do fato de seus habitantes ficarem do lado de fora", disse Henry.

Apanhou uma pequena lâmpada no chão.

"Temo", disse, "que todas as traças de New Hampshire tenham visitado este relicário. A impressão é de que ele veio para cá com os fundadores."

"A sua prima Minny é inteligente?", perguntou Holmes.

"É, sim", disse Henry.

"Nesse caso, tenho certeza de que ela encontrou outro quarto para nós."

Henry foi até a pequena janela e olhou para fora. O dia ainda estava radiante e o cheiro de pinho enchia o ar.

"Enquanto isso", virou-se para Holmes rindo, "tudo bem para mim se estiver tudo bem para você, como disse a dama quando o cachorrinho lambeu-lhe o rosto."

"Já estou vendo que vai ser um longo mês", disse Holmes.

Minny e duas de suas irmãs estavam sentadas em cadeiras no gramado dos fundos quando seu primo chegou com o amigo. Henry estava profundamente consciente agora de como Holmes devia figurar Minny. Ela não era linda, pensou, enquanto não começava a falar ou enquanto não sorria. Quando isso acontecia, no entanto, ela conquistava a empatia de quem estivesse à sua volta, emanando uma profunda seriedade e, ao mesmo tempo, um extremo bom humor. Henry julgou instantaneamente que Holmes preferia as duas irmãs dela, Kitty e Elly, que eram mais convencionalmente bonitas, mais corteses e tímidas do que Minny.

Tão logo eles se sentaram, Henry notou que Holmes se converteu num homem do exército, num veterano da Guerra Civil que presenciara muitas batalhas e vira a morte de perto. Subitamente, táticas militares não eram mais uma brincadeira. As três garotas Temple, cujo irmão William fora morto na guerra, e sua tia-avó fitavam o soldado com tristeza e admiração. Henry observou Minny atentamente para verificar se toda aquela conversa de Holmes a impressionava tanto quanto parecia, mas ela não deixou transparecer nada.

Depois do jantar os dois jovens caminharam de volta ao seu quarto, felizes com a notícia de que Minny encontrara-lhes outro quarto, para o qual poderiam mudar quando John Gray chegasse. Holmes estava de bom humor; apreciara a companhia das moças e sabia que teria uma platéia receptiva, jovem, graciosa e animada durante toda a sua permanência. Fazia gracejos e ria, arquitetando novos métodos para enfraquecer o senhorio e vencer a batalha pela cama extra.

Nenhum deles abordara a questão prática de como fariam para dormir, se um deles ficaria no chão, se dormiriam cada um com a cabeça numa ponta da cama, ou se deitariam lado a lado. Henry sabia que Holmes decidiria, e ficou junto à janela esperando que ele o fizesse. Holmes, enquanto isso, fazia bravos esforços para acender a lâmpada.

Quando ela finalmente foi acesa, o quarto, com toda a sua

parcimônia e melancolia, pareceu maior, mais convidativo; a colcha adquiriu um novo esplendor. Holmes ficou sério, como se estivesse concentrado na resolução de um problema difícil. Foi até a bacia com uma barra de sabão e uma toalha que retirara da mala. Despejou a água do jarro na bacia e despiu-se rapidamente até ficar nu. Henry se surpreendeu com a robustez e os ossos amplos do amigo, que lhe pareceu quase corpulento sob a luz bruxuleante e indistinta. Por um segundo, ao ficar imóvel, Holmes ficou parecido com uma estátua de um jovem alto e musculoso. Enquanto o observava, Henry esqueceu seu bigode e seus traços irregulares. Nunca imaginara que o veria daquele jeito. Supunha que despir-se daquele modo não significava nada para alguém que havia sido um soldado por tanto tempo. Contudo, ele certamente sabia que era diferente, no silêncio da noite, naquele quarto estranho e despojado, despir-se completamente diante de seu amigo. Henry observou atentamente suas pernas e nádegas firmes, a linha de sua espinha, seu delicado pescoço bronzeado. Perguntava-se se Holmes voltaria a vestir sua roupa de baixo antes de ir para a cama. Ele também começou a tirar a roupa, e estava quase nu quando Holmes abriu a janela e jogou fora a água suja e cheia de espuma. Holmes recolocou a bacia no lugar e caminhou despido até a cama, carregando a lâmpada consigo.

De pé, nu, junto à bacia, Henry não sabia se Holmes o observava. Estava bastante consciente de si próprio; não possuía o desembaraço e a confiança que Holmes acabara de demonstrar. Lavou-se devagar e, quando Holmes dirigiu-lhe a palavra, virou-se um pouco e viu o amigo deitado na cama com a mão embaixo da cabeça.

“Espero que você não ronque. Tínhamos um método para lidar com pessoas que roncavam.”

Henry tentou sorrir e voltou-lhe as costas de novo. Depois

de se enxugar e de jogar a água pela janela, sabia que teria de virar de frente e que Holmes agora o observava despreocupadamente. Estava constrangido e ainda não sabia se o amigo esperava que ele se deitasse nu a seu lado na cama. Não se sentia seguro para perguntar-lhe se era esse o plano.

"Você pode apagar a luz?", perguntou Henry.

"Você é tímido?", perguntou Holmes, mas não apagou a lâmpada.

Henry se virou e caminhou lentamente para a cama com a toalha sobre os ombros, cobrindo parcialmente seu torso. Os olhos de Holmes estavam divertidos e atentos. Quando Henry deixou cair a toalha, Holmes inclinou-se para a frente e apagou a lâmpada.

Ficaram deitados lado a lado em silêncio. Henry sentia seu osso pélvico roçar Holmes. Pensou em se oferecer para mudar de posição, ficando com a cabeça no pé da cama, mas compreendeu que, de algum modo, Holmes tomara o controle e proibira-o tacitamente de fazer qualquer sugestão. Era capaz de ouvir sua própria respiração e sentir seu batimento cardíaco quando fechou os olhos e virou as costas para o companheiro.

"Boa noite", disse.

"Boa noite", respondeu Holmes. Holmes não se virou; ficou deitado de costas. Para se assegurar de que não cairia da cama, Henry teve de se aproximar dele, mas logo voltou a se afastar, permanecendo perto da beirada, porém ainda encostando em Holmes, que seguia impassível.

Perguntava a si mesmo se algum dia voltaria a sentir-se vivo com tanta intensidade. Cada respiração, cada indício de que Holmes iria se mover, ou até mesmo a simples idéia de que Holmes também estava acordado, fazia sua mente arder. Não havia possibilidade alguma de dormir. Seu amigo, ele supôs, devia estar com os braços cruzados sobre o peito, e não emitia nenhum som. Sua imobilidade sugeria que estava acordado e alerta. Henry ansiava por saber se Holmes estava tão consciente quanto ele do contato entre seus corpos, ou se estava ali deitado sem preocupação alguma, alheio à massa de calor que se estendia ao seu lado. No dia seguinte eles se mudariam para outros quartos, portanto aquilo não se repetiria. Nada havia sido planejado, e Henry não pensara na situação até ver Holmes movendo-se nu junto ao lavabo à luz da lâmpada. Mesmo agora, se houvesse escolha, se outra cama estivesse disponível, ele iria para ela imediatamente, esgueirando-se para fora dali na escuridão. No entanto, tomava sua falta de opção como uma espécie de conforto. Estava contente por não se mexer nem falar, e fingiria estar dormindo, se fosse necessário. Sabia que o fato de permanecer imóvel e calado deixava Holmes livre, e esperou para ver o que ele faria, mas Holmes não se mexeu.

Desde que partira de Boston com o amigo, sentira uma estranha falta de tensão, que durara toda a tarde e início da noite. Sabia o que era. William não estava com eles, pois tinha partido para uma expedição científica no Brasil. A ausência de seu irmão mais velho tornara as coisas mais leves para ele, removendo uma fonte de pressão que muitas vezes se tornava opressão, ainda que moderada. Holmes era amigo de William, de quem era um ano mais velho, porém não tinha a aptidão de William para debilitar Henry ou para fazê-lo sentir que cada palavra que dissesse, ou cada gesto que fizesse, estaria exposto à censura, à correção ou à zombaria.

Agora, subitamente, Holmes moveu-se em direção ao centro da cama. Seu movimento pareceu a Henry um ato de vontade, e não o gesto inconsciente de um homem que dorme. Rapidamente, sem dar a si próprio tempo para pensar, Henry chegou sorrateiramente mais perto dele, e ficaram deitados assim, sem se mexer, por algum tempo. Ele podia sentir a presença viva de Holmes, seu corpo amplo, agora bem perto do dele, mas tinha o cuidado de manter a respiração tão silenciosa e superficial quanto possível.

Quando Holmes virou novamente o corpo, afastando-se dele de modo tão súbito como havia se aproximado antes, Henry se deu conta de que sua sina seria ficar deitado ali noite adentro, com a mente agitada, tendo a seu lado essa figura que talvez o ignorasse, habituada que estava à proximidade com outros homens. Agora achava que Holmes havia adormecido. Não sabia se estava desapontado ou aliviado, mas desejou poder adormecer também para não ter que pensar até a manhã seguinte.

Depois de um tempo, porém, teve certeza de que Holmes não dormia. Estavam deitados de costas um para o outro, e ele era capaz de sentir junto de si aquela presença cuidadosamente retesada. Esperou, sabendo que era inevitável que Holmes se virasse, inevitável que alguma coisa acontecesse para romper aquele jogo silencioso, lento e encalacrado que eles estavam jogando. Holmes, ele achava, estava envolvido de modo tão consciente quanto ele no que pudesse acontecer.

Não se surpreendeu, portanto, quando seu amigo se virou e colou o corpo no seu, pondo uma das mãos em suas costas e a outra em seu ombro. Não se virou nem se mexeu, mas tentou deixar claro ao mesmo tempo que isso não significava resistência. Permaneceu quieto como estivera a noite toda, mas relaxou de leve o corpo de modo a amoldar-se confortavelmente ao formato de Holmes, fechando os olhos e deixando a respiração fluir da maneira mais livre possível.

Cochilou, acordou por um momento, voltou a cochilar. Quando afinal acordou de vez, a sala resplandecia com a luz do sol, e o que o surpreendeu, ao ver Holmes já desperto, foi o destemor com que o amigo olhava-o nos olhos e voltava a aproximar-se dele. Imaginou que o que ocorrera entre eles pertencia à noite secreta, à privacidade que a escuridão propiciava. Sabia que aquilo nunca seria mencionado entre eles, nem tampouco a qualquer outra pessoa, e em decorrência disso presumira que a luz do dia faria toda a diferença para eles. Sabia também o bastante sobre a vivência de Holmes na guerra para estar ciente de que ele encarara a morte sem medo, sofrera dolorosos ferimentos e, mais que isso, adquirira entre os vinte e um e os vinte e dois anos de idade uma inabalável valentia. Henry não havia imaginado que essa valentia pudesse se estender completamente ao domínio privado, mas era isso o que acontecia agora naquele quarto alugado de New Hampshire numa manhã radiosa.

Por volta das onze horas os dois homens estavam banhados e vestidos, com as malas feitas, o senhorio pago e prontos para apresentar-se na corte das irmãs Temple. Sentaram-se novamente nas cadeiras no gramado dos fundos e fizeram planos para caminhadas e passeios. Enquanto o chá era servido e a conversa tinha início, Henry se sentia como que mergulhado em algo; o que acontecera permanecia nele como uma obsessão que perturbava todos os seus sentidos; aquilo estava vivo agora em cada momento e em cada objeto; fazia tudo o mais parecer irrelevante e insípido. Enquanto tomava seu café e escutava suas primas, aquilo o dominava com tanta força que ele teve de lembrar a si mesmo que o processo não estava mais em curso, e que um novo dia começara, com as obrigações que um novo dia traz.

Aos poucos, ele notou que Minny permanecia à margem dos planos e, ao contrário do habitual, parecia quieta e reservada. Falou com ela em particular enquanto os outros estavam entretidos em conversas e risadas.

"Não dormi", disse ela. "Não sei por quê."

Ele sorriu para ela, contente com o fato de que a distância entre ela e eles era algo que podia ser corrigido.

"E você, dormiu?", perguntou ela.

"Não foi fácil", disse ele. "A cama não era confortável, mas demos um jeito. Dormimos, apesar da cama, talvez, e não por causa dela."

"A famosa cama!" Ela riu.

Quando John Gray chegou, naquela tarde, Henry notou que Holmes — o qual, mesmo tendo se separado havia pouco dos outros soldados, perdera um pouco de sua aura militar — retomava agora seu papel de veterano de guerra, e que Gray fazia todo o possível para dar suporte a esse papel e até adotá-lo para si próprio. Eles foram levados para uma velha casa de fazenda a algumas milhas da residência temporária dos Temple. Ali, a jovem e afável esposa do fazendeiro ofereceu a cada um deles um quarto no sótão. As tábuas do assoalho rangiam, as camas eram velhas e o teto baixo demais, mas a diária era razoável, e o marido, quando apareceu, ofereceu-se para transportar os jovens cavalheiros pelos arredores, caso precisassem de condução. Na verdade, acrescentou num tom amigável e convincente, se precisassem de qualquer coisa, ele a providenciaria na medida do possível, e pela tarifa mais barata de toda North Conway.

Assim começaram as férias deles, os dois homens de ação acomodando-se ao mundo da confortável vida civilizada. Era um pequeno reino onde as relações se davam de modo relaxado e alegre, as conversações seguiam sem limites, as liberdades tomadas não infringiam o respeito à cortesia, permitindo que uma centena de temas humanos e pessoais fossem discutidos enquanto o verão americano se encaminhava para as últimas manifestações de sua generosidade.

Henry guardou com afeto a lembrança de sua visita a North Conway. Para ele, era como um tesouro escondido em casa de modo seguro e inviolável, algo que ele tinha certeza de encontrar em seu lugar sempre que quisesse. Observava seus amigos, esperando que entrassem num consenso, desejando que seus dois convidados estimassem Minny Temple como ele estimava, que a diferenciassem de suas duas irmãs, por mais doces e encantadoras que fossem, e tomassem consciência de que Minny era o espírito resplandecente entre elas. Viu-se promovendo-a em silêncio, tentando de várias pequenas maneiras estimulá-los a gostar dela. Quando avistou Holmes entretido com Minny, sentiu-se profundamente envolvido com o que se passava entre eles, e não desejou outra coisa senão testemunhar o crescente interesse de um pelo outro.

O tom de Gray era seco; em seu regimento e em seu próprio ambiente doméstico ele se acostumara obviamente a ser ouvido com atenção, e seu estudo do direito acrescentava agora ao seu linguajar um vocabulário alatinado ao qual ele se afeiçoava cada dia mais. Ele tinha muito a dizer sobre livros, e diariamente cruzava as pernas, limpava a garganta e conversava com as damas sobre Trollope, sobre como seus personagens eram divertidos e bem delineados, como suas situações eram fascinantes, como era poderosa a sua apreensão da rica vida pública de seu país, lamentando que não houvesse surgido nenhum romancista americano capaz de competir com ele.

"Mas será que ele", interpôs-se Minny, "compreende as verdadeiras complexidades do coração humano? Será que ele compreende o grande mistério da nossa existência?"

"Você fez duas perguntas, e vou respondê-las separadamente", disse Gray. "Trollope escreve com precisão e sensibilidade sobre amor e casamento. Sim, posso lhe garantir isso. Agora, a segunda pergunta é bem diferente. Trollope, creio, seria da opinião de que é papel do sacerdote e do teólogo, do filósofo e talvez do poeta, mas decididamente não do romancista, lidar com o que você chama de 'o grande mistério da nossa existência'. E eu me inclinaria a concordar com ele."

"Oh, então eu não concordo com nenhum de vocês dois", disse Minny, com o rosto brilhando de excitação. "Ao terminar de ler *O moinho sobre o rio*, por exemplo, você aprende muito mais sobre a estranheza e a beleza de estar vivo do que depois de ler mil sermões."

Gray não lera George Eliot e, quando recebeu de presente um exemplar de *O moinho sobre o rio* das mãos de uma entusiástica Minny, folheou o volume com ar judicioso.

"Ela é", disse Minny, "a pessoa que mais adoro no mundo, a pessoa que eu mais gostaria de conhecer."

Gray levantou os olhos de modo zombeteiro e desconfiado.

"Ela compreende", prosseguiu Minny, "o caráter de uma mulher generosa, isto é, de uma mulher que acredita na generosidade e que sente agudamente como é difícil, na prática", parou por um momento para pensar, "ora, como é difícil viver desse modo, levar isso até o fim."

"Levar 'isso' até o fim?", perguntou Gray. "O que é 'isso'?"

"A generosidade, como eu disse", respondeu Minny.

Minny entregou também a Gray um exemplar da edição de março da *North American Review* que continha um conto de Henry chamado "A história de um ano". Contou-lhe que, embora ela e suas irmãs tenham sido proibidas de ler o conto anterior de Henry, repleto, segundo disseram a elas, de uma imoralidade altamente francesa, tiveram permissão para ler aquele. Nos dias precedentes, Henry, um novato em matéria de publicação, ficara esperando que Holmes dissesse alguma coisa sobre o conto. Sabia que Holmes dissera a William acreditar que a mãe descrita no conto era baseada na sua e que o soldado era baseado nele próprio. Subitamente, então, William passou a dispor de um novo e interessante meio de provocar Henry. A família Holmes, disse ele, estava furiosa, e o Holmes pai se queixaria ao pai de Henry. Mais tarde, William confessaria ter inventado a maior parte da intriga, com exceção dos comentários originais de Holmes.

Holmes não dissera nada. Agora Henry via Gray atravessar o jardim com uma cadeira numa das mãos e a *North American Review* na outra, à procura de um lugar à sombra onde pudesse sentar e ler o conto. Henry estava inquieto quanto à reação de Gray, mas ao mesmo tempo satisfeito com o fato de que o conto agora podia ser mencionado. Imaginou o amigo lendo-o com o olhar penetrante de um veterano de guerra, encontrando material de menos sobre a movimentação da guerra e material demais sobre as mulheres. Observá-lo a começar o conto, e ser capaz de acompanhar sua leitura a partir do ponto de vista estratégico de uma outra cadeira no jardim, a certa distância, era difícil e quase enervante. Depois de um tempo ele não conseguiu mais, já observara o bastante, e partiu para uma longa caminhada pela tarde, só retornando na hora do jantar.

Tão logo eles se sentaram à mesa, Minny tomou a palavra.

"Então, senhor Gray, o que o senhor pensa do conto? Acho tão empolgante ter um primo escritor, é algo difícil até de imaginar."

Henry compreendeu e ficou pensando se Minny também compreendia o efeito que as palavras dela teriam sobre os dois jovens que haviam oferecido suas vidas por seu país. Para eles, a guerra permanecia muito viva, e a mera presença dos dois ali era um lembrete a todos das grandes perdas e do heroísmo de suas fileiras. Em seu entusiasmo pelo conto de Henry, Minny agora parecia estar diminuindo a importância, e sobretudo a empolgação, de contar com dois soldados à sua mesa.

"Interessante", disse ele, parecendo disposto a encerrar o assunto.

"Nós todas adoramos a história, e ficamos muito orgulhosas", disse Elly, irmã de Minny.

“Se o texto não trouxesse a assinatura dele”, disse Gray, “eu teria imaginado que o autor era uma mulher, mas talvez isso fizesse parte do seu plano.”

Voltou-se para Henry, que olhou para ele mas não abriu a boca.

“Ele escreveu um conto, não um plano”, disse Minny.

“Sim, mas se você pensar na guerra, ou falar com os envolvidos, ou mesmo ler sobre ela, tenho certeza que encontrará histórias mais interessantes, histórias mais fiéis à vida.”

“Mas não era sobre a guerra”, disse Minny. “Era sobre o coração de uma garota.”

“Não existe uma porção de garotas capazes de escrever histórias desse tipo?”, perguntou Gray.

Holmes colocou as mãos atrás da cabeça e começou a rir.

“Nem todos podem ser soldados”, disse.

A conversa entre os visitantes e as irmãs Temple retornava com freqüência ao tema da guerra. Como o irmão das garotas e seu primo Gus Barker tinham sido mortos, os dois soldados precisavam tomar cuidado para não se regozijar muito com a própria sobrevivência ou com a própria bravura. Mas era difícil evitar a menção a façanhas específicas e ao extraordinário fenômeno dos soldados feridos que, uma vez restabelecidos, insistiam em voltar para o combate, como tinha sido o caso de Wilky, irmão de Henry, do próprio Holmes e de Gus Barker. Holmes e Wilky tinham escapado da morte, sofreram novos ferimentos e sobreviveram também a eles. Gus Barker, porém, que não passava dos vinte na época em que morreu, dois anos antes, fora atingido por um franco-atirador no rio Rappahannock, na Virgínia. Todos ficavam em silêncio agora quando seu nome e o lugar onde morrera eram mencionados.

Henry encontrara-o em suas viagens de retorno à América durante a infância, na casa de sua avó em Albany, onde também os Temple estavam, e mais tarde em Newport. Enquanto a conversa voltava a girar em torno dele, o pensamento de Henry viajou para cinco anos antes, quando a Guerra Civil parecia um pesadelo impossível e a família James acabara de retornar da Europa para Newport, para que William pudesse estudar arte.

Um dia, no outono de 1860, Henry entrara no estúdio e encontrara seu primo Gus Barker nu, em pé sobre um pedestal, enquanto os alunos mais avançados o desenhavam. Gus era forte e rijo, ruivo e de pele clara. Ele permanecia imóvel e sem constrangimento enquanto os cinco ou seis alunos, entre eles William, dedicavam-se a seus desenhos como se não conhecessem o modelo. Gus Barker, a exemplo dos Temple, perdera a mãe, e sua condição de órfão conferia-lhe o mesmo mistério e independência das primas. Não havia a possibilidade de sua mãe chegar de repente, mandá-lo parar com aquela exibição e vestir as roupas imediatamente. Sua constituição física era bela e máscula, e Henry se surpreendeu com sua própria necessidade de observá-lo, enquanto fazia de conta que seu interesse em Gus Barker, como o dos outros alunos, era distante e acadêmico. Examinou de perto o desenho de William e então pôde levantar os olhos e contemplar por algum tempo a perfeita figura atlética de seu primo, sua força e sua serena aura sensual.

Depois de todos aqueles anos, surpreendia-o agora o fato de ter ficado pensando em algo que não podia contar a Gray, a Holmes ou mesmo a Minny, o fato de que durante aqueles poucos minutos seu pensamento tinha se perdido numa cena cujo significado teria de permanecer secreto para ele. Ele simplesmente supunha que a mente de Gray não trabalhasse daquela maneira, tampouco a mente e a imaginação de Holmes ou das irmãs Temple. Não sabia nem mesmo se a mente de seu irmão William penetrava em áreas que deveriam sempre permanecer obscuras àqueles à sua volta. Pensou no que aconteceria se expusesse seus pensamentos, se dissesse com o máximo de franqueza a seus companheiros o que o nome Gus Barker trouxera a sua memória. Ficou pensando em como, a cada dia, ao moverem-se em torno uns dos outros, cada um deles guardava consigo um mundo inteiramente privado, ao qual podiam retornar ao simples som de um nome, ou sem razão alguma. Por um segundo, enquanto pensava essas coisas, encontrou o olhar de Holmes e percebeu que não fora capaz de se esconder completamente; Holmes enxergara, por trás de sua máscara social, o pensamento que havia se extraviado por territórios que não podiam ser compartilhados. Ambos agora, de modo tácito e momentâneo, compartilhavam algo que os outros nem chegavam a perceber.

Aos poucos, então, no decorrer dos dias, Minny Temple fez uma escolha. Escolheu tão sutil e cuidadosamente que, de início, ninguém percebeu, mas o que não era evidente para Gray ou Holmes ou suas irmãs ficou claro para Henry, porque ela quis que fosse assim. Ela escolheu Henry como seu amigo e confidente, aquele em quem ela mais confiava, e a quem podia falar com desenvoltura. Ela talvez tenha escolhido Holmes para alguma coisa também, pois nunca o ignorava, nem brilhava mais para os outros que para ele. Mas escolheu Gray como aquele sobre o qual ela poderia causar mais efeito, aquele que sentiria mais necessidade dela. Não dava atenção alguma à sua conversa militar, aos seus ásperos comentários práticos, aos seus gracejos cortantes. Desejava modificá-lo, e Henry a via persuadi-lo disso suavemente, tomando o cuidado de não ser ofensiva.

Um dia, quando ela entregou a Gray alguns versos de Browning, ele fez menção de devolvê-los e pediu a ela que os lesse em voz alta.

“Não, eu quero que o senhor mesmo os leia”, disse ela.

“Eu não sou capaz de ler poesia”, disse ele.

Henry, Holmes e as duas irmãs de Minny ficaram em silêncio; aquele, Henry sabia, era um momento decisivo na luta para modelar John Gray a uma forma aceitável para ela.

"Claro que o senhor é capaz de ler poesia", disse ela, "mas primeiro deve esquecer a palavra 'ler' e a palavra 'poesia', e concentrar-se na palavra 'eu' para encontrar novos atributos para ela. Assim, o senhor será um homem transformado e sua juventude estará de volta. Mas se o senhor desejar isso mesmo, lerei os versos em voz alta."

"Minny", disse sua irmã, "você não deve ser tão brusca com o senhor Gray."

"O senhor Gray será um grande advogado", disse Holmes. "Ele está aprendendo a se defender, pelo que percebo, só assim aprenderá a defender outras pessoas talvez mais dignas de defesa."

"Anseio por ouvi-la ler os versos em voz alta", disse Gray.

"E eu anseio pelo dia em que o senhor os lerá também, em silêncio e com emoção", disse Minny, pegando o livro.

Henry começou a imaginar uma herdeira, órfã recente, que tinha três pretendentes; uma jovem cuja resignada inteligência nunca fora devidamente valorizada pelos que a rodeavam. Ele não queria fazê-la tão linda quanto Minny estava naquele agosto; em vez disso, concebeu uma heroína absolutamente comum, a não ser pela recorrência de um sorriso magnífico. Fez de dois de seus pretendentes homens de armas; o terceiro, que dava seu nome à história, Pobre Richard, cujo comportamento era o de um homem nervoso e obstinado, levado à beira do desespero pelo amor não correspondido, era um civil. Richard adorava Gertrude Whittaker, mas ela não o levava a sério como fazia com os dois soldados da Guerra Civil. Um deles, capitão Severn, era um homem circunspecto e escrupuloso, discreto, ponderado e avesso a agir sem propósito definido. O major Lutrell, por sua vez, que poderia desempenhar o papel de Gray, era ao mesmo tempo encantador e insuportável. Todos os três empreendiam um cerco para conquistar o amor da srta. Whittaker e casar com ela. Mas ela acabava não aceitando nenhum deles.

A história começava num único e pequeno momento, quando Richard vê o capitão Severn mergulhar num silêncio quase tão impotente quanto o seu, enquanto acompanham o desenrolar de um animado diálogo entre a srta. Whittaker e o major Lutrell. Algo semelhante havia se tornado rotineiro em North Conway. Henry e Holmes observavam Minny em sua batalha para amolecer Gray, torná-lo mais atento à sua alma que ao seu uniforme, aos seus medos e desejos profundos mais que à sua conversa autoprotetora e censurada para senhoras sobre o exército. Holmes acreditou de início que Minny não gostava de Gray, o que o agradou, mas depois percebeu, com lampejos de alarme, que seu amigo estava vencendo. O alarme de Holmes emitiu um som que Minny, suas irmãs e Gray não ouviram por estar demasiado entretidos, mas que Henry captou facilmente e armazenou para pensar a respeito quando estivesse sozinho.

Ele não percebeu na época, e a bem da verdade nem mesmo depois de muitos anos, que aquelas poucas semanas em North Conway — aquele grupo envolvido em conversas sem fim sob os pinheiros rumorejantes — seriam o bastante para ele; seriam, de fato, tudo o que ele precisaria saber na vida. Em todos os seus anos de escritor ele se aproveitaria das cenas que viveu e testemunhou naquele período; os dois ambiciosos aristocratas da Nova Inglaterra, já conscientes da posição ilustre que os aguardava, e as garotas americanas, com Minny à frente, joviais e abertas à vida, tão perguntadoras, tão impregnadas de curiosidade sem limites, de encanto e inteligência. E entre eles, muito deveria permanecer não dito e desconhecido. Naquele gramado ao lado da casa onde as irmãs Temple passaram aquele verão, já havia segredos e alianças tácitas, bem como uma percepção de que Minny Temple lhes escaparia e se elevaria sobre eles, embora nenhum dos jovens tivesse idéia da rapidez com que isso ocorreria nem o quanto seria doloroso.

Ele não se lembrava do momento em que soubera que ela estava morrendo. Com certeza, naquele verão não houve nenhum indício de doença. Lembrava-se de que algum tempo mais tarde sua mãe mencionara, em tom de desaprovação, o fato de Minny estar adoentada, como se acreditasse, em princípio, que a doença de Minny fosse uma maneira de chamar atenção.

Quase no fim do ano seguinte, o grupo veio a se reencontrar na sala de visitas dos pais de Henry na rua Quincy. Ele se lembrava de sua própria surpresa ao descobrir que Minny vinha se correspondendo tanto com Gray como com Holmes. Sua mãe, ele recordava, gostava de Gray e julgou-o na ocasião simpático como sempre, mais que Holmes, e relatou depois que Minny lhe revelara estar muito desapontada com Holmes. Ela comentara o egoísmo dele, mas também seus lindos olhos. Henry surpreendeu-se com a confiança que Minny parecia então depositar em sua mãe.

Estava agora sentado em seu terraço, a milhares de quilômetros e muitos anos de distância. Quando a lua crescente apareceu, ele examinou sua beleza estranha, diáfana, implacável, e suspirou ao lembrar-se de William entrando em seu quarto com a notícia de que Minny tinha um sedimento no pulmão. Henry não estava seguro de que aquele tivesse sido seu primeiro contato com a notícia, mas tinha certeza de que era a primeira vez que ela não era sussurrada. Trazia na lembrança sua própria depressão nos meses que se seguiram, sua própria imobilidade, e sabia que não chegara a vê-la, mas se mantivera a par das notícias por sua mãe, que sempre se interessava ardentemente pelas doenças de todo mundo, em especial das moças em idade de casar, e não levava muito a sério a doença de Minny.

Tentou pensar em quando John Gray lhe contou pela primeira vez sobre as longas cartas que recebia de Minny. Gray as havia considerado difíceis, um tanto embaraçosas, segundo disse, confidenciais e febris, mas as respondera, e assim ela continuara escrevendo para ele sem parar durante seu último ano de vida. Numa dessas cartas ela havia escrito as palavras que Gray repetira a ele e às quais Henry atribuía agora um significado talvez maior do que o de quaisquer outras, incluindo tudo o que tinha escrito ou lido. As palavras dela o perseguiam de tal maneira que o fato de pronunciá-las agora, sussurrando-as no silêncio da noite, trazia a exigente presença dela para junto de si. Tratava-se de uma única frase. Minny escrevera: "Você deve me contar algo que tenha certeza de ser verdade". Isso, ele achava, era o que ela queria quando estava viva e feliz, tanto quanto quando estava à beira da morte, mas foi sua doença, sua consciência de que seu tempo era curto, que levou seu desespero a formular a frase que resumia sua grande e generosa busca. "Você deve me contar algo que tenha certeza de ser verdade." As palavras vinham-lhe na doce voz dela, e sentado em seu terraço no escuro ele se perguntava como haveria de lhe responder se ela tivesse escrito a frase para ele.

Perguntava-se se a força da personalidade dela e a pura e simples originalidade de suas ambições, contrapostas à estupidez, à banalidade e à indigência que a cercavam, não teriam debilitado sua vontade de viver. Sentiu isso especialmente quando as irmãs dela casaram por segurança, e não por amor, e quando Minny foi obrigada a depender dos cunhados para seu sustento, assim que seus pulmões começaram a sofrer hemorragia e sua saúde começou a definhar. Lembrava-se de tê-la visto em Nova York pela última vez dois dias antes de embarcar para a

Europa sozinho pela primeira vez, e de ter feito um esforço na ocasião para disfarçar, tanto quanto possível, sua pura excitação, seu apetite sem tamanho pelo que estava por vir. Eles haviam concordado que fazer a mesma viagem seria a coisa mais indicada para ela, e que era detestável ele embarcar sem sua companhia. Apesar da doença e da inveja que ela sentia, os momentos que passaram juntos naquele dia foram radiantes, e a conversa, pura alegria. Falaram de encontrar-se em Roma no inverno seguinte, e dos planos dele em Londres: as pessoas que veria, os lugares que iria visitar. A inveja de Minny só se tornou excessiva quando ele falou de uma possível visita à sra. Lewes, a sua adorada George Eliot. Ela balançou a cabeça e riu da enormidade de seu próprio ciúme.

Era tão evidente para ambos que ela estava doente e não se recuperaria, que eles nem tocaram no assunto. Ainda assim, no momento em que se despedia, ele perguntou como ela estava dormindo.

"Dormir", disse ela. "Oh, eu não durmo. Já desisti."

Mas em seguida ela riu para ele com coragem, livre, e seu sorriso foi composto de modo a não exibir nada de vazio ou falso. Então ela o deixou.

Na Inglaterra, quando foi visitar a sra. Lewes numa tarde de domingo em North Bank, graças à intervenção de um amigo da família que lhe assegurara que seria recebido, ele imaginou Minny a seu lado, fazendo a George Eliot as perguntas que ninguém no próprio círculo de Minny gostaria de fazer, muito menos de responder. Imaginou sua voz, cheia de reverência a princípio, mas ganhando aos poucos uma plenitude que preencheria a sala. Quando foi se despedir, imaginou sua prima sendo notada pela romancista ao se levantar, depois de ter causado uma forte impressão. Imaginou-a estendendo a mão calorosamente para a dona da casa e sendo convidada a voltar outras vezes. Numa carta, tentou descrever para Minny a sra. Lewes, sua pronúncia, a calma severidade de seu olhar, sua estranha feiúra, sua combinação de sagacidade e doçura, sua dignidade e caráter, sua cortesia e sua leve indiferença. Era mais fácil, contudo, escrever sobre ela a seu pai; escrever a Minny era agora como escrever a um fantasma.

Minny morreu em março, um ano depois da última vez que a vira. Ele ainda estava na Inglaterra. Sentiu aquilo como o fim de sua juventude, sabendo que a morte, no final das contas, tinha sido horrível para a prima. Ela teria dado qualquer coisa para viver. Nos anos que se seguiram, ele sentiu vontade de saber o que ela teria achado de seus livros e contos e das decisões que tomou na vida. Essa profunda saudade dela e esse sentimento de carência causado pela falta de suas respostas também se fizeram sentir por Gray, Holmes e William. Todos eles se perguntavam, em sua exaltada ambição e em seu desmedido e inquieto egoísmo, o que ela teria pensado deles ou dito a seu respeito. Henry se perguntava também que tipo de vida seria possível para ela agora e como sua extraordinária faculdade de provocação poderia lidar com um mundo que inevitavelmente tentaria confiná-la. Seu consolo era que, pelo menos, ele a conhecera de um modo que o mundo ignorava, e a dor de viver sem ela não era mais do que uma punição que ele sofria pelo privilégio de ter sido jovem ao lado dela. O que uma vez foi vida será sempre vida, pensava ele, sabendo que a imagem de Minny reinaria em seu intelecto como uma espécie de referência de esplendor e dignidade.

Não era certo dizer que Minny Temple perseguiu-o nos anos

seguintes; a bem dizer, foi ele que a perseguiu. Ele evocava sua presença em toda parte, quando voltou à casa dos pais e, mais tarde, ao viajar pela França e pela Itália. Nas sombras das grandes catedrais, ele a via emergir, delicada, elegante e esplendidamente curiosa, pronta a emudecer de espanto diante de cada obra de arte e em seguida tentar encontrar as palavras adequadas ao momento, deixando sua nova experiência sensorial assentar e se aprofundar.

Logo depois que ela morreu ele escreveu um conto, "Companheiros de viagem", no qual William, viajando pela Itália depois de passar pela Alemanha, encontra-a por acaso na catedral de Milão, tendo-a visto primeiro diante da *Última ceia* de Leonardo. Gostou de descrever a sombrinha dela, branca com forro violeta, e a sensação de prazer inteligente em seus movimentos, seu olhar e sua voz. Podia controlar seu destino agora, dar-lhe experiências que ela teria desejado viver, e fornecer drama a uma vida que tinha sido interrompida de modo tão cruel. Perguntava-se se isso ocorrera com outros escritores que o haviam antecedido, se Hawthorne ou George Eliot tinham escrito algo para trazer os mortos de volta à vida, se tinham trabalhado dia e noite, como mágicos ou alquimistas, desafiando o destino, o tempo e os implacáveis elementos para recriar uma vida sagrada.

Não conseguia deixar de especular sobre como ela teria vivido, sobre o que teria feito. Com Alice, o assunto Minny não devia ser levantado, pois sua irmã invejava tudo o que a prima possuía: sua estranha beleza e encanto, sua confiança, sua profunda seriedade, seu efeito sobre os homens. E mais tarde Alice chegou a invejar Minny por estar morta.

As especulações sobre Minny interessavam, contudo, a William, que a exemplo de Henry estava seguro, quando discutiam o assunto, de que ela não teria sabido com quem casar, de que sua escolha, se ela tivesse vivido para tanto, teria sido idealista demais, ou impetuosa demais, ou artificial demais. O casamento dela, ambos estavam de acordo, teria sido um equívoco, e isso parecia sugerir que alguma coisa em seu complexo organismo tinha compreendido a situação, tinha percebido que seu futuro como mulher inteligente e sem dinheiro era um problema tristemente insolúvel. Ambos os irmãos tinham pressentido que, em certo nível, ou na maioria dos níveis, não havia lugar para ela numa vida mesquinha. Toda a sua conduta e todo o seu caráter, julgava Henry, pareciam apontar para essa conclusão — a de que, na sua história, a continuação da sua vida poderia ter sido profundamente irrelevante.

Ele costumava imaginá-la casada com Gray, com Holmes ou com William, e percebia o quanto ela pareceria diminuída com isso, o quanto o casamento seria para ela uma batalha perdida. Em "Pobre Richard", ele a enviara para a Europa, onde ela não se casava. Em *Daisy Miller*, no qual ele enfatizara sua impetuosidade, sua coragem e sua atitude indiferente às convenções, ela morria em Roma. Em "Companheiros de viagem", inventara um casamento para ela, dando forma dramática às circunstâncias italianas de sua relação com o cônjuge. Ele não a acompanhava nas rotinas domésticas diárias conduzidas à sombra de um homem insípido.

Foi quando ele leu *Daniel Deronda* que veio à sua mente algo que não lhe havia ocorrido antes — as possibilidades dramáticas de uma mulher vivaz sendo destruída por um casamento sufocante. Por coincidência, inicialmente como maneira de cair no sono, na mesma época ele leu também *Phineas Finn*, de Trollope, e ficou espantado com o casamento de lady Laura Kennedy e com o interesse que isso poderia despertar no leitor, cuja simpatia tinha sido atraída para a brilhante e valente heroína que confrontava seu destino com a ilusão da liberdade.

Pôs-se a trabalhar. Àquela altura, depois de ter vivido alguns anos na Inglaterra, sentia-se capaz de ver a América com mais clareza, e aquilo que mais queria era trazer à vida um espírito americano vigoroso e livre, pronto para a vida e seguro apenas de sua extrema abertura diante dos outros e da experiência. Não foi difícil situar esse espírito, essa jovem dama, na casa da avó dele em Albany, com seus cômodos estranhos, abafados e antiquados, de onde a sra. Touchett, mandona e rica, poderia resgatar Isabel Archer e levá-la à Inglaterra, para onde tantas de suas heroínas haviam desejado partir. Uma vez lá, ele poderia facilmente rodeá-la com seu velho e cuidadosamente elaborado trio de pretendentes: o sisudo e franco; o mais amável e aristocrático; e aquele que seria o amigo atento e fascinado pelo destino dela, já que era demasiado inepto ou infeliz ou encharcado de ironia para ser seu amante.

Trabalhou no livro em Florença, sentindo, ao acordar toda manhã em seu hotel junto ao rio ou, depois, em seu apartamento em Bellosguardo, que tinha agora como grande missão fazer Minny caminhar por aquelas ruas, deixar o suave sol da Toscana iluminar seu rosto suave. Mas, mais que isso, ele buscava recriar sua presença moral de um modo mais refinado e dramático do que jamais fizera antes. Queria tomar essa moça americana sem dinheiro e oferecer-lhe um universo sólido e antigo no qual pudesse respirar. Deu-lhe dinheiro, pretendentes, vilas e palácios, novos amigos e novas sensações. Nunca ele se sentira tão potente e cumpridor de seus deveres; caminhava com uma nova leveza pelas ruas de Florença, pelos embarcadouros, pela íngreme e sinuosa ladeira que levava a Bellosguardo, e essa leveza acabou penetrando no livro. Este progredia de modo elegante, livre e desenvolto, como se a própria Minny estivesse protegendo e supervisionando seu autor. Houve cenas nas quais, tendo imaginado e registrado tudo, ele ficava, por uns instantes, em dúvida se aquilo tinha de fato acontecido ou se seu mundo imaginado chegara finalmente a substituir o real.

Contudo, Minny permaneceu real para ele ao longo dos anos, mais real que qualquer pessoa com quem ele veio a se relacionar. Ela pertencia àquela sua parte guardada a sete chaves, ao seu eu escondido, que ninguém na Inglaterra conhecia ou compreendia. Era mais fácil preservá-la sob céus ingleses, numa terra onde ninguém se interessava em rememorar os mortos como ele rememorava sua prima, onde o que vigorava era o monótono presente, com a ordem que lhe correspondia. Foi ali que ele a deixou caminhar com a força e a ressonância insistente de uma velha canção ecoando através dos anos, emitindo suas tristes notas para ele onde quer que estivesse.

Ele tinha esquecido, até ver Holmes, o quanto seu velho amigo amava os ingleses; tão logo Holmes desceu do trem em Rye, encheu o ar com histórias sobre as pessoas que havia visto e como elas estavam, como Leslie Stephen ficara surdo desde que Julia morrera, como Margot Tennant não era a mesma desde que tinha casado, como era encantadora e distinta sua nova amiga lady Castletown. Henry nem considerou a possibilidade de falar, pois sabia que, se o fizesse, teria sido interrompido imediatamente. Com os olhos brilhantes, num estado de quase fervor, Holmes conseguia, apesar dos anos, parecer ainda mais bonito do que antes, e mais galante. Talvez o tempo que passara com lady Castletown, pensou Henry, fosse responsável por isso.

"Temo", disse ele quando encontrou finalmente uma brecha na narrativa de Holmes, "que não existam lordes e ladies em Rye. Será muito tranqüilo. Aliás, é muito tranqüilo."

Holmes deu-lhe uma palmada nas costas e sorriu como se só agora o tivesse notado. Sua nomeação para juiz parecia tê-lo tornado menos reservado, para dizer o mínimo. Talvez fosse daquela maneira, meditou Henry, que se comportavam agora na

América os homens ilustres na faixa dos cinqüenta anos, mas em seguida evocou a imagem de William Dean Howells e de seu próprio irmão William e concluiu que era meramente Holmes que estava se comportando assim. Tentou explicar ao amigo que vinha trabalhando em não apenas um, mas em dois romances, e não tivera muita companhia nos meses anteriores, exceto a de seus criados. Holmes estava louvando a paisagem, ocupado demais para escutar, e Henry se sentiu subitamente feliz com o fato de que o amigo ficaria em Point Hill apenas por uma noite. Sabia, por intermédio de William, de Howells e de outros, que Holmes se tornara um juiz famoso cujas teorias eram discutidas nos círculos mais elevados do direito e da política com a mesma intensidade com que as teorias de Darwin eram discutidas por cientistas e religiosos. Henry se lembrava de ter perguntado a William que teorias eram aquelas. William afirmara asperamente que Holmes não acreditava em coisa alguma, e que conseguira fazer isso parecer razoável e popular. Sua posição, segundo William, consistia em não ter posição. Howells, por sua vez, não era dado à aspereza; explicou simplesmente que Holmes tentara de modo um tanto forçado aplicar ao direito o elemento humano e prático, em vez do histórico e do teórico, ou mesmo do elemento moral. Como Darwin, disse Howells, Holmes desenvolvera uma teoria dos vencedores, mas era sua retórica penetrante e direta que obtinha a vitória, mais do que qualquer outra coisa.

Holmes freqüentemente se perguntava, segundo disse enquanto atravessavam Rye, se deveria ter vindo morar na Inglaterra. Não supunha, acrescentou, que o acolheriam em seu seio se planejasse ficar. Henry assentiu com a cabeça, mas logo sua mente estava em outro lugar.

Jantaram no terraço, e depois de comer ficaram sentados sossegadamente observando a grande planície abaixo deles iluminada pelos últimos raios do poente. Holmes suspirou e estendeu as pernas, como que se entregando a uma noite longa e lânguida, enquanto Henry desejava que fosse uma hora mais tarde e ele pudesse pedir licença para se recolher. A conversa entre eles não avançava, já que evitavam cuidadosamente os assuntos que poderiam desuni-los, tais como William, com quem Holmes parecia ter se desentendido, a sra. Holmes, que padecia de tédio em Boston, e os romances de Henry, sobre os quais ele sabia que Holmes tinha lá suas opiniões. Os temas que podiam discutir, os mexericos sobre a América privada e pública, o direito e a política, logo se esgotaram. Henry achou que tinha feito perguntas demais sobre velhos amigos, e Holmes muitas vezes respondera que mal os via e que sabia muito pouco sobre eles. Suspeitava, como disse várias vezes, que Henry soubesse mais sobre aqueles do que ele próprio.

O anoitecer se estendeu e os dois ficaram em silêncio até que Henry sentiu que nunca mais eles pensariam em alguma coisa para dizer. Moveu sua cadeira de modo a poder observar Holmes, e viu-o agora no crepúsculo como um sujeito profundamente satisfeito, à vontade consigo mesmo, e sentiu um leve desgosto pela aura de complacência bem-humorada que Holmes irradiava.

"É estranho como o tempo passa", disse Holmes.

"Sim", respondeu Henry, espreguiçando-se. "Eu costumava pensar que ele passava mais devagar na Inglaterra, mas tendo vivido aqui por tanto tempo eu sei que isso é uma ilusão. Agora imagino que a Itália seja o lugar onde o tempo corre mais devagar."

"Eu estava pensando naquele verão em que estivemos todos juntos", disse Holmes.

"Sim", respondeu Henry. "Aquele glorioso e heróico verão."

Henry agora esperava que Holmes dissesse que o tempo tinha voado desde então, ou que parecia que tinha sido ontem, e pensava em como poderia responder às banalidades que seu amigo dissesse. Já estava preparando uma carta a William, contando-lhe que Holmes, como interlocutor, tinha sido um fracasso.

"Sou capaz de lembrar cada momento daquele mês. Melhor do que consigo me lembrar de ontem", disse Holmes.

Então os dois ficaram em silêncio; Henry não sabia em quanto tempo poderia pedir para se recolher sem ser descortês. Holmes pigarreou como se fosse falar, mas parou de novo. Ele suspirou.

"É como se o tempo tivesse andado para trás para mim", disse Holmes, virando-se para Henry para ter certeza de que ele estava prestando atenção. "Terminado aquele verão, eu pude, como disse, recordá-lo perfeitamente, mas durante aqueles longos dias, com toda aquela conversa e todas aquelas companhias, era como se existisse uma grande cortina em torno de tudo. Eu me sentia às vezes como se estivesse embaixo d'água, vendo as coisas apenas por seus vagos contornos e tentando desesperadamente subir para tomar ar. Não sei o que a guerra fez comigo, só sei que sobrevivi. Mas sei agora que medo, abalo e coragem são apenas palavras, e não nos ensinam — aliás, nada ensina — que, ao experimentá-las dia após dia, você perde uma parte de si mesmo e não tem como recuperá-la. Depois da guerra eu estava degradado e sabia disso; uma parte da minha alma, do meu jeito de viver e de sentir, estava paralisada, mas eu não era capaz de identificar que parte era essa. Ninguém reconhecia o que estava errado, nem mesmo eu, na maior parte do tempo. Durante todo aquele verão eu desejei mudar, parar de observar e de me manter à distância. Quis tomar parte, me envolver, beber a vida que nos era então oferecida, como faziam aquelas irmãs maravilhosas. Ansiava por estar vivo, exatamente como anseio agora, e o tempo transcorrido me ajudou, me ajudou a viver. Quando eu tinha vinte e um e vinte e dois anos, os sentimentos comuns murcharam em mim, e desde então eu venho tentando compensar isso e viver, viver como os outros vivem."

A voz de Holmes estava quase furiosa agora, mas estranhamente distante e baixa. Henry sabia o quanto tinha sido difícil para ele falar daquela maneira, e sabia também que o que dizia era verdade. Mais uma vez eles ficaram em silêncio, mas o silêncio estava repleto de pesar e reconhecimento.

Henry não se considerou capaz de dizer alguma coisa. Não tinha uma confissão pessoal a fazer. Sua guerra tinha sido travada na intimidade, no interior de sua família e no interior profundo de si próprio. Não podia ser mencionada ou explicada, mas também o deixara do jeito que Holmes descrevera. Vivia às vezes, achava, como se a vida pertencesse a uma outra pessoa, uma história que ainda não havia sido escrita, um personagem que não havia sido concebido por completo.

Achou que Holmes tinha dito tudo o que queria dizer, e como tributo à sua franqueza estava disposto a permanecer mais um pouco ali e deixar que a confissão de Holmes se assentasse. Mas aos poucos, pela maneira como Holmes o encarou, e pelo fato de Holmes ter enchido seu copo de conhaque como se a noite fosse ser longa, percebeu que seu visitante tinha algo mais a dizer. Esperou, e quando finalmente Holmes voltou a falar, seu tom tinha mudado. Estava de volta a seu papel de juiz, de figura pública, de homem do mundo.

"Sabe, no fim das contas", disse Holmes, "*O retrato de uma senhora* é um grande monumento a ela, apesar do final, pois devo dizer que o final não me agrada."

Henry encarou a noite que avançava e não respondeu. Não tinha vontade de discutir o final de seu romance, mas mesmo assim estava contente por Holmes ter finalmente mencionado seu livro, ao qual não fizera antes nenhuma referência.

"Sim", disse Holmes, "ela era muito nobre e acho que você captou isso."

"Acho que todos nós a adorávamos", disse Henry.

"Ela permanece para mim como uma pedra de toque", disse Holmes, "e eu gostaria que estivesse viva agora para saber o que ela pensaria de mim."

"Sim, de fato", disse Henry.

Holmes tomou um gole da sua bebida.

"Você não se arrepende às vezes de não a ter levado à Itália quando ela estava doente?", perguntou. "Gray diz que ela lhe pediu várias vezes."

"Não creio que pedir seja a palavra", disse Henry. "Ela estava muito doente àquela altura. Gray está mal informado."

"Gray diz que ela lhe pediu e você não se dispôs a ajudá-la, e que um inverno em Roma poderia tê-la salvado."

"Nada poderia tê-la salvado", disse Henry.

Henry sentiu o tom deliberadamente cáustico de Holmes, sua lenta crueldade; estava, pensou, sendo questionado e julgado por seu velho amigo sem nenhuma simpatia ou afeição.

"Quando ela não ouviu mais notícias suas, virou o rosto para a parede." Holmes falou como se aquela fosse uma frase que estivera planejando dizer por um bom tempo. Pigarreou e prosseguiu.

"Quando finalmente ela soube que ninguém iria ajudá-la, virou o rosto para a parede. Estava muito sozinha então e fixou-se naquela idéia. Você era seu primo e poderia ter viajado com ela. Você era livre, na verdade já estava em Roma. Não custaria nada."

Quando um dos dois voltou a falar de novo era noite fechada, e a escuridão parecia estranhamente austera e absoluta. Henry disse ao criado que eles não iriam precisar de uma lâmpada, já que estavam prestes a se recolher. Holmes tomava sua bebida, cruzando e descruzando as pernas. Henry teve dificuldade de lembrar depois como foi parar na cama.

* * *

Pela manhã Henry ainda meditava sobre em que momento deveria ter falado em sua própria defesa, ou a que altura deveria ter encerrado a discussão. Era evidente que o assunto tinha estado fermentando na mente de Holmes no decorrer dos anos, e evidente também que ele o discutira com Gray e que os dois advogados estavam de acordo sobre o assunto, sentindo-se à vontade para lançar acusações às pessoas. Agora Holmes estaria apto a contar a Gray o que havia sido dito.

No café-da-manhã, Holmes estava calmo e imperturbável como se na noite anterior tivesse proferido uma sentença difícil, mas ponderada, e agora fizesse um melhor juízo de si próprio por ter agido assim. Arranjou as coisas de modo a poder retornar no fim de semana seguinte, e, em face disso, Henry ficou arquitetando uma maneira de cancelar esses planos. Não tinha vontade de ver Holmes tão cedo.

Na semana que se seguiu ele trabalhou duro, embora a dor em sua mão tivesse se tornado por vezes excruciante. Evitava o terraço e só saía da escrivaninha para comer e dormir. Escreveu a Holmes depois de uns poucos dias para dizer que, para cumprir um prazo final apertado, ele se dedicava arduamente à escrita de um conto e não poderia, infelizmente, recebê-lo durante um fim de semana. Esperava, disse, vê-lo em Londres antes que Holmes partisse para os Estados Unidos.

Por alguns dias ele desfrutou da solidão que essa carta lhe havia possibilitado, mas não pôde deixar de remoer a conversa com Holmes em sua mente; começou a conceber cartas hipotéticas a Holmes, mas não chegou a escrevê-las. Acreditava que a acusação era injusta e infundada e que o fato de Holmes discutir a questão de modo tão frio e definitivo era ultrajante.

Não podia ter certeza do que sua prima, em seus últimos meses, escrevera a Gray. Estava ciente de que Gray conservara as cartas dela, e ele próprio também guardara em seu apartamento em Londres as cartas que Minny lhe escrevera em seu último ano de vida. Sabia que ela não lhe acusara de nada, mas agora queria saber que termos ela havia usado tantos anos antes em seu desejo expresso de ir a Roma. Aos poucos, ele parou de trabalhar. Suas horas de vigília eram consumidas pelas lembranças de seus primeiros dias em Londres e na Itália, quando recebera aquelas cartas. Imaginou-se encontrando-as de novo — sabia perfeitamente onde estavam guardadas —, desdobrando-as e relendo-as, e pensou nisso de modo tão insistente que chegou à conclusão de que teria de ir a Londres. Como um fantasma, ele entraria em seu apartamento em Kensington, passaria rapidamente pelos cômodos, chegaria até o armário onde estavam as cartas, e então as leria. Em seguida voltaria a Rye.

Enquanto esperava pelo trem, receava encontrar algum conhecido que o obrigasse a fazer de conta que tinha negócios a tratar em Londres. Receava falar, e esse receio era de tal modo generalizado que só o fato de dizer aos criados que estava de partida, ou de dar as instruções ao cocheiro do cabriolé, ou de comprar a passagem já tinha sobre ele um efeito debilitante. Desejava poder ficar invisível por um dia ou dois. Reconhecia, e isso foi o que mais pesou sobre ele durante a viagem a Londres, que as cartas talvez não revelassem nada, talvez só lhe trouxessem mais incerteza. Talvez ele não descobrisse, depois de lê-las novamente, nada mais do que já sabia agora.

Pareceu-lhe surpreendente, enquanto saía da estação, o modo como sua vida tinha voltado à calma depois do desastre da sua peça de teatro. Era a primeira vez, desde então, que o equilíbrio que ele se esforçara tanto para alcançar havia desaparecido. Começou a pressentir que, quando abrisse o armário do apartamento onde guardava as cartas da prima, algo palpável iria emergir, e tentou dizer a si mesmo que essa idéia era exagerada e febril, mas não adiantou.

Encontrou as cartas com facilidade, e surpreendeu-se com a brevidade e falta de consistência delas, com a maneira como as dobras do papel pareciam ter consumido a tinta dos dois lados, tornando ilegível uma parte da escrita. Fosse como fosse, eram dela e estavam datadas. Deixou que seus lábios se movessem enquanto lia:

> Vou sentir sua falta, querido, mas estou feliz em saber que está bem e se divertindo. Se você não fosse meu primo eu lhe escreveria pedindo que casasse comigo e me levasse junto, mas do jeito que as coisas são não é possível, então tenho que me consolar, de qualquer modo, com o pensamento de que talvez você não aceitasse mesmo a minha oferta.

Prosseguiu a leitura: "Se eu conseguisse, de alguma maneira, passar o próximo inverno com amigas em Roma, será que eu poderia vê-lo?". E então, numa das últimas cartas que recebera dela: "Pense, querido, no prazer que teríamos juntos em Roma. Fico maluca só de pensar. Daria qualquer coisa para passar um inverno na Itália".

Pôs as cartas de lado e ficou sentado com a cabeça apoiada nas mãos. Não a ajudara nem a encorajara, e ela tivera o cuidado de nunca lhe pedir nada diretamente. Se ela tivesse insistido em vir, forçava-se agora a completar o raciocínio, ele teria ficado passivo, ou se mantido à distância, ou mesmo tentado evitar sua vinda, fazendo o que fosse necessário. Naquele ano, ele próprio havia se refugiado no interior do radiante Velho Mundo pelo qual tanto ansiara. Estava escrevendo contos, absorvendo sensações e tramando lentamente seus primeiros romances. Já não era mais um nativo da família James, mas um homem sozinho num clima cálido, com uma ambição clara e uma imaginação livre. Sua mãe havia escrito para dizer que ele devia gastar todo o dinheiro que precisasse para se banquetear à mesa da liberdade. Ele não queria sua prima inválida. Mesmo que ela estivesse bem, não estava seguro de que sua companhia, tão cheia de encanto premeditado e curiosidade, teria sido inteiramente bem-vinda. Sentia na época necessidade de observar a vida ou de imaginar o mundo com seus próprios olhos. Se ela estivesse ali, ele veria tudo pelos olhos dela.

Foi até a janela e olhou para baixo em direção à rua. Mesmo agora, sentia que tinha todo o direito de deixá-la para trás, de seguir o caminho de seu próprio talento, de sua própria natureza. As cartas dela, no entanto, encheram-no de pesar e culpa, aos quais se acrescentou uma espécie de vergonha quando se deu conta de que ela devia ter falado a outras pessoas, a Gray pelo menos, sobre sua recusa em recebê-la. A frase de Holmes, "ela virou o rosto para a parede", ecoava em sua mente agora e brigava com a percepção que ele tinha de sua própria falta de piedade, de sua própria vontade de sobreviver. E finalmente, quando ele se virou outra vez para o interior do quarto, sentiu uma idéia cruciante e insuportável a encará-lo, como alguma coisa viva, feroz e predadora no ar, sussurrando-lhe que ele tinha preferido a prima morta, e não viva, que ele tinha sabido o que fazer com ela depois que a vida lhe fora tirada, mas a havia renegado quando ela pediu docilmente a sua ajuda.

Ficou sentado numa cadeira de sua sala de estar a maior parte da tarde, deixando seus pensamentos submergirem, deslizarem e subirem de novo à superfície. Perguntava-se se devia queimar aquelas cartas, se nada de bom poderia surgir delas no futuro. Deixou-as de lado momentaneamente, voltou ao armário onde as achara e vasculhou até encontrar o caderno vermelho que tinha estado procurando. Sabia o que estava buscando, estava nas primeiras páginas, tinha escrito poucos anos antes; seus contornos estavam vivos em sua mente, mas os detalhes não. Levou o caderno até a luz mais favorável da sala de estar.

Durante o período que se seguiu à visita de Holmes, em meio a toda a sua preocupação e sofrimento, seu interesse no retrato de uma jovem americana morrendo lentamente, para o qual havia tomado notas, tinha se intensificado. Era a história de uma moça com uma grande fortuna no limiar de uma vida cujas possibilidades pareciam não ter limites. Ela iria à Europa para poder viver, viver intensa e apaixonadamente, ainda que por um breve tempo.

Ele leu suas anotações sobre um jovem inglês, sem dinheiro, inteligente, bonito, apaixonado por uma outra pessoa, mas cuja missão passa a ser a de salvar uma moça americana, amá-la, ajudá-la a viver, a despeito do fato de que ele está irremediavelmente comprometido, assunto sobre o qual a garota agonizante nada sabe. Sua futura esposa, igualmente pobre, também ajuda a moça.

Ao ler suas anotações, ficou horrorizado com a absoluta crueza da história. O jovem que simulava amar a moça doente, e talvez quisesse ficar com seu dinheiro, transformara seu amor numa espécie de traição, sendo seu verdadeiro amor conivente com a trama, pois sabia que poderiam casar se conseguissem o dinheiro. A história, pensou, era feia e vulgar, e ainda assim o atingia com força agora.

Tomou as cartas nas mãos novamente, olhou para a caligrafia confiante e límpida de Minny, a caligrafia de alguém que só esperava, do mundo, o bem. Viu-a com clareza vindo para a Europa para lançar um último olhar à vida. Deu-lhe dinheiro, imaginou-a herdando uma fortuna, e viu também seu herói, uma parte dele cheia de amor e compaixão por ela, a outra parte endurecida, necessitada, pronta a trair. A história só seria vulgar e feia se os motivos o fossem, mas e se os motivos fossem misturados e ambíguos? Subitamente, ele se endireitou na cadeira, depois levantou e andou até a janela. Tinha, naquele segundo, visto a outra mulher, captara uma visão nítida de sua estranha neutralidade moral, do quanto ela estava se sacrificando ao deixar a moça agonizante conhecer o amor, do quanto estava ganhando também e de como tinha o cuidado, à sua maneira prática, de nunca deixar que as duas coisas aparecessem nos pratos opostos da balança.

Ele os tinha agora, a todos os três, e iria abraçá-los, agarrar-se a eles e deixá-los evoluir com o tempo, tornar-se mais complexos e menos vulgares, menos feios, mais elaborados, vibrantes, fiéis não ao que a vida era, mas ao que ela poderia ser. Atravessou a sala novamente, juntou as cartas e os cadernos de anotações, levou-os ao armário, colocou-os bruscamente numa prateleira e fechou as portas. Não precisava mais deles. Precisava trabalhar agora, concentrar sua mente. Decidiu que voltaria a Rye e, quando viesse o chamado, estaria novamente pronto a explorar mais uma vez a vida e a morte de sua prima Minny Temple.

6. Fevereiro de 1897

Sua mão não melhorava. Ele a segurava agora como se fosse um objeto estranho colocado sob seus cuidados, um objeto desagradável, incômodo e, às vezes, venenoso. Conseguia escrever pela manhã, mas por volta do meio-dia a dor era intensa demais ao longo do osso que ia do pulso ao dedo mínimo e nos músculos, nervos e tendões da região. Ao ficar com a mão imóvel, não sentia dor, mas escrever, especialmente quando parava para pensar e depois retomava o trabalho, causava-lhe uma agonia insuportável, que o obrigava a largar a pena.

Totalmente frustrado, então, ele relia as últimas páginas e anotava mentalmente as correções. Descobriu que sua cabeça havia corrido na dianteira, e que ele prosseguira sua narrativa sem esforço em sua imaginação, construindo orações completas, palavra por palavra. Percebeu que podia assinalar um ponto final imaginário e então completar outra frase. Não as pronunciava em voz alta, mas elas vinham-lhe completas, e ele não tinha dificuldade alguma em lembrar o que as frases anteriores continham, ou como cada uma delas começava. Agora, sentado diante da escrivaninha, tinha vontade de escrever a William sobre esse fenômeno, mas se deu conta dolorosamente de que não tinha condições de escrever uma carta, na verdade não escrevia nenhuma carta séria havia muito tempo, com o intuito de preservar as energias de sua mão direita para o romance que estava sendo publicado em partes a cada mês, cujos capítulos, com dor ou sem dor, ele não podia deixar de entregar no prazo. Nas poucas horas da manhã em que conseguia trabalhar sem dor, devotava-se a sua ficção, mas com o passar do tempo mesmo essas poucas horas foram se revelando difíceis.

William, que se encantava com as invenções modernas, escrevera-lhe apregoando as vantagens da estenografia, insistindo que ditar era mais rápido e mais fácil, e que, se ele se concentrasse o bastante, produziria resultados melhores e sem emendas. Henry era cético quanto a isso e apreensivo quanto aos custos. Além disso, estava satisfeito com sua própria solidão, seu rígido controle sobre as palavras na página. Mas quando a dor se estendeu ao braço todo e quando, manhã após manhã, ele teve de suportar a tortura de modo a manter a série em andamento e suprir os editores com páginas frescas, percebeu que não tinha condições de prosseguir. Estava exaurido.

Usaria um estenógrafo para as cartas, pensou, e havia uma grande quantidade delas esperando para ser escritas. Preocupou-se com sua privacidade, mas assegurou-se de que não havia nada em sua correspondência que fosse inteiramente privado. Se topasse com um material dessa ordem, iria suprimi-lo imediatamente. O estenógrafo que lhe foi recomendado era um escocês chamado William McAlpine, que lhe parecia eficiente, confiável e qualificado ao chegar no apartamento a cada manhã, mas essas virtudes eram menores, comparadas com seu silêncio, sua pertinácia e sua aparente falta de interesse em qualquer coisa que não fosse a tarefa que tinha em mãos.

Assim, enquanto Henry ditava suas cartas, McAlpine registrava as palavras zelosa e taciturnamente à mão, em forma taquigráfica, e depois as apresentava numa cópia passada a limpo e datilografada. Em pouco tempo, Henry começou a ditar diretamente para o estenótipo, e por vezes se perguntava se era McAlpine ou sua máquina nova em folha quem demonstrava mais interesse pelas palavras que ele dizia.

Sua mão, conforme informou aos amigos, fora relegada a uma permanente e incompetente obscuridade. Com o passar do tempo, seu estenógrafo se tornou onipresente e estranhamente diáfano como o próprio ar, sobretudo depois que Henry descobriu que a prática do ditado podia ser uma companhia tão adequada à ficção quanto à arte de escrever cartas, ou até mais. À medida que sua mão melhorou, ele passou a escrever algumas de suas cartas pessoais à noite, quando seu datilógrafo já se recolhera, e usava a nova máquina e seu silencioso senhor durante o dia, para a criação de narrativas sérias.

No início, teve o cuidado de não anunciar muito abertamente seu novo método, mas logo se arrependeu até de tê-lo revelado a alguns poucos, pois os que souberam que agora ele estava ditando suas palavras a uma máquina, ou seja, que a arte da ficção se tornara industrializada, adotaram uma visão sombria acerca da sua decisão e, principalmente, do seu futuro. Ele lhes assegurou que seu trabalho não seria simplificado por nenhum atalho, nem falsificado por nenhuma facilidade, mas que, em resumo, seu intercâmbio com as musas tinha sido, a bem da verdade, auxiliado pela chegada da máquina e do escocês.

Gostava de andar para lá e para cá pela sala, começando uma nova sentença, deixando-a serpentear para a frente, detendo-a por um instante, acrescentando uma frase, uma breve pausa, e então deixando a sentença galopar até uma conclusão elegante e apropriada. Mal via a hora de começar o ditado a cada manhã, com seu datilógrafo pontual, submisso e aparentemente indiferente, como se as palavras pronunciadas pelo romancista tivessem a mesma importância que as que datilografava em seu trabalho anterior na área comercial.

Sentia agora que toda a sua vida de labuta tinha conduzido àquela enfática liberdade, e depois de alguns meses sabia que não conseguiria voltar à pena e ao papel, à solidão não mecânica. Aonde quer que fosse, o escocês teria de ir junto, levando a reboque a grande e pesada máquina de escrever, que logo substituiu o estenógrafo. A máquina teria de ser carregada, e o escocês, alimentado. Sendo assim, qualquer deslocamento implicava transtorno e despesa. Seus dias de travessias do canal, viagens de trem e vida de hotéis tinham chegado ao fim. O chamado de outros climas e de cidades fascinantes fora um tanto abafado pelo obediente estalido da máquina de escrever e pelo som de sua própria voz.

Naqueles anos ele escrevera tanto e com tamanha minúcia a respeito de casas, que seu amigo arquiteto Edward Warren se ofereceu para fazer-lhe croquis de Gardencourt ou Poynton, Easthead ou Bounds, casas que ele descrevera cômodo por cômodo, plenas de uma atmosfera criada com cuidado, mostrando seus ornamentos escondidos e sua desbotada tapeçaria. Podiam, disse Warren, fazer edições arquitetônicas especiais de seus livros. Henry, cada vez que visitava a casa de Warren, examinava um esboço que ele havia feito do jardim-de-inverno da Lamb House, em Rye, vista a partir da rua, e admirava as quintessências inglesas, o tijolo antigo e o sentimento de conforto esbatido pelas intempéries.

Henry sonhava em ter uma casa própria nos arredores de Londres; imaginava a si próprio, a cada anoitecer, sentado à luz intensa de uma lâmpada numa sala apainelada, as tábuas do assoalho tingidas com verniz escuro e cobertas de tapetes, o fogo aceso, a madeira ardente transpirando e estalando, as pesadas cortinas puxadas, um longo dia de trabalho concluído e nenhum compromisso social à espreita.

Quando chegou o verão, ele passou a dedicar parte do seu tempo a passeios pelas aldeias da costa de Suffolk, deixando-se encantar pelos nomes — Great Yarmouth, Blundeston, Saxmundham, Dunwich — que sugeriam uma enrugada herança, uma história ancestral. Achava que um chalé de pedra naquele litoral, algo simples e em estreita harmonia com a cultura marítima da região, seria o ideal para ele. Ao se deslocar de um lugar a outro, com o datilógrafo e sua Remington a reboque, oscilando entre hospedagens precárias e hotéis caros, tinha esperança de que aquele fosse seu último verão desregrado, mas sabia que esse modo de vida remendado, precário e desarraigado continuaria, intoleravelmente, a ser sua sina até que conseguisse pôr as mãos num adorável refúgio próprio, pelo qual, com o passar do tempo, ele ansiava mais e mais.

Nas aldeias de Suffolk interpelava todos aqueles que tinha ocasião de conhecer, explicando suas necessidades e desejos, oferecendo seu endereço em Londres como sinal de sua seriedade. Algumas vezes foi incentivado a conhecer uma ou outra propriedade, mas nada do que viu se aproximava de seu sonho; todas eram, à sua maneira inocente, horrendas, disponíveis a ele apenas porque ninguém mais as queria.

Em Rye, da mesma forma, deixou claro seu desejo de encontrar residência permanente. Fizera amizade com o ferreiro local, que tinha ascendido em parte ao título de ferragista e que ficava bastante tempo à entrada de seu estabelecimento à procura de rostos novos para jogar conversa fora. Num de seus passeios por lá, Henry parou à porta do sr. Milson, que depois do primeiro encontro passou a chamá-lo imediatamente de sr. James; conhecia-o como o escritor americano que fazia suas caminhadas por Rye e que aos poucos começava a admirar e amar a cidade. Por volta de sua segunda ou terceira conversa com o sr. Milson, durante o período de sua residência em Point Hill, Henry observou que sonhava com um paradeiro permanente na região, na zona rural ou mesmo na própria cidade. Como o sr. Milson gostava de conversar e não se interessava por assuntos literários, nem tampouco conhecia a América ou outro americano — assim como Henry não tinha grande conhecimento de ferragens —, os dois homens discutiam casas. Algumas que tinham estado para alugar no passado, outras que tinham sido colocadas no mercado e vendidas, e outras, muito cobiçadas, que nunca tinham sido compradas, vendidas ou alugadas num passado conhecido. A cada visita, uma vez iniciada a conversa sobre o assunto, o sr. Milson mostrava-lhe o cartão no qual estava inscrito o endereço de Henry em Londres. Não o havia perdido, não o havia esquecido, insistia, e então mencionava, com intenção de instigá-lo, alguma grande casa antiga, perfeita para as necessidades de um solteiro, mas admitia com pesar que a tal casa permanecia firmemente nas mãos de seu proprietário e, como parecia provável, não sairia delas tão logo.

Henry encarava suas conversas com o sr. Milson como uma forma de jogo, do mesmo modo que suas conversas com pescadores sobre o mar, ou com fazendeiros acerca da colheita; eram formas de diversão cortês, uma maneira de assimiliar a Inglaterra, absorver seus aromas em frases, expressões coloquiais e referências locais. Sendo assim, quando ele abriu a carta que chegou a sua casa em Londres, cujo envelope trazia uma caligrafia de alguém pouco habituado a escrever cartas, e mesmo quando viu o nome Milson como remetente, ficou intrigado com sua procedência. Foi só quando a leu pela segunda vez que se deu conta de quem a enviara, e então, como se tivesse recebido um soco no estômago, compreendeu o que a carta dizia. A Lamb House, em Rye, tinha sido desocupada, disse-lhe Milson, e podia ser alugada. Seu primeiro pensamento foi de que iria perdê-la, a casa na esquina tranqüila no alto de uma ladeira calçada de pedras, cujo jardim-de-inverno Edward Warren esboçara de modo tão encantador, o imóvel que ele havia observado com tanto sentimento e cobiça em suas muitas caminhadas por Rye, uma casa ao mesmo tempo modesta e nobre, central e retirada, do tipo que parecia pertencer confortavelmente, de maneira natural, a outras pessoas que a habitavam com amor e fecundidade. Verificou o carimbo postal. Perguntou-se se aquele seu ferragista estaria divulgando a notícia a todo mundo que chegasse. Aquela era, mais do que qualquer outra, a casa que ele amava e ambicionava. Nunca coisa alguma lhe caíra do céu como aquela. Podia fazer qualquer coisa, mandar um cabograma, por exemplo, ou tomar o próximo trem, mas permanecia com a certeza de que a perderia. Não haveria compra nenhuma, contudo, se ficasse pensando ou se lamentando; só havia uma solução, correr para Rye, garantindo assim que nenhuma omissão de sua parte seria responsável por impedi-lo de ser o novo habitante da Lamb House.

Antes de partir, escreveu a Edward Warren, rogando-lhe que fosse também a Rye assim que pudesse para examinar o interior da casa cujo exterior ele havia admirado tanto. Mas não podia esperar por Warren, e certamente não tinha tampouco condições de trabalhar. No trem, perguntava-se se alguém que o observasse teria noção de como essa viagem era significativa, de como era emocionante e potencialmente frustrante. Sabia que era apenas uma casa; outras pessoas compravam e vendiam casas e trasladavam seus pertences com desembaraço e indiferença. Enquanto viajava rumo a Rye, surpreendia-se com o fato de que ninguém, a não ser ele próprio, compreendia o sentido daquilo. Fazia tantos anos que ele não tinha país, nem família, nem uma morada própria, simplesmente um apartamento em Londres, onde trabalhava. Não tinha a concha necessária, e essa exposição, ao longo dos anos, deixara-o nervoso, exausto e amedrontado. Era como se ele vivesse uma vida carente de uma fachada, de uma cerca frontal que o protegesse do mundo. A Lamb House iria proporcionar-lhe lindas janelas antigas de onde ele pudesse ver o mundo exterior; o mundo exterior, por sua vez, só poderia espiar o lado de dentro mediante o seu convite.

Sonhava agora em ser um anfitrião, em hospedar amigos e parentes; sonhava em decorar uma casa antiga, comprando sua própria mobília e dando a seus dias continuidade e certeza.

Tão logo ultrapassou o limiar da porta sentiu um ar de conforto austero. As salas do andar de baixo eram pequenas e aconchegantes; as do andar de cima, majestosas e cheias de luz. O forro de madeira fora parcialmente coberto com papel de parede moderno, mas poderia, segundo lhe garantiram, ser facilmente restaurado. Duas salas davam para o jardim, que era bem cuidado e denotava bom gosto, embora fosse grande demais para suas necessidades. O quarto de hóspedes abrigara uma vez George I, e seria conveniente, ele tinha certeza, para receber familiares e amigos. Ao andar pela casa, abrindo portas ou tendo portas abertas diante de si, ele não falava, temeroso de que, se expressasse entusiasmo demais, alguma outra pessoa apareceria na porta da frente alegando ter prioridade no aluguel e mandando-o sair.

Entretanto, quando entrou no jardim-de-inverno, cuja ampla janela da sacada dava para a ladeira de pedra, e vislumbrou como usaria esse cômodo, como trabalharia ali todos os dias no verão, desfrutando de sua condição vivaz e arejada, foi obrigado a deixar escapar um suspiro. E não conseguiu mais se conter quando saiu do jardim-de-inverno e parou diante do jardim murado, cheio de antigas trepadeiras, uma velha amoreira dando sombra, os tijolos manchados pela ação do tempo e das intempéries. Caminhar pela casa e pelo jardim era como preencher um formulário; quanto mais terreno ele percorria, mais perto se considerava de colocar sua assinatura no final, tomando posse do lugar.

O proprietário foi informado sobre o nome e a personalidade de seu provável inquilino e rapidamente concordou com um contrato de aluguel de vinte e um anos em condições vantajosas. Warren examinou a casa com olho profissional e arrolou as melhoras que poderiam ser feitas sem dificuldade durante o inverno, para tornar a casa habitável já na primavera. Henry enviou várias cartas, com a ajuda de McAlpine, a amigos e a sua cunhada, informando-os sobre sua nova casa. Acrescentou de próprio punho os termos do contrato de aluguel — setenta libras por ano — depois que McAlpine tinha encerrado seu dia de trabalho.

Estranhamente, nos meses que se seguiram, o que ele mais sentiu foi temor, como se tivesse embarcado desprevenido numa grande e arriscada especulação financeira na qual pudesse perder tudo o que possuía. Tinha agora que tomar providências, contratar pessoal extra, comprar mobília e utensílios domésticos, alugar ou manter o apartamento de Londres. Tinha também que garantir seu futuro financeiro agora que assumira aquele enorme compromisso. Mas alguma coisa além das meras providências enchia-o de um pressentimento vago e sem nome. Demorou semanas para que ele compreendesse o que era, e essa compreensão lhe chegou num lampejo: quando subiu ao andar superior da Lamb House e entrou no quarto onde ele próprio dormiria, acreditou estar entrando no aposento onde iria morrer. Ao examinar o contrato, teve consciência de que aqueles vinte e um anos iriam conduzi-lo ao túmulo. As paredes da casa tinham testemunhado a chegada e a partida de homens e mulheres ao longo de quase trezentos anos; agora ela o convidara a provar brevemente seu encanto, seduzira-o a entrar e oferecera-lhe sua efêmera hospitalidade. A casa lhe daria as boas-vindas e depois o veria partir, como os outros. Ele sucumbiria num daqueles cômodos; jazeria naquela casa. Esse pensamento congelou seu sangue e, ao mesmo tempo, confortou-o. Viajara sem hesitação para encontrar o lugar onde morreria, para remover o mistério de uma das dimensões desconhecidas de sua própria morte. Mas também estava indo ali para viver, para passar longos dias trabalhando e longas noites junto ao fogo. Encontrara seu lar, depois de ter perambulado de modo tão inquieto, e ansiava por sua existência envolvente, sua familiaridade, sua beleza acolhedora.

Ganhou forças naquele inverno e início de primavera resolvendo questões práticas. Quando Howells veio a Londres, eles passaram uma longa manhã juntos, com um espesso nevoeiro do lado de fora, discutindo, entre outros assuntos, o mercado norte-americano para contos e romances publicados em capítulos. A visita de Howells e seus conselhos serenos, bem como sua intercessão depois de voltar aos Estados Unidos, que resultou em encomendas e negociações com os editores de lá, contribuíram para o encanto da estação.

Aos poucos, outras coisas foram se encaixando. Lady Wolseley tomou conhecimento da nova aquisição de Henry e insistiu em fazer-lhe uma visita e oferecer conselhos. Ele sabia que ela era uma grande e talentosa colecionadora de objetos; seu gosto era prático e ela não perdia uma oportunidade de mobiliar cômodos pequenos e espaços íntimos. Conhecia os vendedores e suas lojas, e no decorrer dos anos instilara respeito e temor nos melhores do ramo, ao mesmo tempo que avaliava criticamente os piores. Ela também tinha mandado trazer da América o romance publicado em capítulos *The spoils of Poynton*, e acreditava que a viúva sra. Gareth, disposta a sacrificar sua vida pelas laboriosamente coletadas preciosidades de Poynton, era baseada nela própria.

"Não me reconheço na ganância", disse ela, "nem na tolice, e tampouco na viuvez. Jamais gostei da viuvez. Mas sim no olho, o olho que não deixa passar nada, que pode ver como uma cadeira Queen Anne pode ser restaurada, ou como uma tapeçaria desbotada pode ser pendurada num canto sombreado, ou que compra um quadro só por causa da moldura."

Ela supunha que ele não tivesse dinheiro algum para gastar, e supunha também que o gosto dele se equiparasse ao seu, e acabou conhecendo em detalhes cada cômodo da casa nova e suas necessidades. Considerava a Lamb House uma obra perfeita. Gostaria de poder carregá-la para si, mas, já que isso era impossível, consolava-se levando-o às compras em Londres, mostrando-lhe recantos e becos escondidos onde se fazia o comércio de antiguidades e de móveis antigos. Ele descobriu, para sua surpresa, que os anos em que ela colecionou a maior parte de suas pequenas preciosidades foram aqueles em que ela e o marido não tinham quase nenhum dinheiro, nem tinham herdado nada, e viravam-se com o salário dele e a pequena renda pessoal dela. Seu olho, ela dizia, tinha sido aguçado pela penúria.

Enquanto os dias iam ficando mais curtos, ele percorria Londres com sua amiga, abrindo portas de lojas mal iluminadas dirigidas por comerciantes que conheciam lady Wolseley de longa data, alguns deles rememorando suas antigas aquisições, pechinchas que ela conseguira e objetos que acrescentara à sua coleção, que na época havia parecido excêntrica, mero resultado de sua teimosia. Essa Londres, com lojas acesas, ruas movimentadas e vida social extremamente rica e urgente, era um mundo do qual ele já começara a sentir falta ao fazer os preparativos para se refugiar na segurança e na solidão da vida de província. Ele amava a luz do entardecer, a vivacidade do frio, e amava também, apesar de suas afirmações em contrário, as promessas da noite. Enquanto caminhava pelas ruas com sua companheira de compras, observava Londres carinhosamente, e então, quando eles entravam nos velhos depósitos e lojas, escoltados aqui e ali por mercadores que pareciam ser a essência do decoro e da discrição, como se estivessem vendendo a própria privacidade, ele imaginava sua nova vida e sua nova mobília, suas paredes recém-pintadas ou de madeira nua, e sentia-se singularmente leve, feliz de encontrar-se a meio caminho de sua meta, contente com o fato de que a Lamb House, em Rye, permanecesse por enquanto nos domínios da imaginação.

Desde a promoção de lord Wolseley à posição de comandante das Forças de Sua Majestade, e desde que o casal retornara triunfante da Irlanda, lady Wolseley tornara-se mais imperiosa com Henry, embora nesse momento parecesse amável e absolutamente cortês com os comerciantes. Ele nunca a vira abaixar a voz, mas nas velhas lojas empoeiradas, ao examinar as mercadorias recém-chegadas, ou pedir para ver mapas antigos — sua nova obsessão —, ela parecia afetadamente modesta, e isso foi se acentuando à medida que o inverno progredia. Não obstante, ela estava sempre imbuída de certezas sobre o que valia a pena comprar e o que não valia, e tinha na cabeça um quadro definitivo de cada canto da Lamb House. Ele tinha de brigar constantemente com a amiga, por conta do entusiasmo e da falta de paciência dela, e em algumas ocasiões precisou tomar cuidado para manter em segredo seu desejo por um objeto que ela descartara desdenhosamente.

Lady Wolseley serviu-lhe como um guia secreto de Londres, dos lugares escondidos onde ele se abasteceria para mobiliar e decorar a Lamb House; apresentou-lhe também uma versão de Londres apinhada ao extremo, fervilhantemente habitada. Cada objeto que ele tocava e manuseava possuía uma história extraordinária que nunca seria conhecida, sugerindo a ele uma Inglaterra em toda a sua riqueza ancestral e em todo o seu destino.

Naqueles meses ele trabalhou duro, escrevendo artigos e contos, mas em certos dias, depois de cumprir seu compromisso consigo próprio e escrever seu número estipulado de palavras, mantendo seu escocês ocupado a manhã toda, ele decidia subitamente ir às lojas de novo, misturar-se uma vez mais à poeira e aos objetos remanescentes, às desmazeladas sobras das liquidações, deslocar-se a esmo de uma loja a outra, escolhendo uma moldura ou uma cadeira ou um jogo de facas, mas sem comprar nada, esperando até que estivesse com uma disposição mais resoluta, ou em companhia de lady Wolseley.

Uma tarde, entre as quatro e as cinco horas, quando a luz se tornava incerta e esmaecida, ele se viu numa loja de antiguidades numa rua de Bloomsbury que visitara apenas uma vez com lady Wolseley. Lembrava-se bem do antiquário, por conta de seus olhos extraordinários. O homem conseguira então exercer uma espécie de coerção sobre lady Wolseley e seu amigo sem abrir a boca; fora hábil em pressioná-los com sutileza, conseguindo também, com um mero olhar, projetar uma sombra de solenidade sobre a ocasião. Henry se recordava que seus dedos magros e leves, com unhas bem cuidadas, tocavam às vezes os objetos no balcão de modo rápido, exaltado e carinhoso. Ele notara a enorme resistência de lady Wolseley, também silenciosa, em efetuar qualquer compra, ainda que o proprietário lhes tivesse mostrado algumas peças perfeitas, dentre as quais uma tapeçaria francesa, pequena mas esplêndida, e velhos brocados de veludo, com uma textura que tanto o antiquário como lady Wolseley concordaram ser quase impossível de se encontrar naqueles dias. Ela não comprou nada, mas examinou certos objetos com tanto vagar que o olhar sábio e paciente do antiquário assumiu um matiz de ironia. Depois de sair da loja, ela disse que os preços estavam muito altos, embora pouco se tivesse falado em dinheiro, e afirmou acreditar que o proprietário, que estava no ramo havia muitos anos, não deveria mais ser incentivado.

Henry vinha pensando havia algum tempo em comprar um objeto, algo sem utilidade e certamente caro, talvez de preço abusivo, algo que atraísse seu olhar, um objeto que ele quisesse ter junto de si, que tivesse um significado para além do seu valor. A tapeçaria francesa o atraiu; a cena que retratava inspirava-se num dos mestres italianos, Fra Angelico ou Masaccio, e os fios cor-de-rosa que atravessavam o tecido ainda mantinham seu tom. Pensou em examiná-la de novo agora, discuti-la com o antiquário e talvez decidir comprá-la sem consultar lady Wolseley, a qual, como ele sabia, nunca mudava de opinião.

Encontrou a porta da loja aberta e avançou para o interior iluminado artificialmente, fechando a porta ruidosamente atrás de si. Era típico do estranho tato do comerciante, pensou, fazer um freguês entrar daquela maneira. A parte da frente da loja era estreita e desordenada, mas ele recordava que alguns degraus abaixo havia uma sala muito mais comprida que levava a um grande depósito com uma escada para um sótão. Ficou à toa por um tempo esperando que o proprietário aparecesse, e então começou a observar com atenção uma xícara de chá que ele julgou que poderia ser de Sèvres. Depois de examinar sem muita atenção vários outros objetos, caminhou para os fundos da loja até ter uma ampla visão da sala abaixo. Ali, apertados numa chaise longue, discutindo seu forro e testando sua resistência, estavam lady Wolseley e o antiquário. Sentindo-se por um segundo um invasor, recuou para as sombras e ficou à espera. Não havia imaginado encontrar lady Wolseley ali e pensou que talvez fosse melhor deixá-la em paz. Aquele território era dela; ele não tinha pedido permissão. Achava agora que seria altamente conveniente retirar-se em silêncio e sem demora da loja.

Nesse exato momento, porém, outro freguês abriu a porta com estrépito. Era um cavalheiro bem vestido, no início da meia-idade, que parecia ter tanta dificuldade em fechar a porta quanto ele próprio tivera em abri-la. O antiquário, quando subiu a escada, pareceu concluir de imediato que os dois cavalheiros tinham vindo separados e que não se conheciam. Parecia surpreso com as duas chegadas, mas logo disfarçou, saudando afetuosamente Henry e, com um pouco menos de afeto, o homem que chegou depois. Dessa vez ele parecia mais esperto que antes, mais estrangeiro, mais profundamente inteligente e de traços mais distintos; seus olhos escuros brilhavam com um entusiasmo sagaz e penetrante. Estava claro que ele não sabia que Henry já tinha notado a presença de lady Wolseley. Henry o observava calcular, sorridente, o que faria em seguida. O antiquário perguntou-lhe se ele poderia talvez aguardar um momento, e então desceu os degraus outra vez. Ele ouviu palavras sendo murmuradas na sala abaixo, enquanto via seu colega de compras tomar nas mãos um velho sino de prata com um cabo de madeira entalhada. Esperou então que lady Wolseley aparecesse, perguntando-se o que ele, o intruso, poderia dizer a ela.

Tão logo o proprietário da loja reapareceu, Henry notou um traço de preocupação em sua fisionomia. Ele foi logo seguido por lady Wolseley em toda a sua magnificência, e, ele não conseguiu deixar de pensar, em toda a sua estridência.

"Eu não sabia que você se arriscava a sair sozinho", disse ela. "Está perdido?" Abriu um sorriso resplandecente e soltou uma risada curta.

Ele lhe fez uma mesura e, ao levantar a cabeça, notou que ela conhecia o outro cavalheiro. Tanto ela como o antiquário pareciam inquietos com a sua presença. Quando Henry olhou para ele, viu que naqueles poucos segundos entre sua mesura e seu ligeiro giro de cabeça, algo urgente e quase alarmante havia sido transmitido na troca de olhares entre lady Wolseley e o cavalheiro.

"A maior parte dos objetos aqui não está ao alcance de seus recursos", disse ela para Henry. Ambos se deram conta imediatamente de que o comentário, embora concebido como um gracejo, era demasiado brusco e cáustico.

"Um homem pobre pode ao menos olhar", disse ele, esperando que ela consertasse a situação, e ao mesmo tempo perguntando-se como ela o faria.

"Então venha que eu lhe mostro", disse ela. Conduziu-o escada abaixo, pedindo outra lâmpada.

Ele sabia que era um sinal para que o cavalheiro partisse, e não se surpreendeu ao ouvir a porta da frente da loja ser fechada mais uma vez. Enquanto ela pedia que a lâmpada fosse instalada sobre uma cômoda italiana, ele se perguntava quem seria aquele homem, por que eles não tinham sido apresentados um ao outro e também por que a tensão na sala fora tão evidente e o encontro, considerando a grande experiência social de lady Wolseley, tão malconduzido. Será que ela, perguntou-se Henry, esteve perto de se comprometer em plena loja de antiguidades de Londres numa tarde comum de inverno? E em que consistiria esse comprometimento? E de que modo o antiquário estava envolvido? Tanto lady Wolseley como o antiquário agora passaram a louvar as virtudes e encantos da cômoda, ela concordando firmemente com cada frase que o comerciante pronunciava, repetindo algumas com ênfase, ambos insistindo que não convinha nem mencionar o preço, pois este causaria choque ou escândalo, o melhor era mantê-lo ignorado pelo atual visitante, que amava a beleza mas tinha recursos financeiros limitados.

Enquanto ambos falavam, e depois, quando o antiquário ficou em silêncio e a conversa foi monopolizada por lady Wolseley, Henry teve a certeza de haver compreendido perfeitamente os contornos da cena que acabara de testemunhar, mas não o seu significado. Lady Wolseley planejara encontrar-se com um cavalheiro ali, mas isso em si não queria dizer nada, já que ela se movimentava livremente por Londres e levara Henry às compras sem a menor hesitação. A tensão emergira da relutância dela em cumprimentar o cavalheiro e em fazer as apresentações. Henry não conseguia ver o sentido disso, não entendia por que ela nem ignorara o homem completamente nem fora capaz de reconhecê-lo com naturalidade. A conversa retomada por lady Wolseley e pelo antiquário parecia evitar os silêncios, preenchendo-os ruidosamente. Ele percebeu que havia testemunhado um estranho momento londrino cuja essência pertencia a outros e seria negada a ele, por mais que especulasse e por mais tempo que durasse sua embaraçosa presença naquela loja.

Enquanto subia os degraus em direção à parte da frente do estabelecimento, seu olho foi atraído pela tapeçaria, que tinha mudado de lugar desde sua última visita. Agora ela parecia ainda mais linda e suntuosa. Seus dois companheiros pararam atrás dele. Supôs que também estariam vendo a pura delicadeza da coloração, os fios brilhantes brigando com os esmaecidos, a textura sugerindo um vasto reino havia muito desaparecido.

"É do século XVIII?", perguntou.

"Olhe melhor e talvez você descubra", disse lady Wolseley.

Ele olhou de novo, enquanto o antiquário trazia a lâmpada mais para perto.

"Você gosta?", ele perguntou a ela, em dúvida se ela se lembraria de ter visto a tapeçaria na visita anterior.

"Não acho que 'gostar' seja a palavra", disse ela. "É defeituosa. Foi restaurada, uma parte do trabalho é recente. Consegue perceber?"

Ele examinou-a mais atentamente, seguindo os fios cor-de-rosa e amarelos que lhe pareciam desbotados também, embora se destacassem do restante da obra.

"Foi feita para nos enganar a todos", disse lady Wolseley.

"É muito impressionante, muito bonita", disse Henry, como se falasse sozinho.

"Oh, se não está vendo a restauração em toda a sua vulgaridade, então você precisa mais de mim do que imagina", disse lady Wolseley. "Você não deve, sob nenhuma circunstância, se aventurar a sair sozinho novamente."

Ele iria, pensou, voltar ali para comprar a tapeçaria assim que um período adequado de tempo tivesse passado.

Estava perdendo Londres; candidatou-se a uma vaga no Reform Club, juntando-se à longa lista, sabendo que levaria muitos anos e muito desgaste até que seu nome estivesse no topo. Gostava de imaginar uma vida londrina no conforto do Reform Club, o esmero e a atenção dos funcionários, e a vasta metrópole à sua disposição. Meditou consigo mesmo que havia sido exposto àquela cidade durante toda a sua vida, tendo sido levado para lá com seis meses de idade numa das primeiras jornadas do pai em busca da sabedoria eterna, da satisfação terrena e de algo divino e sem nome que sempre lhe escapava.

Ele sabia, pois sua tia Kate lhe contara muitas vezes durante seus anos de adolescência, que eles tinham alugado um chalé próximo ao Grande Parque de Windsor e eram a mais afortunada das famílias, porque contavam com dois garotos saudáveis cujas palhaçadas diárias cativavam permanentemente seus pais e sua tia e tinham dinheiro suficiente para que Henry pai perseguisse seus interesses particulares em meio às mentes mais famosas da época, buscasse a verdade e, se não fosse possível encontrá-la, tornasse memorável, séria e compensadora a jornada em direção a ela. Henry pai estava interessado na bondade, no grande e bom projeto que Deus havia estabelecido para o homem; cada um de nós, acreditava, deve aprender a decifrar esse projeto e viver como se ninguém tivesse vivido antes. Sua tarefa pessoal, ao ler, escrever, conversar e educar os filhos, era reconciliar a novidade e a bondade inerentes a cada membro da espécie humana com as trevas que se abatiam por toda parte e que espreitavam o interior dos homens.

Quando Henry se preparava para deixar Londres, Edmund Gosse tornou-se uma visita habitual, certificando-se tanto quanto possível de que não estava perturbando Henry nem abusando da hospitalidade que lhe era sempre concedida. Ele estivera lendo um dos poucos exemplares dos escritos de Henry James pai que haviam cruzado o Atlântico e ficara interessado, entre outras coisas e por razões pessoais, na experiência da infância, principalmente na experiência dos primeiros anos de vida, a qual, segundo ele julgava, com base numa série de palestras a que assistira, poderia afetar o comportamento mais do que se imaginara até então. Tornou-se fascinado pelo relato do pai de Henry acerca de uma experiência central em sua vida, ocorrida na casa alugada no Grande Parque de Windsor.

Seu pai descrevera o que lhe acontecera naquele chalé próximo ao parque como um momento de revelação e liberdade; mencionava-o com freqüência e Henry recordava que o rosto de sua mãe se turvava toda vez que o tema era abordado. O rosto de tia Kate se turvava também, mas foi ela que repetiu a história muitas vezes para Henry, e havia em sua expressão, ele se lembrava, um indício de satisfação por poder contar a história de novo a um ouvinte atento e interessado como o jovem Henry.

Gosse não sabia até então que Henry era uma criança presente na casa quando a coisa aconteceu. Ele levantou o assunto meramente para perguntar se ele havia afetado o comportamento subseqüente do pai de Henry. Quando descobriu que Henry e William estavam presentes, pediu a ele, num tom sussurrado e urgente, que lhe contasse tudo o que sabia sobre o caso, prometendo que não publicaria nem propagaria nada. Henry observou que era uma criança na época e não tinha recordação alguma, e que além disso o relato de seu pai estava no livro.

"Mas o caso deve ter sido comentado em família, não?", perguntou Gosse.

"Sim, minha tia Kate falava sobre isso comigo, mas minha mãe não gostava do assunto."

"Sua tia estava presente quando aconteceu?", perguntou Gosse.

Henry acenou com a cabeça afirmativamente.

"Como ela descreveu a coisa?", perguntou Gosse.

"Ela era uma grande contadora de histórias, portanto não se pode confiar na sua veracidade", disse Henry.

"Mas você precisa me dizer o que ela lhe contou."

Ele tentou recontar a Gosse a história tal como sua tia a havia narrado. Ela sempre começava a contar assim: era uma tarde de final de primavera, quente para aquela época do ano, e radiante, e depois que eles comeram e deixaram a mesa seu cunhado permanecera ali sozinho, absorto em pensamentos como de costume. Era freqüente, dizia ela, ele sair alucinado da mesa para buscar pena e papel e escrever de modo obsessivo, descartando algumas páginas depois de lê-las, transformando-as em bolas e atirando-as furiosamente através da sala. Com freqüência, também, saía à procura de um livro; levantava-se subitamente e caminhava rápido demais pelo cômodo, arrastando sua perna de pau como se fosse um fardo. Ele podia ficar muito excitado pelo sentido ou pela mensagem do livro. Havia uma batalha em curso, tia Kate usava toda vez as mesmas palavras, entre a doçura e a pesada mão puritana que o pai de seu cunhado colocara sobre seu ombro. Aonde quer que fosse, dizia ela, Henry James pai via o amor e a beleza do desígnio de Deus, mas a velha educação puritana de seu pai, o velho William James de Albany, não lhe deixava acreditar em seus olhos. Diariamente, em seu interior, a batalha prosseguia. Ele era inquieto e difícil, mas era também, em sua busca, inocente e facilmente arrebatado. Sua primeira grande crise viera em sua juventude, quando sua perna tivera de ser amputada depois de um incêndio; agora, naquele final de primavera londrina, ele estava à espera de sua segunda provação.

"Minha tia Kate", disse Henry, "era muito dramática em seu modo de narrar. Ela me disse que elas o haviam deixado na mesa, lendo. O dia estava ameno e elas levaram a nós, garotos, para um passeio a pé. Ele estava sozinho quando veio o ataque; a coisa surgiu de repente do nada, como um vulto enorme e obscuro da noite, uma irada e agressiva ave de rapina, encolhida no canto e pronta a raptá-lo, um espírito das trevas, contudo palpável, visível, sibilando, tendo vindo ali só para pegá-lo. Ele sabia o motivo da aparição, dizia ela; tinha sido enviada para destruí-lo. A partir daquele momento, ele ficou reduzido ao estado de uma criança aterrorizada repetidas vezes, até que passou a acreditar que aquela coisa, fosse o que fosse, nunca o deixaria. Quando ela e minha mãe o encontraram, ele estava retorcido no chão, com as mãos nos ouvidos, gemendo, chamando por elas. William e eu tínhamos dois anos e meio e um ano de idade, e estávamos aterrorizados pela visão do medo dele e pelo som de sua voz lamuriosa. Tia Kate nos tirou imediatamente dali. William, segundo ela, ficou pálido durante vários dias e não conseguia dormir sem minha mãe estar no quarto. Nenhum de nós, evidentemente, tem qualquer lembrança do episódio."

"Não existe nenhuma garantia quanto a isso", disse Gosse. "A lembrança pode estar trancada no íntimo."

"Não", disse Henry, com rispidez. "Nada está trancado no íntimo. Não temos nenhuma recordação do fato. Tenho certeza disso."

"Continue, por favor", disse Gosse.

"Minha tia me contava que minha mãe teve de levantá-lo do chão, acreditando inicialmente que ele fora atacado por bandidos, e depois teve de ouvi-lo descrever o que tinha visto, dizendo a ele o tempo todo que não havia vulto negro nenhum, nenhuma figura encolhida no canto, e que ele estava em segurança. Ela não podia impedi-lo de chorar, e nem compreendia bem o que havia ocorrido. Em pouco tempo ela se deu conta de que ele não estava falando de um animal nem de um ladrão; o que tinha acontecido tinha acontecido em sua mente, em sua imaginação. Era uma visão tenebrosa, e o que ela fez naquele momento foi o mesmo que fizera no primeiro ano do casamento deles, quando ele tinha pesadelos. Pegou uma tesoura e começou a cortar suavemente e sem pressa as unhas das mãos dele, falando-lhe com doçura e chamando a sua atenção para os movimentos da tesoura. Então ele se acalmou e ela o levou para o quarto, onde permaneceu ao seu lado."

"Mas ela deixou vocês sozinhos?"

"Não, claro que não", respondeu Henry. "Minha tia tomou conta de nós. Quando já estávamos na cama naquela noite e meu pai finalmente tinha se acalmado, ela se sentou com minha mãe e elas não sabiam quem consultar ou o que fazer. Meu pai, assim que ela começou a confortá-lo, ficou em silêncio, com os olhos vazios, a boca aberta. Não parou de emitir gemidos baixos e de proferir frases que soavam sem sentido. Elas estavam longe de casa e não conheciam ninguém, a não ser os amigos ilustres de meu pai, e não sabiam se podiam recorrer a Carlyle ou a Thackeray para perguntar-lhes como o paciente, se era essa a palavra, poderia ser tratado, ou mesmo se momentos assim sombrios e apavorantes eram comuns a homens que perscrutavam o sentido das coisas a ponto de excluir as ocupações profissionais e domésticas."

"O que elas fizeram então?", perguntou Gosse.

"Meu pai dormiu aquela noite, assim como nós, mas elas duas velaram nosso sono, cientes de que a vida iria mudar a partir dali. Minha mãe sabia do que se tratava, minha tia me dizia, e sempre acreditou naquilo sem se importar com o que fosse dito em contrário. Ela acreditava que o demônio tinha visitado um filósofo, mas era um demônio imaginado por meu pai, ou avistado por ele em sonhos, que naqueles meses estavam estranhamente amalgamados à sua vida de leituras. Minha mãe acreditava no diabo, mas sabia que só meu pai era capaz de vê-lo, e que para ele o diabo era totalmente real, um rosto que espreitava do outro lado do vidro de cada janela da qual ele se aproximava. Ninguém mais podia vê-lo porque ninguém mais havia se aprofundado em pensamentos e crenças que excluíam as próprias trevas, e o maligno, de nosso conceito de mundo. Só meu pai."

"Mas o que sua mãe e sua tia acabaram fazendo?", perguntou Gosse.

"Elas tinham, dizia tia Kate, duas crianças e uma casa para cuidar, e só tinham olhos para isso. Os médicos insistiam que ele devia ficar em repouso, sem ler, sem escrever e até sem pensar, se conseguisse, e sem tampouco fazer visitas. O que tia Kate recordava mais vivamente daqueles meses era que, cada vez que minha mãe entrava no quarto, meu pai estendia os braços como se fosse uma criança querendo colo. Ele vivia sob o temor de que aquilo que ele tinha visto fosse voltar; esquadrinhava os cantos dos cômodos e as janelas com os olhos. Vivia num mundo fora do alcance delas; até o seu discurso parecia prejudicado."

"Sua tia chegou a dizer de que maneira isso afetou você e seu irmão?", perguntou Gosse.

Henry suspirou. Não sabia por que tinha concordado em contar a história ao amigo.

"Num daqueles dias, quando ele parecia mais desamparado, parece que eu comecei a andar", disse Henry. "Aconteceu de repente, sem que ninguém esperasse, e logo eu era um pequeno pedestre impetuoso e confiante. Era como se eu tivesse trocado de lugar com meu pai. Aos poucos elas entenderam por que eu tinha aprendido tão depressa; eu observava William com olhos ávidos para ver se ele se movia, e agora, se William saía de casa, ou cruzava a sala, eu ia atrás e me agarrava a ele, para seu grande aborrecimento. Até então eu não dava, ao que parece, sorrisos ou risadas com facilidade, mas agora que sabia andar eu ria de qualquer coisa que William fizesse e que me parecesse minimamente divertida. Éramos, segundo tia Kate, uma família complicada quando começou o verão inglês."

"Posso imaginar", disse Gosse. "Que extraordinário!"

"No final, evidentemente", prosseguiu Henry, "tudo isso foi esquecido, ou registrado na história, conforme você sabe, como um momento importante da escalada de meu pai rumo aos cumes do conhecimento e da sabedoria."

"Mas era assim que parecia a elas na época?"

"Não", sorriu Henry. "Não, tia Kate disse que nunca pareceu assim a ela ou à sua irmã. E para o horror delas, meu pai começou a descrever sua tenebrosa provação a todas as visitas e depois a estranhos. E assim, como você deve ter lido, foi numa estação de águas que ele encontrou uma senhora, uma certa senhora Chichester, e descreveu-lhe seu monstro encolhido e sibilante. A senhora Chichester respondeu imediatamente: o que havia ocorrido a ele ocorrera também a outras pessoas e era um sinal de que ele chegara perto de compreender o grande desígnio, o sonho de Deus para o homem, disse ela, e ele deveria ler o filósofo sueco Swedenborg, que compreendia essas coisas como ninguém. Naquele período, ao que parece, meu pai levava qualquer sugestão nova mais a sério que a anterior. Em Londres ele leu dois livros de Swedenborg, embora tivesse jurado que não o faria, e num desses livros descobriu que o que lhe havia acontecido aquela tarde era chamado de 'renovação',* e nada do que ouviu desde então o demoveu dessa convicção. Essa 'renovação', ao que parecia, era um passo na estrada rumo à plena compreensão de que Deus nos fez à sua semelhança, e de que nossos anseios e desejos, nossos pensamentos e sensações são profundamente sagrados. Assim, meu pai ficou feliz de novo, e, repleto de Swedenborg, passou a crer que sua missão era espalhar a verdade a toda a humanidade, pelo menos à variante de língua inglesa, e decerto principalmente na América, ainda que, devo acrescentar, ninguém lhe desse muita atenção."

"Talvez isso explique por que você voltou para cá", disse Gosse.

"Para a Inglaterra?", perguntou Henry.

"Para perto do cenário onde a coisa aconteceu. As palestras dizem que uma criança pode recolher e reter tudo, mas sem absorvê-lo no que eles chamam de inconsciente."

"Então por que William não está aqui?", perguntou Henry.

* No original em inglês, *vastation*, que significa "renovação ou purificação mediante a incineração ou destruição dos atributos malignos". (N. T.)

"Não sei", disse Gosse. "É um mistério."

"Talvez você compreenda quando eu digo que não quero discutir isso novamente", disse Henry.

Durante vários dias ele não conseguiu escrever, e ao acordar de manhã percebia que estava sentindo um grande remorso por haver contado a história a Gosse, até que finalmente tirou o episódio da cabeça e pôde continuar a fazer seus planos em paz.

Henry achava que em alguns dias escrevia demais e com demasiada rapidez, dando excessivo trabalho a seu escocês. Uma vez publicados os contos, ele lhes dava pouca atenção, revisando-os uma única vez para a publicação em livro e em seguida deixando-os de lado. Entretanto, quando sua nova coletânea *Empecilhos* apareceu e Gosse fez muitos comentários sobre uma das histórias, ele a releu de modo a poder discuti-la mais a fundo com o amigo. Era uma de suas histórias de fantasmas, chamada "The way it came", e agora ela lhe parecia fraca demais para sobreviver, mesmo como mero entretenimento. Gosse queria discutir a técnica da voz em primeira pessoa, a dificuldade de torná-la convincente. Ele era, Henry pensou, cortês e diplomático demais para deslocar a discussão do tema geral até aquele conto específico. Mas, conforme a conversa entre os dois prosseguia ao longo de alguns encontros e começava a irritá-lo, um segundo assunto levantado por Gosse começou a interessar-lhe profundamente. Gosse insistia que, já que a maioria dos leitores não acreditava em fantasmas, a maioria das histórias de fantasmas não tinha como ser verossímil. Elas precisavam, dizia ele, ser histórias de fantasmas e ao mesmo tempo conter uma explicação racional; precisavam, insistia, ser aterrorizantes sem ultrapassar os limites do possível.

Henry discordava. Acreditava que um conto deveria ser capaz de sugerir absolutamente qualquer coisa, incluindo os assuntos mais esquisitos, mas estava, não obstante, interessado no raciocínio de Gosse, embora o julgasse demasiado veemente e ávido por impor regras a matérias que, na opinião de Henry, demandavam uma grande amplitude de espírito. Em seu íntimo, ele estava consternado com "The way it came" e se arrependia de tê-lo incluído num volume, sabendo que talvez tivesse sido melhor deixá-lo desaparecer. Amargurava-o o fato de Gosse haver dado atenção ao conto.

Durante uma daquelas noites com Gosse, ele lhe contou de passagem o modo como havia adquirido a Lamb House, mencionando o ferragista sr. Milson como um balseiro que o conduziria até a reclusão ideal, a felicidade administrada. Contou então a Gosse sobre a visita de Howell e sobre como sua situação financeira tinha se transformado devido a novas possibilidades de publicação na América, como se ele estivesse recebendo de um velho amigo uma moeda para colocar sob a língua e auxiliá-lo em sua jornada rumo ao Hades.

"Rye", riu Gosse, "é de fato uma morte, especialmente nos dias úteis de inverno, mas suponho que nos fins de semana também."

"Se eu fosse Poe", disse Henry, "poderia escrever sobre um daqueles personagens que viajam para uma casa desconhecida cuja porta se abre para a tumba."

"Você vai sentir falta de Londres, e isso vai decidir a questão; você vai fugir do simples pavor que a vida rural oferece aos incautos", disse Gosse.

Henry prometera à *Collier's* um novo conto, como parte da intercessão de Howells em seu favor, e, depois de consultar seus cadernos de anotações e conversar mais com Gosse sobre o problema da verossimilhança na história de fantasmas moderna, entregou-se ao trabalho. Desta vez ele iria enquadrar a história, usar a voz em primeira pessoa como uma narrativa deixada para trás pela protagonista e agora retomada para ser lida numa reunião social de fim de semana numa casa de campo. Ele pretendia, ao ditar, assustar o escocês, e passou a observá-lo atentamente enquanto narrava, de modo a perceber qualquer mudança de fisionomia ou de cor da pele.

A voz de sua narradora seria recatada e objetiva; de seu tom se desprenderia suavemente uma espécie de bondade, uma disposição para estimar cada nova pessoa e cada nova experiência como uma recompensa que ela recebia por sua inteligência esperta e sua sensibilidade. Ele buscava um tom de voz repleto de aceitação serena, de aptidão resignada, misturando autoridade com devoção ao dever, uma dedicação metódica a fazer o melhor; alguém que não se queixaria e para quem o hábito de resmungar seria um dos defeitos capitais. Queria uma voz em que todo leitor automaticamente acreditasse e confiasse, mas também um estilo literário com o aroma de cinqüenta anos atrás — nossa heroína era uma ávida leitora —, rompido de quando em quando por frases simples e vívidas.

Era a história que tinha repousado em seu caderno de anotações por mais de dois anos, e retornara durante esse período em lampejos, mas nada que se parecesse com uma forma ou uma maneira de começar o inspirara até agora, quando soube que precisaria de um conto vigoroso, assustador e dramático para seu novo editor na *Collier's*, algo que prendesse a atenção do leitor e o fizesse querer mais. Era a vaga narrativa contada a ele pelo arcebispo de Canterbury, sobre duas crianças num casarão, deixadas por seu tutor sob os cuidados de uma governanta instruída a não entrar em contato com o tutor sob nenhuma circunstância.

Era fácil colocar carne nesse esqueleto, criar uma empregada sincera e de confiança, fazer a garotinha meiga e linda, fazer o menino ao mesmo tempo encantador e misterioso, e transformar a casa em si, a estranha casa antiga, numa grande aventura para nossa heroína, a governanta. Ele queria que ela não tivesse nenhum talento para a reflexão ou para a auto-observação, queria que o leitor a conhecesse pelo que ela percebia, e pelas visões, claro, que ela encobria por meio de sua narrativa. Assim, o leitor veria o mundo pelos olhos dela, mas de algum modo a veria também, a despeito de seus esforços de auto-ocultamento e de auto-anulação, de um jeito que ela não era capaz de ver a si mesma.

A casa era toda solidão, ruídos e ecos. As duas crianças sob a responsabilidade da governanta não ligavam para o seu próprio abandono, exibiam-se para ela e para a bondosa criada como cálices cheios até a borda e sem necessidade de nada além do que lhes era proporcionado. Todo som, vindo de dentro ou de fora, era um som agourento acompanhado por um eco igualmente agourento. Ele registrou logo que possível o momento em que, ao recolher-se para dormir, a governanta ouvia o grito distante e enfraquecido de uma criança e, em seguida, diante do seu quarto, o som de passos leves. Essas coisas, ele decidiu enquanto ditava as palavras andando pela sala de um lado para outro, não deveriam parecer nada demais no momento e só se tornariam significativas à luz, ou às trevas, do que estava por vir.

Ele começara o conto como se fosse um mero texto de encomenda, uma maneira de cumprir um contrato, uma história com um provável apelo junto a um grande público, e por conseguinte passara a trabalhar nele com o objetivo de tê-lo pronto no final do ano. Não entendia por que essa história perturbava sua vida desperta durante os meses de preparativos para sua mudança para a Lamb House. Não sabia por que a voz que criara, controlara e manipulara de maneira tão cuidadosa parecia ter agido sobre ele de modo a fazê-lo conceder à sua governanta um poder e uma liberdade que ele nunca pretendera lhe dar. Ele permitiu que ela enganasse a si própria, algo que nunca permitira antes a ninguém; deu-lhe permissão para chafurdar no perigo, para desejar que este viesse em sua direção, para atraí-lo, chamá-lo, fazer-lhe sinais. Teve prazer em aterrorizá-la. Transformou sua solidão e seu isolamento em anseio por encontrar alguém, um rosto na janela, uma figura na distância.

Esse anseio, ele sabia, chegaria com o tempo também a ele, quando a porta do jardim rangesse, ou os ramos das árvores batessem contra a janela enquanto ele estivesse lendo à luz da lâmpada, ou deitado insone naquela velha casa; e, num daqueles segundos que antecedem a emergência de pensamentos mais adequados, o primeiro pensamento seria o de dar boas-vindas ao que viesse romper a triste e desamparada monotonia do eu, o de sentir um instante de esperança desesperada de que, fosse o que fosse, tinha chegado enfim. Mesmo sob a forma mais obscura, essa coisa ofereceria o mesmo instante de alívio que o clarão de um raio concede ao ar quebradiço numa paisagem ressecada.

Ele trabalhava. Conduzia tudo lenta e deliberadamente em direção à excitação. Começava as frases de modo simples e assertivo, de tal maneira que o terror diante do que ela via parecia endurecer a dicção da governanta, forçá-la a afirmações nuas e cruas. A pessoa que olhava para dentro pela janela era aquela que havia aparecido a ela. Era o mesmo homem. Seu rosto estava próximo do vidro e seu olhar fixo em direção à governanta era profundo e ameaçador, até que ela se deu conta de algo em que nunca mais deixaria de acreditar: com redobrado choque, foi atravessada violentamente pela certeza de que não era ela que ele tinha vindo buscar. Ele tinha vindo buscar as crianças.

Enquanto labutava na história, não pensou em detalhe algum sobre as crianças. Deu-lhes nomes e concedeu à governanta superlativos para se referir a elas. Aos poucos, porém, ficou evidente que ele havia concebido para os irmãos estranhas personalidades individuais, que, embora sem deixar transparecer nada, ofereciam uma forte resistência à governanta. Ela não percebia isso, e no entanto, mediante alguma coisa que fizera com as palavras dela, ele conseguira dar ao jovem Miles e à pequena Flora mentes próprias.

Cada vez que ele buscava descrever a aparência do fantasma, ou a presença etérea e ameaçadora de Peter Quint, nada disso importava. O próprio cenário, o vazio da casa, sua novidade para a governanta, e então a figura invasiva, completamente real para ela, e aparentemente real também para as crianças e para a sra. Grose, a criada — essas coisas causavam-lhe calafrios quando ele começava a imaginá-las. Observava McAlpine em busca de sinais de interesse, mas não surgia nenhum. Sabia que perguntar a McAlpine se ele considerava essas cenas de alguma maneira perturbadoras seria uma quebra de decoro. Na maior parte do tempo, porém, ele não pensava no datilógrafo, e o próprio som da Remington não fazia nenhuma diferença. Na maior parte do tempo ele se concentrava na voz em si, na vívida versão da governanta para cada coisa testemunhada. A tarefa principal dele era evitar que o leitor perguntasse por que a governanta não entrava em contato com o tutor das crianças; buscava oferecer detalhe, movimento rápido e desdobramentos posteriores em quantidade suficiente para preservar a ficção de que ela estava sozinha e tinha de agir por si só. Ele se aplicava em engodar o leitor de modo a fazê-lo tornar-se os olhos e ouvidos da moça e, assim, entrar em seu espírito, habitando sem questionar a sua consciência.

O conto apareceu na *Collier's* em doze capítulos semanais. Ele não teve dificuldade em cumprir o prazo. Sabia o que tinha que acontecer e às vezes saboreava demoradamente o vívido pavor que estava causando à governanta, apreciando a dardejante lógica da mente dela, tomando o cuidado de indicar muitas vezes que as crianças sabiam de tudo e não sabiam de nada. Miles e Flora eram o par menos confiável que ele já havia inventado; tinham aprendido a resistir a tudo, exceto ao perigo óbvio, e às vezes, enquanto trabalhava, ele próprio não estava seguro de saber que perigo era esse.

Sabia que suas condições de trabalho eram as mais perfeitas que ele jamais tivera. O escocês era silencioso, aplicado e cuidadoso. Pronunciar as frases em voz alta dava a elas mais força e estabilidade do que quando ele as escrevia à mão. Vê-las em letra de forma a cada noite conferia-lhes uma autoridade imediata. Ele sempre sabia o que fazer, quais eram as emendas e as supressões necessárias. E aquele apartamento em Kensington logo deixaria de ser usado por ele; teria de sublocá-lo ou deixar o contrato de aluguel expirar, mas de todo modo não seria mais seu, e a cada dia ele percorria os cômodos prestando atenção à sua atmosfera, como se soubesse que teria uma necessidade de vital de recordá-los no futuro. Não tinha visitas durante o dia, nenhuma perturbação, apenas suas expedições de compras sozinho ou em companhia de lady Wolseley e suas consultas com Edward Warren, que cuidava das obras na Lamb House. Jantava fora com satisfação agora, e aceitava convites com prazer. Logo tudo isso estaria acabado, seria parte do passado. Ele abandonaria Londres.

Ao trabalhar a cada manhã, delineando as cenas em todo o seu drama e terror, cenas dele próprio vinham-lhe à mente em choques compactos e obrigavam-no a hesitar e, por fim, parar. Numa dessas manhãs, quando ditava a cena em que se descobria que Flora tinha deixado sua cama, e a governanta acreditava que ela mentira ao declarar que não vira nada, ele percebeu que esteve a ponto de usar o nome Alice em lugar de Flora. Corrigiu-se antes de falar. Seu conto, tão verdadeiro agora para ele, tão vigoroso e urgente, tinha sido interrompido não por algo fantasmagórico, mas por uma lembrança que emergiu com toda a sua dor e seus pormenores concretos. Essa lembrança lutou com sua história de terror e venceu. Tomou conta dele; teve que parar, ir para o seu quarto e ficar sozinho em pé diante da janela. E então teve que ir dizer a McAlpine que não precisaria mais dele naquele dia. Essa, pensou, foi a única vez em que ele detectou uma nota de surpresa na fisionomia de seu amanuense, mas ela desapareceu rapidamente e McAlpine arrumou suas coisas e saiu sem fazer nenhuma pergunta ou comentário.

Alice devia ter cinco ou seis anos na cena que lhe veio à mente. Eles haviam retornado a Newport, ou talvez ido para lá pela primeira vez, e ela ficara por alguns dias sob os cuidados da tia Kate durante a ausência dos pais. Tia Kate havia, na opinião de Alice, imposto excessivo controle sobre sua pequena pessoa, muito mais do que o normal. Quando isso foi mencionado pela menina, a tia se recusou a mudar de posição e insistiu para que as instruções fossem seguidas, até que Alice ficou aborrecida. A primeira coisa que ela fez, conforme Henry recordava, foi pedir apoio aos irmãos, mas eles não lhe deram atenção, então ela fez beiço e ficou de mau humor. Então, sabendo que teria de aturar mais dois dias desse novo regime antes da volta dos pais, ela passou a obedecer tia Kate de todas as maneiras possíveis, tornando-se um exemplo brilhante, se Newport precisava de um, de menina obediente.

Ninguém mais, exceto seus irmãos e tia Kate, percebeu o que ela fez à tia nos meses que se seguiram. Tia Kate não tinha como se queixar, porque o ataque de Alice contra ela era demasiado esporádico e demasiado cômico e, além disso, em todo caso, era feito pelas costas na maior parte do tempo. Se tia Kate sorrisse ou cumprimentasse calorosamente uma visita, a pequena sobrinha ficava a seu lado sorrindo grotescamente para imitá-la. Todos os seus hábitos particulares de expressão, seus "Oh, diacho" e seus "Bem, bem, bem" tornaram-se componentes naturais da fala de Alice, porém exagerados. Ela muitas vezes encarava a tia com insolência, mas parava antes que a mãe pudesse perceber. Com freqüência, seguia tia Kate sem nenhum motivo, andando nas pontas dos pés atrás dela, tentando imitar o andar de uma senhora solteirona de meia-idade.

A própria tia Kate não percebia a extensão dos esforços de Alice para solapá-la e praticar sua vingança, e os pais de Alice passaram o verão numa alegre contemplação da inocência dos filhos e da ausência neles de qualquer espécie de dissimulação e mentira. William era quem mais se divertia com ela e a incentivava, mas o impulso nascia na própria Alice. Era algo que devia vir-lhe à mente assim que ela despertava e que parecia não deixá-la enquanto estivesse acordada. Um dia aquilo terminou simplesmente porque Alice se cansou.

Esse foi o mundo que ele criou para Miles e Flora, suas duas crianças inocentes, lindas e abandonadas. Suas personalidades íntimas mantinham-se à parte; eles tomavam cuidado para que sua habilidade em manter-se distantes da dócil obediência não fosse visível. Ele dava ao seu conto tudo o que conhecia: sua própria vida e a de Alice nos anos em que eles ficaram sozinhos na Inglaterra; a possibilidade, que assombrou sua família durante toda a vida, de que o vulto negro ameaçador voltasse à janela e fizesse seu pai estremecer e bramir de pavor; e os anos que ele agora via diante de si numa casa velha para onde logo partiria, como a governanta, cheio de esperança, mas cheio também de um pressentimento que era incapaz de apagar.

Agora Alice tinha morrido, tia Kate estava também na tumba, os pais que não tinham notado nada jaziam igualmente inertes no subsolo, e William estava a milhas de distância em seu próprio mundo, de onde não sairia. Havia silêncio agora em Kensington, nenhum ruído na casa, exceto o som, como um grito enfraquecido e distante, de sua própria imensa solidão, de sua memória funcionando dolorosamente, do passado vindo em sua direção com os braços estendidos em busca de consolo.

7. Abril de 1898

As fotografias chegaram tal como ele as havia pedido; uma delas mostrava bem de perto, com detalhes e em evidência, o monumento aos soldados do 54º Regimento de Massachusetts sendo conduzidos pelo coronel Shaw, e a outra tinha sido tirada de uma certa distância, mostrando a Câmara de Boston e o monumento de Saint Gaudens na esquina. Henry levou as fotos até a janela para examiná-las sob uma luz mais favorável e em seguida voltou à mesa e pegou a carta de William que chamava o novo monumento de gloriosa obra de arte, simples e realista. Era capaz de ouvir a convicção na voz do irmão. William fizera o discurso oficial de inauguração daquele memorial do 54º Regimento, o primeiro regimento negro do exército norte-americano, no qual o irmão deles Wilky havia servido. Falara por quarenta e cinco minutos, e em seguida, segundo suas palavras, fora carregado por duas horas num carro aberto na seção final de um cortejo. Foi, conforme escreveu a Henry, uma ocasião extraordinária para dar vazão ao sentimento, pois, pelo tempo que havia transcorrido, tudo se amenizara e se tornara poético e irreal.

Foi fácil para Henry responder a carta, dizer que teria dado qualquer coisa para estar lá, e acrescentar, escolhendo com cuidado as palavras, que o espírito de seu pobre irmão morto Wilky certamente estivera presente na Câmara de Boston durante a inauguração do monumento, e que o evento teria representado uma justiça poética para ele. Henry notou que William não havia anexado uma cópia de seu discurso nem à carta nem às fotos, e ficou contente por não ter que comentá-lo. William se tornara uma figura pública, cheia de frases varonis e opiniões destemidas. Desse modo, era capaz de falar por quarenta e cinco minutos para um salão lotado sobre a nobreza da causa ianque e o legado dos mortos da União, especialmente dos mortos do 54º e do 55º regimentos, nos quais tanto Wilky como Bob haviam servido.

As frases do próprio Henry em seu primeiro conto sobre a Guerra Civil tinham permanecido em sua mente através dos anos: "Os feitos heróicos da campanha dele estão registrados nos jornais da época, onde os curiosos ainda podem encontrá-los. Meu próprio gosto sempre foi pela história não escrita e minha ocupação atual é com o reverso do quadro". E ele se perguntava, ao examinar as fotografias de quando em quando ao longo do dia, o que o seu próprio discurso, seu próprio reverso do quadro, poderia dizer sobre o 54º Regimento e a Guerra Civil. Perguntava-se também sobre a força de uma indagação indiscreta e não formulada que poderia ter solapado o discurso de William na inauguração. Essa indagação dizia respeito a William pessoalmente e também a Henry; num leve sussurro ela queria saber por que nenhum deles havia combatido de fato, junto com seus dois irmãos, pela causa da liberdade.

A história da perna de pau de seu pai foi um dos prazeres recorrentes de sua infância. Quando Henry mostrava sinais de enfermidade, ou se machucava ao tomar um tombo, ou mesmo quando concordava em cumprir uma tarefa árdua, sua mãe lhe prometia repetir a história, que ela narrava como se a tivesse presenciado. Seu pai era um garoto que adorava brincar, dizia ela, e sentia-se mais feliz longe dos pais, que eram muito severos com ele. Adorava brincar com seus amigos. Uma das brincadeiras que eles faziam no parque era perigosa e envolvia balões de ar quente. Eles usavam solução de terebintina para produzir a chama, que fazia o ar quente subir. Quando o balão pegava fogo era preciso tomar cuidado porque podia cair sobre alguém, no cabelo ou nas roupas, e incendiar a pessoa, dizia sua mãe, com a fisionomia séria e a voz grave, porque a terebintina era altamente combustível.

Ele adorava a palavra "combustível" e fazia sua mãe repeti-la. Desde uma tenra idade, sabia o que ela significava. Mas naquele dia, prosseguia ela, seu pai derramara acidentalmente a terebintina em suas calças e, sem perceber o perigo que corria, ficou junto com os outros garotos vendo os balões subirem e pegarem fogo, caindo um depois do outro. Os garotos se esquivavam deles, gritando cuidado uns para os outros. Mas seu pai, dizia ela, viu um balão incendiado voar em direção aos estábulos do lado do parque, e como gostava dos cavalos que ficavam ali — aos quais os trabalhadores deixavam que ele desse comida às vezes — e tinha se dado conta do perigo, correu para lá quando percebeu que o balão caía no depósito de feno, subindo a escada para combater o fogo. Mas — e nesse momento a mãe de Henry segurava sua mão —, tão logo ele se aproximou das chamas, que não eram muito fortes e nem tinham começado a queimar o feno, tão logo a chama entrou em contato com a terebintina em suas calças, seu pai, que não tinha mais de treze anos, pegou fogo e ninguém pôde ajudá-lo. Ele saiu correndo do depósito aos gritos, mas quando finalmente conseguiram extinguir o fogo, suas duas pernas tinham sido tão queimadas que uma delas teve de ser amputada.

Foi cortada logo acima do joelho, e nesse ponto da história sua mãe punha a mão em torno do seu joelho, mas ele não tremia, e ela também permanecia calma, enquanto explicava como aquilo tinha sido dolorido e como seu pai fora corajoso, tentando bravamente não gritar. Mas, no fim das contas, isso era impossível e todos sempre repetiam que os gritos dele puderam ser ouvidos a quilômetros de distância. Nos dois anos que se seguiram, seu pai teve que ficar na cama, contava ela, e teve que encarar um futuro no qual não teria condições de correr ou de brincar. Ele seria obrigado a ter uma perna de pau, e esse seria um teste maior para sua bravura do que a própria dor da amputação.

O estranho — e aqui a voz dela ficava mais terna à medida que ela falava — é que só coisas boas resultaram desse acidente. Até então, dizia ela, o pai de seu papai era muito severo com ele, e também muito preocupado com sua miríade de negócios — nesse ponto ela o observava enquanto ele fazia um sinal afirmativo para mostrar que tinha aprendido a palavra "miríade" lendo a Bíblia —, e a mãe dele tinha uma grande família e seus outros filhos. Mas agora, depois do acidente, eles acorreram para ajudar o filho, mostraram-lhe uma nova e profunda ternura, e ele se sentiu envolvido e protegido pelo amor deles. No início, eles nunca saíam de perto dele, e seu pai parecia sentir a sua dor e compartilhar o seu pânico, a ponto de muitas vezes ter de ser levado para fora em lágrimas. Mais tarde, à medida que ele começou a se restabelecer, eles providenciaram para que não lhe faltasse nada necessário, e gradualmente seu pai substituiu seus devaneios de corridas e brincadeiras pela vida do intelecto, com livros e meditação. Começou, dizia ela, a refletir sobre o destino do homem no mundo e sobre a vida do homem em sua relação com Deus de uma maneira que ninguém na América jamais havia feito. Ele tinha o devido conhecimento básico da Bíblia e de teologia juvenil, mas em seus dois anos de invalidez recebeu a permissão de ler tudo o que quisesse e, obviamente, teve muito tempo para pensar. Assim começou, dizia sua mãe, a nobre busca de seu pai. Mais tarde, quando ele fez amizade com Emerson, este passou a dizer sempre que Henry James tinha uma vantagem sobre ele: conhecia o sofrimento em primeira mão e aprendera a pensar e a ler longe dos professores e dos colegas de estudo. Emerson sempre dizia, sua mãe lhe contava, que seu pai tinha um intelecto verdadeiramente original.

Aos domingos e durante os feriados, quando eles estavam viajando e nos dias em que não havia aula, Henry ficava perto de sua mãe; enquanto os outros encontravam satisfação em brincadeiras ou em travessuras infantis, ele esperava até que ela estivesse livre, ou então ajudava-a no trabalho, e então eles se deslocavam silenciosamente para algum lugar confortável, muitas vezes deixando a tia Kate o encargo de terminar o que sua mãe tinha começado, e eles conversavam, ou ela lia para ele, ou os dois cuidavam de algumas coisas dela, limpando-as e deixando-as em ordem.

A família estava dividida em três partes — William e Henry, cuja educação era supervisionada em minúcias por seu pai; Wilky e Bob, cuja inclinação para a bagunça e cuja falta de iniciativa para os estudos deixavam o pai infeliz, levando-o a crer que mandá-los juntos para a escola seria não só conveniente, uma vez que ambos tinham quase a mesma idade, mas também poderia trazer bons resultados. Wilky poderia adquirir um pouco da prudência de Bob; este, sob a influência de Wilky, talvez aprendesse a ser agradável às visitas e a sorrir afetuosamente para os rostos familiares. Alice era uma república independente.

Quando alguém lhes perguntava, especialmente em Newport, o que o pai deles fazia, todos os cinco irmãos James tinham dificuldade em responder. O pai deles vivia de sua herança, dos rendimentos de aluguéis e dividendos, mas não era isso o que ele fazia. Ele era também uma espécie de filósofo e às vezes dava palestras e escrevia artigos. Mas nada disso cabia numa frase simples, numa resposta fácil. E quando seu pai lhes sugeriu que dissessem a seus inquiridores que ele era um investigador da verdade, a questão se tornou mais desconcertante. À medida que eles iam crescendo uma segunda pergunta, formulada com freqüência, começou a embaraçá-los mais ainda. O que eles próprios viriam a ser? William, de início, iria se tornar um pintor, e Bob, para grande hilaridade dos outros, queria abrir uma loja de tecidos e artigos de armarinho. Alice, estava claro, iria se tornar uma esposa. Mas o que Henry e Wilky iriam fazer? Essa pergunta não interessava ao pai deles e não podia ser discutida facilmente com a mãe, e em decorrência disso foi mantida em suspenso, dando outro exemplo, se ainda fosse preciso mais um, da esquisitice da família, a qual tanto eles como o mundo de Newport aprenderam a aceitar.

Já que apreciava debates e inusitados parâmetros, Henry pai estava pronto a discutir qualquer assunto com qualquer pessoa, e estava até mesmo preparado para discutir política se surgisse a necessidade, embora visse o mundo da política como um grande desvio, e um obstáculo, à possibilidade do progresso humano sob a grandiosa luz que Deus enviou à humanidade. A Guerra Civil, contudo, começou a fasciná-lo, não apenas porque ele a via, em sua essência, como uma guerra entre o progresso e a crueldade, mas também porque enxergava o fim da guerra como um período propício para o surgimento de energias multiformes, um período em que não haveria vencedores nem vencidos, mas uma grande transição em seu país da juventude à idade adulta, da aparência à realidade, da sombra passageira à substância imortal.

Não obstante, nos primeiros dias da Guerra Civil, Henry pai dizia a quem quisesse ouvir que estava segurando seus filhos com firmeza pela barra da camisa, pois eles estavam, insistia, tentando desesperadamente se alistar. Henry pai não acreditava que seus próprios filhos devessem se engajar, dizia, porque não acreditava que qualquer governo existente ou qualquer governo futuro merecesse uma vida humana honesta ou pura como a deles.

Enquanto seu pai descobria o prazer de misturar transcendência política e cuidadosa proteção da família, Henry descobriu um grande pacote sob as escadas da casa de Newport, contendo números atrasados da *Revue des Deux Mondes*, embrulhadas num papel salmão, que soavam para ele, na intimidade do seu quarto, como um coro de anjos. Só os nomes já abriam para ele um mundo de possibilidades para além da estupidez, do ambiente doméstico, do patriotismo e da religiosidade circundantes: Sainte-Beuve, os Goncourt, Mérimée, Renan. Nomes que sugeriam não apenas o espírito moderno no que este possuía de mais inquiridor, mas a própria idéia de estilo, de pensamento como uma espécie de estilo, e da escrita de ensaios não como um apelo categórico à concordância ou um esforço sério de autodelimitação, mas como jogo, como modulação do tom.

A porta fechada de seu quarto, e seu isolamento lá dentro, tornaram-se os principais consolos da sua vida. Aparecia às refeições e suportava a zombaria dos outros a seu silêncio, sua seriedade, seu rosto pálido e seu aspecto macilento. Nada importava agora, exceto o tempo encantado que ele passava sozinho, não apenas com a *Revue des Deux Mondes*, mas com Balzac, que escrevia sobre uma França que Henry apenas vislumbrara, mas o bastante para saber que ele próprio nunca disporia de um tema tão esplendidamente estabelecido e tão sugestivo, focalizado de modo tão preciso e concentrado, como era a França da *Comédia humana* de Balzac.

Enquanto William ia para Harvard e Wilky se esforçava para sair de Sanborn, um colégio interno que era "uma experiência de co-educação" amparada por Emerson e Hawthorne, e Bob, tendo já deixado Sanborn, velejava em seu barco e chateava a si próprio, a mãe de Henry começou a olhar para seu segundo filho estudioso como se ele fosse um paciente. Sua mãe protegia sua privacidade e não permitia que ninguém, especialmente seu pai, fizesse críticas a ele. Como Henry pai tendia a encontrar aquilo em que acreditava em suas próprias formulações, o fato de não censurar Henry significava aprovação, uma vez que olhava com bons olhos as coisas que não condenava expressamente.

Sua mãe começou a aparecer silenciosamente no quarto de Henry duas ou três vezes por dia com uma caneca de leite frio, ou um pequeno pote de mel, ou uma jarra de água fresca. Ela entrava no quarto sem bater, e em geral não falava nada, sugerindo por seus movimentos serenos e seu silêncio uma aprovação ao trabalho em andamento. Pela primeira vez, pensou Henry mais tarde, a sra. James estava testemunhando na prática, e sem nenhum traço de dúvida para inquietá-la, as teorias do marido sobre a necessidade de descobrir e explorar os prazeres secretos do eu por meio da leitura e do pensamento.

Numa daquelas calmas noites de verão em Newport, sua mãe entrou em seu quarto e encontrou-o adormecido em sua cadeira, com um livro no colo. Ele acordou ao sentir a mão dela sobre sua testa, e reparou em sua expressão preocupada. Ela desceu imediatamente para o térreo e retornou sem demora com a empregada, que preparou a cama para ele enquanto sua mãe brandia um lenço molhado para tentar, segundo disse, baixar a temperatura do filho. Se aquilo não funcionasse, disse sua mãe, ela chamaria o médico na mesma hora, mas agora ele precisava ir para a cama. Tinha sobrecarregado a si próprio e precisava descansar, disse ela. Ele sabia que não se sobrecarregara, sabia que simplesmente caíra no sono num dia quente de verão, mas àquela altura tia Kate já havia aparecido e ele era um paciente, recebendo toda a atenção que a doença recebia na família.

Sua mãe passou a levar-lhe as refeições no quarto e a dispensá-lo de aparecer quando alguém que não fosse do seu agrado estivesse na casa, providenciando também para que ele não ficasse confinado à cama durante os passeios que pudessem distraí-lo ou sempre que estivesse presente uma visita de seu interesse. Ela não discutia sua doença com ele, e quando lhe perguntava como estava se sentindo, era para saber se ele estava na mesma ou um pouco melhor; não lhe dava a liberdade de responder que não estava doente.

Começou então uma conspiração entre eles, um drama no qual cada um conhecia seu papel, suas falas e seus movimentos. Henry aprendeu a andar devagar, a não correr nunca, a sorrir mas nunca dar risadas, a levantar de modo hesitante e desajeitado e a sentar com alívio. Aprendeu a não comer com entusiasmo e a não beber até a saciedade.

Logo depois disso, quando as conversas vívidas e alegres sobre o recrutamento e a necessidade de servir o país encheram a atmosfera, sua mãe passou a cuidar dele diariamente com desvelo e prazer ainda maiores. Com freqüência, ao acordar pela manhã, ele a encontrava sentada ao lado da cama, tendo entrado furtivamente em seu quarto, observando-o com ternura e sorrindo de maneira tranqüilizadora quando ele abria os olhos.

Houve algumas vezes em que ele não conseguiu disfarçar seu vigor, ou esconder sua disposição de participar. Naquele outubro um forte vento vindo do mar soprou em Newport e um pequeno fogo na esquina de Beach com State tornou-se um furioso incêndio. Duas ruas inteiras, incluindo lojas, bares, estrebarias e residências particulares, estavam em perigo, e logo, enquanto um estábulo era devastado, cavalos, carroças e pertences de valor foram removidos para lugares seguros. Toda pessoa saudável era solicitada a ajudar a bombear água de poços ou buscá-la em cisternas. Naquela noite, enquanto uma atividade frenética e gritos ferozes e urgentes o envolviam, Henry trabalhou sem parar para pensar. Foi só quando o fogo já estava extinto e seus braços e suas costas doíam que ele pensou na provável extensão da preocupação de sua mãe.

Ela e sua tia, que tinham sido alertadas para a atividade dele por Bob, estavam à sua espera quando voltou para casa.

Elas o fizeram sentar no sofá e começaram a preparar-lhe um banho quente. Henry fechou os olhos e reclinou-se para trás enquanto elas se agitavam à sua volta. A boca de sua mãe estava cerrada com força. Mais tarde, quando ele já emergira de seu banho quente e estava limpo, cansado e pronto para dormir, ela expressou o temor de que ele tivesse machucado as costas. Saberiam pela manhã, disse ela, se a contusão era grave. Agora era tarde e ele precisava dormir pelo tempo mais longo possível.

No dia seguinte, ele só levantou na hora do jantar. Sua mãe disse-lhe para se movimentar devagar. Ela o ajudou a descer as escadas. Ele entrou na sala de jantar apoiado nela, enquanto seu pai e sua tia tiravam as cadeiras do caminho para facilitar a passagem. Eles o ajudaram a sentar e observaram-no com atenção, animando-o a comer e beber para juntar forças. Mais tarde, sua mãe ajudou-o a voltar para a cama e por alguns dias ele fez todas as suas refeições no quarto, e contou com a solidariedade de toda a família.

Lentamente, no mês que se seguiu, enquanto Henry começava a trabalhar em traduções do francês, Henry pai foi mudando sua visão a respeito da guerra. Começou a vê-la não apenas como uma causa digna de ser apoiada na teoria, mas como uma causa pela qual valia a pena alistar-se como voluntário. E quando ele expôs suas opiniões para a família em torno da mesa, para deleite de Bob, que era jovem demais para se alistar mas grande o bastante para se inflamar de entusiasmo, sua esposa tornou-se cada vez mais apreensiva com Henry.

Nem antes da eclosão da guerra, nem durante seus primeiros meses, Henry e sua mãe jamais discutiram detidamente a doença ou os sintomas dele, e Henry tampouco se permitiu alguma vez refletir claramente sobre sua enfermidade, fosse ela qual fosse. Ele passou a conviver com ela, lidando com sua incapacidade não como se fosse um jogo ou uma representação, mas como uma coisa estranha e secreta. Ao não insistir em defini-la, ao permitir que a conspiração com sua mãe seguisse seu curso delituoso, não tendo sequer contemplado qualquer outra possibilidade, ele vivia sua doença com sinceridade, mesmo quando estava sozinho.

Quando chegou a notícia, porém, naquele primeiro ano da guerra, de primos que haviam se alistado, incluindo Gus Barker e William Temple, irmão de Minny, que, para seu grande orgulho, fora nomeado capitão no primeiro dia de serviço em honra de seu falecido pai, o fato de os rapazes James manterem-se na vida civil, e Henry na inatividade, não pôde deixar de ser notado até mesmo por aqueles que davam pouca atenção ao assunto.

A mãe de Henry percebeu que a moléstia abstrata e ignota do filho, seu obscuro mal, não podia continuar indefinidamente sem nome, que um diagnóstico profissional fazia-se necessário. Por isso, seu pai levou-o a Boston para consultar o dr. Richardson, um eminente cirurgião que ficara ainda mais eminente, na opinião de tia Kate, graças à grande fortuna de sua falecida esposa. Era um conhecido especialista em males da coluna.

Fazia muito tempo que Henry não ficava sozinho com seu pai. Na viagem a Boston, Henry pai parecia muito desconfortável ao seu lado, indeciso, aparentemente, entre compartilhar ou não com seu segundo filho suas opiniões sobre a mudança que ocorreria na América como decorrência da guerra, sendo esta última o único tópico que lhe interessava. Ficou a maior parte do tempo em silêncio, mas não introvertido. Parecia alguém cuja mente estava trabalhando, cujo cérebro estava a ponto de chegar a alguma conclusão grandiosa. Quando chegaram, Henry pai deu a impressão de encontrar mais dificuldade para caminhar em Boston do que em Newport, como se sua confiança na força de sua perna de pau tivesse diminuído ao chegarem na metrópole.

O rosto do dr. Richardson era iluminado por um sorrisinho mordaz, e com esse sorriso brincando em seus olhos claros e em seus lábios meticulosamente barbeados ele olhou para o seu paciente. Ficou então em silêncio enquanto Henry pai começava a falar, explicando a extensão da viagem que haviam feito, o número de seus filhos, a situação deles e sua própria esperança numa nova América. O médico, ao contemplar Henry pai, foi trocando seu sorriso por uma carranca. Seus olhos ficaram frios enquanto ele esperava que o outro terminasse. E quando ficou claro que seu pai não tinha intenção alguma de terminar, o médico simplesmente se levantou de um salto e foi até seu paciente. Com as duas mãos ele lhe indicou que retirasse a parte de cima de suas roupas. Enquanto Henry começava a se despir, seu pai vacilou por um momento, até que o médico lhe trouxe uma cadeira e fez sinal para que se sentasse. Quando Henry ficou nu da cintura para cima, o médico ainda não havia falado nada. Fez Henry levantar os braços acima da cabeça e então, lenta e diligentemente, passou a estudar seu esqueleto, os ossos dos braços, os ombros, a caixa torácica. Em seguida começou a apalpar meticulosamente a sua espinha. Por fim, o fez deitar-se de bruços no divã enquanto ele repetia cada um dos exercícios. Então, tendo indicado a Henry que despisse toda a roupa com exceção da cueca, passou as mãos clinicamente ao longo dos ossos de seu quadril e da pélvis, repetindo o primeiro exercício na espinha, braços e ombros, pressionando com força até Henry ter um sobressalto.

Henry imaginara que lhe perguntariam onde a dor se concentrava e que tipo de dor era, e estava pronto para responder, mas o dr. Richardson não lhe perguntou nada, simplesmente apalpou e observou, com suas mãos firmes, num exame lento, completo e metódico. Seu silêncio era seco. Por fim, foi até a bacia, despejou um pouco de água nas mãos e esfregou-as com sabão, enxugando-as em seguida com uma toalha. Estendeu a Henry suas roupas e balançou a cabeça afirmativamente quando ele começou a se vestir. Esticou-se todo e se espreguiçou.

"Não há nada aqui que um bom dia de trabalho não possa curar", disse. "Muito exercício. Levantar cedo, sair de casa cedo; pode não ser o melhor tratamento para a maioria das coisas, mas é o melhor para este jovem. Ele está em perfeitas condições, tem a vida inteira diante de si. Vou ter de cobrar do senhor por lhe dar essa boa notícia. Não há nada errado com seu filho. E não chego às minhas conclusões precipitadamente. O que lhe digo é o resultado de trinta anos de observação."

Quando Henry se inclinava para recolher seu paletó, o dr. Richardson agarrou seu pescoço com o polegar e o indicador, apertando com força até que Henry, com o rosto contorcido pela dor, tentou se libertar daquela mão, mas o médico apertou com mais força ainda. Sua mão era forte.

"Levantar cedo, sair cedo", disse. "Você não vai receber um conselho melhor que esse por ora. Agora, para casa."

Mesmo agora, tantos anos depois, pensou, ele odiava os médicos, e tinha traçado com muito gosto um retrato de um membro particularmente desagradável da profissão em *Washington Square*, usando alguns dos maneirismos mais odiosos do dr. Richardson em sua descrição dos hábitos profissionais de seu dr. Sloper. Perguntava-se mesmo se a própria consulta, em toda a sua humilhação e grosseria, não teria na verdade causado uma dor nas costas genuína, séria, que não o abandonara desde então. Ele sofrera um bocado também com a prisão de ventre, e freqüentemente culpava o dr. Richardson por ela; fazia tudo para manter-se o mais distante possível de outros da sua profissão, para que não lhe causassem nenhuma nova doença.

Várias vezes por dia Henry olhava para as fotos que William lhe enviara e que ele deixara sobre uma mesa numa das salas do andar de baixo da Lamb House, e notava com cada vez mais interesse o lugar de honra que o monumento ocupava na Câmara de Boston. Seu próprio nome poderia facilmente estar entre os mortos, ou entre os mutilados, e ele seria agora uma lembrança orgulhosa para seu irmão e para aqueles que sobreviveram.

Enquanto explorava a área em torno de Rye, deleitando-se com sua nova vida, trabalhando num novo romance, sentindo-se em casa como que pela primeira vez, meditava sobre a facilidade com que as coisas poderiam ter tomado outro rumo. Ele não tinha sido talhado para ser um soldado, pensou, mas o mesmo valia para a maioria dos jovens de seu meio social que foram combater. Não foi a sabedoria que o manteve afastado da guerra, ele acreditava, mas algo mais próximo da covardia, e enquanto caminhava pelas ruas calçadas de sua nova cidade quase agradecia a Deus por isso. Quisera que esse contentamento pudesse ser simples, mas ele lhe chegava, como muitas outras coisas, acompanhado de culpa, remorso e lembranças do que havia acontecido a seu irmão Wilky, o que aquelas fotografias deixavam bastante claro.

Lembrava-se de que vestira de novo seu paletó aquele dia em Boston e, depois de observar seu pai pagar o médico, saíra ao lado dele para a rua. O silêncio dos dois na viagem de volta tinha um tom diferente. Agora seu pai estava mergulhado numa contemplação melancólica. Nenhum deles, Henry pensou, saberia o que dizer a sua mãe.

Quando a encontraram à porta da casa da família em Newport, ele recordava que ambos permaneceram tão solenes, com uma expressão tão preocupada, que ela acreditou, conforme lhes disse mais tarde, que as notícias seriam as piores. Ela suspeitou, segundo disse, que Henry tivesse uma doença terminal. E agora se sentia aliviada ao ouvir que o prognóstico tinha sido bom, que o problema das costas do filho não era perigoso e não fazia parte de um mal mais amplo.

"Descanse", disse ela. "O descanso será suficiente. Você precisa repousar por alguns dias depois dessa longa viagem."

Henry recordava de ter observado seu pai sem saber se ele iria contar a ela o verdadeiro prognóstico, mas seu pai, naquele momento, parecia ter dificuldades para tirar o casaco e precisou de ajuda. Tão logo o casaco foi pendurado no vestíbulo, seu pai encontrou um livro e sentou-se para lê-lo. Henry conjeturou que, mesmo na privacidade da noite seu pai não iria revelar o que o médico realmente dissera. Contudo, não havia conspiração alguma entre Henry e seu pai para enganar a mãe. Ele reconhecia agora que seu pai nunca contara a ela que seu filho era perfeitamente saudável porque isso implicaria uma refutação muito clara da opinião pessoal dela, e conseqüentemente uma crítica. Iria obrigá-la também a encarar a possibilidade de que a doença e a incapacidade de Henry tinham sido uma maneira de buscar atenção e simpatia. Isso enfraqueceria o caráter moral de

Henry numa família em que a doença era um assunto sério demais para que tais jogos não fossem vistos como uma espécie de sacrilégio, e isso seria muito perturbador para todos, incluindo seu pai.

Seu pai precisava de tempo, Henry pensou, para refletir sobre a grande discrepância entre as palavras "levantar cedo, sair cedo" e o tratamento que Henry vinha recebendo. Ele tinha consciência de que a propensão de seu pai para a mudança poderia se fazer sentir a qualquer momento; sabia também o quanto essa propensão tendia para o irracional, se não fosse controlada e canalizada. Sabia que ficar à toa em seu quarto durante todo o verão, sendo mimado pela mãe e pela tia, poderia fazer seu pai levantar de repente, deixar o livro de lado e, com os olhos em fogo, declarar que alguma coisa precisava ser feita com relação a Henry.

Ele agiu com cuidado, consultando William sobre a conveniência de um curso em Harvard, e depois fez a mesma consulta a seu amigo Sargy Perry, que estava prestes a entrar na faculdade. Não mencionou diretamente a imprevisibilidade de seu pai e o caminho que ela poderia tomar. Manteve um tom elevado, explicando que estava na hora de parar de vadiar às custas da família e começar a pensar numa carreira. William moveu a cabeça concordando.

"Chegou a pensar na carreira eclesiástica? Sempre haverá necessidade de alguém como você, especialmente se estudar teologia em Harvard, onde o consolo dos acamados, com exortações ao arrependimento, é ensinado com tanto zelo e ênfase."

Tolerou o gracejo de William, mas não o deixou afastar-se do assunto. Era jovem o bastante para ainda se importar mais com suas circunstâncias imediatas do que com qualquer visão de longo prazo de sua carreira. Sendo assim, ser deixado em paz durante todo o verão era seu desejo supremo. E quando William sugeriu direito ele se deu conta de que era a única opção plausível. No círculo de amigos de sua família, ele sabia, havia alguns cujos filhos tinham tomado um caminho parecido. Mas, acima de tudo, o estudo do direito soava sério e decisivo, e era também uma mudança de direção. Contentaria o pai com uma breve excitação, e isso evitaria que ele ansiasse por outra do mesmo tipo — pelo menos no que diz respeito a Henry — por algum tempo.

Sua mãe, talvez em conseqüência de um comentário fortuito ou apenas por causa do silêncio do marido a respeito do assunto, começou a perguntar a Henry se suas costas não tinham, de fato, melhorado muito. Ela se perguntou um dia se mais exercício, em vez de mais repouso, não seria a solução. Ele deduzia da incerteza dela e de seu ar vagamente preocupado que seu pai não havia dito nada diretamente, mas tinha consciência também de como o perigo estava próximo agora, e de que ele poderia facilmente ter o seu futuro definido sem sua própria opinião ser consultada. Bastaria que, uma noite, seus pais começassem suas discussões antes de ir para a cama e as prosseguissem em tom abafado até chegarem a uma decisão que seria anunciada no café-da-manhã como fato consumado, como algo que já estava decidido e que não poderia ser mudado.

Henry esperava o momento certo. Seria preciso que ambos os pais estivessem juntos. Ele começaria falando sobre sua própria condição incerta e sua necessidade de tomar uma decisão quanto ao futuro. Daria a entender que não tinha uma idéia definida do que fazer. No entanto, estava alerta para o perigo envolvido nisso — se deixasse essa porta aberta por um tempo longo demais, seu pai seria capaz de trancá-la sem demora, propondo-lhe que se alistasse nas forças da União e, feita a proposta, tornando-a o foco exclusivo da discussão de modo grave e profundo, em prejuízo de qualquer outra possibilidade. Ele precisaria fazer a discussão avançar rapidamente, dizer, talvez, que tinha conversado com William, embora isso também fosse um risco, uma vez que William era alternadamente bem ou malvisto, dependendo da veneta de seu pai. Não podia dizer que desejava ser um advogado, pois seu pai se agarraria à palavra "ser" e lhe daria um sermão sobre seu próprio ser como um dom precioso a ser cultivado com energia, mas também com sabedoria e reflexão sutis. Assim, diria seu pai, não se pode ser um advogado, nem tampouco *tornar-se* um. Uma tal linguagem, insistiria o pai, é uma maneira de afrontar o maior dom concedido por nosso Criador — a vida em si e a graça que o Criador nos oferece de sair de nosso ser em direção a um vir-a-ser.

Não, ele teria que discutir seu anseio de estudar direito, e não de se tornar um advogado; de assistir a aulas sobre direito, de alargar seu intelecto aplicando-o diretamente numa disciplina. Tais palavras, se pronunciadas com espontaneidade e franqueza, como se suas esperanças mais elevadas tivessem se concentrado naquela solução só agora, como resultado daquela discussão, poderiam produzir em seu pai o entusiasmo por essa mudança, e sua mãe faria um gesto de concordância, avaliando com cuidado as conseqüências.

Pensou em procurar primeiro sua mãe e contar-lhe seu plano, mas sabia que as coisas já tinham ido longe demais para isso. De qualquer maneira, seu pai teria suspeitado que ambos conspiravam às escondidas. As costas contundidas de Henry também teriam de ser mencionadas, mas deveriam entrar na conversa com cuidado, nem como um fator decisivo nem como um impedimento, mas como algo que poderia desaparecer do horizonte, aniquilado de uma vez por todas pela força de uma nova decisão.

Encontrou-os tal como sonhava encontrá-los: seu pai lendo e sua mãe andando silenciosamente de um lado para outro da sala.

"Preciso discutir com vocês minha atual situação", disse ele.

"Sente-se, Harry", disse sua mãe, encaminhando-se para uma cadeira de espaldar alto junto à mesa e sentando-se nela com as mãos juntas diante do corpo.

"Sei que está na hora de eu fazer uma escolha, e tenho pensado muito nisso, mas talvez não o bastante, e então resolvi procurá-los para ver, talvez, se vocês podem me ajudar a enxergar claramente como devo viver minha vida e o que devo fazer."

"Cada um de nós precisa enxergar claramente como deve viver a vida", disse Henry pai. "É uma questão que toca a todos."

"Estou ciente disso, pai", disse Henry, e em seguida calou-se. Sabia que seu pai não poderia agora anunciar uma carreira para ele ou sugerir que ele levantasse cedo e saísse cedo de casa. Deixara as coisas abertas para a discussão, não para uma decisão. Podia ver os olhos do pai brilharem de excitação porque uma manhã comum com a família em Newport de repente se transformara e ficara prenhe de possibilidades.

Ninguém mencionou o exército, mas era algo que pairava sobre a conversa, descendo ao nível dos olhos de vez em quando; nem tampouco foi mencionada sua enfermidade, mas ela também povoava a atmosfera. Henry tomou o cuidado de não mencionar nada específico de início, apenas sua inquietação, sua ambição e sua necessidade de esclarecimento — usou a palavra várias vezes — sobre o que poderia fazer agora.

"Tenho me interessado pela América em si, pai, em suas tradições, sua história e, claro, seu futuro."

"Sim, mas esse é um assunto para todos os americanos; todos nós devemos dedicar tempo e energia ao estudo de nossa herança", disse seu pai.

"A América está se desenvolvendo e mudando", disse Henry, "por caminhos que são únicos e que demandam uma abordagem séria."

Perguntou-se se a palavra "séria" não teria sido um erro, se ela não insinuaria que a abordagem de seu pai do tema escolhido por ele era pouco séria. Seu pai era bastante suscetível, mas sua mente agora estava muito ocupada para isso, e sua fervilhante confiança era completa demais para levar a declaração a mal. Henry observou-o tentando avaliar todas as implicações do último comentário e então percebeu que seus olhos tornavam-se duros, sua expressão severa. Ele gostava de ver seu pai se transformar daquela maneira, e lamentava que aquilo ocorresse tão raramente. Não olhou para a mãe.

"O que você gostaria de fazer, então?", perguntou seu pai.

Naquele momento, Henry pai soava como alguém de grande poder, um homem com uma grande renda pessoal à sua disposição e uma extrema austeridade puritana. Era assim, ele pensou, que o pai dele próprio devia ter sido quando se discutiam projetos e dinheiro.

"Não tenho o desejo de me tornar um historiador", disse Henry. "Quero estudar algo com uma aplicação mais específica. Em resumo, quero discutir com o senhor se eu deveria estudar direito."

"E manter-nos a todos fora da cadeia?", perguntou seu pai.

"Você gostaria de juntar-se a seu irmão em Harvard?", perguntou sua mãe.

"William disse que é a melhor escola de direito da América."

"William não saberia nem mesmo infringir uma lei", disse seu pai.

A idéia de um sistema legal em transformação como parte de uma América em transformação, contudo, começou a interessar a seu pai à medida que ele falava sobre o assunto. Depois de um certo tempo de dissertação, ele deu a impressão de abandonar quaisquer preocupações que tivesse quanto à estreiteza do tema e mesmo ao caráter limitador das decisões em si. O fato de que seus dois filhos mais velhos iriam gastar o tempo deles, às suas expensas, em bibliotecas, enquanto rugia lá fora uma guerra pela própria sobrevivência dos valores americanos de liberdade e direitos humanos, pode ter lhe ocorrido, mas, na presença de Henry, ele não deixou que isso nublasse seu novo entusiasmo, e sua esposa, com seu meigo silêncio e seu sorriso, também indicava sua aprovação à idéia de que Henry freqüentasse Harvard para estudar direito.

Agora Henry tinha o verão livre do olhar vigilante e nervoso do pai e dos cuidados zelosos da mãe. Seu caso tinha sido deixado em repouso. Seus pais podiam dedicar-se à preocupação com Wilky, Bob e Alice. Henry podia saborear o calor abafado de seu quarto; podia trabalhar com liberdade; podia ler o que quisesse sem o pressentimento de que seu pai apareceria a qualquer momento e sem aviso na porta de seu quarto e diria que havia uma guerra em curso, que o país precisava dele, que era tempo de se submeter à disciplina do exército, de vestir um uniforme, dormir em casernas, marchar em fila.

Nos dias que se seguiram à concordância de seu pai com sua ida para a escola de direito, Henry descobriu Hawthorne. Conhecia-o de nome, claro, como conhecia Emerson e Thoreau, e havia folheado algumas de suas histórias, dando-lhe menos atenção que aos dois ensaístas por ter percebido um certo grau de opacidade e despojamento nos textos que lera. Eram contos morais simples sobre gente de moral simples, contos leves, superficiais e ternamente triviais. Tanto Henry como Sargy Perry, com quem ele discutia esses assuntos, acreditavam que a literatura mais valiosa, rica e intensa era a escrita nos países que Napoleão havia dominado e atacado; a literatura residia nos lugares onde moedas romanas podiam ser encontradas no solo.

Os *Twice told tales* de Hawthorne lembravam a ele e a Perry simplesmente isto: histórias que poderiam ter sido contadas por suas tias a respeito das tias delas, com todo o detalhe social e a paisagem sensual ausentes.

Seria esse o destino, eles acreditavam, de todo aquele que tentasse escrever sobre vidas da Nova Inglaterra; ele teria que enfrentar a rarefação da atmosfera social, a ausência de um sistema de conduta e a presença de um sistema moral embrutecedor. Tudo isso, ele achava, faria a desgraça de qualquer romancista. Não havia soberano, nem corte, nem aristocracia, nem serviço diplomático, nem nobreza rural, nem castelos, nem herdades, nem velhas casas de campo, nem presbitérios, nem chalés com telhado de sapé, nem ruínas cobertas de hera; nenhuma catedral, abadia ou igrejinha normanda; nem literatura, nem romances, nem museus, nem quadros, nem sociedade política, nem classe esportiva. Para o romancista, ele pensava, se essas coisas ficam de fora, tudo fica de fora. Não há sabor, não há vida a ser dramatizada, apenas escassez de sentimento representada por uma escassez de tradição. Trollope e Balzac, Zola e Dickens teriam se tornado, ele achava, velhos pregadores amargos, ou professores malucos de cabelos desgrenhados, se tivessem nascido na Nova Inglaterra e fossem condenados a viver em meio àquela gente.

Por isso Henry se surpreendeu quando Perry falou com admiração de *A letra escarlate*, que acabara de ler. Perry insistiu que Henry precisava ler o livro imediatamente, e pareceu desapontado alguns dias depois quando soube que ele ainda não tinha começado a leitura. Henry folheara, na verdade, as primeiras páginas e achara-as enfadonhas a um ponto quase risível, distraindo-se em seguida com alguma outra coisa e deixando o romance de lado. Agora, numa segunda tentativa, ele acreditava que o tom semicômico da abertura, com sua conversa sobre prisões, cemitérios e graciosas florações de virtude, nascia da falta de um pano de fundo apropriado, de um mundo social diversificado. Hawthorne substituíra o engenho artístico pela solenidade. Essa era, ele achava, uma virtude puritana que seu próprio avô, segundo lhe disseram, possuíra em alto grau. Ele não se incomodava, disse a Perry, de ler a respeito de puritanos, e não se incomodava tampouco com o fato de ter antepassados que encarnavam as virtudes daqueles, mas fazia sim uma certa objeção a um livro em que esses puritanos e suas virtudes, se é que se podia qualificá-las assim, infiltravam-se no próprio tom, na própria arquitetura da obra em si.

Por insistência de Perry, ele manteve o livro por perto durante vários dias, enquanto se ocupava das histórias de Mérimée, que vinha tentando traduzir, e de uma peça de Alfred de Musset, que começara a fasciná-lo. Em face destes, a falta de cor dos comentários de Hawthorne, a superficialidade de seus personagens e o tom moroso e canhestro com que ele principiava seu relato não instigavam Henry a gastar mais tempo com o livro. Estava portanto despreparado, ao mergulhar de novo em suas páginas iniciais, para o que viria em seguida.

A investida do livro sobre os seus sentidos não ocorreu imediatamente, e mesmo quando seu encanto começou a agir sobre ele, não percebeu que estava sendo capturado e mantido preso. Não seria capaz de dizer em que momento A *letra escarlate* começou a resplandecer e a adquirir uma força equivalente à dos romances de Balzac que ele vinha lendo. Tarde da noite, depois de ter jantado com a família, de quando em quando baixava o livro e ficava espantado com o modo como Hawthorne não se incomodara com a torpeza mesquinha e cotidiana da Nova Inglaterra, com as cômicas idiossincrasias de linguajar, postura e comportamento. O autor evitara a extravagância, fugira da trivialidade. Chegara a manter distância tanto da possibilidade de escolha como do acaso, buscando em vez disso a intensidade, tomando um único personagem, uma única ação, um único lugar, um único conjunto de crenças e um único desenvolvimento, circundando-os com uma escura e simbólica floresta, um vasto e denso lugar de pecado e tentação. Hawthorne não só observara a vida, pensava Henry, mas principalmente a imaginara, encontrara um conjunto de símbolos e imagens que a punham em movimento. Da própria escassez do material, da estreiteza e da frigidez da sociedade em si, da própria percepção de relações não desenvolvidas e de crença uniforme e descolorida, de tudo o que faltava na Nova Inglaterra, Hawthorne tinha tirado vantagem e seguido em frente, com uma visão áspera e implacável, para criar uma história que agora prendia a atenção de seu leitor no decorrer daquela noite de verão.

A maioria dos livros que ele lia não podiam ser discutidos com ninguém, a não ser Perry, ou talvez William, mas agora, no dia seguinte, ele pôde perguntar a sua família, à mesa, sobre Hawthorne. Subitamente, seu pai ficou animado. Afinal, apenas seis meses antes ele havia conhecido o romancista em questão. Quando viajou a Boston para uma reunião do Saturday Morning Club, para a qual havia sido especialmente convidado, ele encontrou Hawthorne entre os presentes. Uma parte da reunião foi insatisfatória, disse seu pai, porque Frederic Hedge não parava de tagarelar, e quase sempre sobre bobagens, de tal modo que foi difícil ouvir o que Hawthorne tinha a dizer. Não que ele tenha falado muito; era muito tímido, mas, mais que isso, era rústico e sem modos; dava a impressão de que estaria mais feliz se estivesse armazenando feno ou seguindo trilhas na floresta. O mais importante a respeito dele, o pai de Henry recordava, era que, uma vez servida a comida, ele perdeu interesse por todo o resto; mergulhou os olhos no prato e comeu com tal voracidade que ninguém ousou fazer-lhe uma pergunta sequer.

Tia Kate disse que anos antes conhecera em Boston uma das irmãs de Hawthorne, que era uma dama afável, tanto mais afável por ser extremamente limitada. A irmã contara a ela que o casamento de seu irmão o transformara, pois até então ele fora um recluso que obrigava a família a deixar sua comida do lado de fora da porta trancada do seu quarto. Ele não saía durante o dia, disse tia Kate, e não via a cor do sol, a não ser pela janelinha do seu quarto. Raramente se dispunha a caminhar em Salem, onde morava, exceto de noite. Quando escurecia, disse ela, a irmã do romancista lhe dissera que ele fazia caminhadas de muitas milhas ao longo da costa, ou andava a esmo pelas ruas adormecidas da cidade. Eram esses os seus passatempos, disse ela, e aparentemente suas ocasiões de contato mais íntimo com a vida. E tia Kate acrescentava de modo agourento que a irmã dele lhe dissera que Nathaniel nunca conseguira sequer um tostão por todo o seu trabalho como escritor.

Henry pai perguntou a Wilky e Bob qual era a visão deles, uma vez que ambos tinham estudado em Sanborn com Julian, o filho do romancista. Mesmo Wilky, que raramente ficava sem palavras, não conseguiu pensar em nada para dizer, exceto que Julian era um ótimo sujeito. Bob contou à mesa que, até aquele momento, julgara que o velho Hawthorne fosse um sacerdote. Pensava que só mulheres escreviam histórias.

A mãe de Henry não havia falado até então. Ela interrompeu a risada geral para dizer que conhecera todas as irmãs Hawthorne e que elas lhe haviam contado a respeito de um ferimento que Nathaniel sofrera quando jogava beisebol, e que lhe causara muita dor e embaraço por vários anos, de tal maneira que ele ficara confinado à cama. Foi, aparentemente, esse mesmo confinamento, disse ela com frieza, que o levou a se tornar escritor.

Tendo procurado Perry para discutir com ele o livro e contar-lhe o que havia aprendido sobre seu autor, Henry descobriu que Perry sabia mais, sabia que Nathaniel Hawthorne viajara muito pela Europa havia pouco tempo, especialmente pela Inglaterra e pela Itália, e que não era, como o pai de Henry deduzira, um grosseirão da roça, mas um artista sério, letrado, viajado, possivelmente uma das mentes mais sofisticadas da América. Pelo resto do verão, enquanto se preparavam para ingressar em Harvard, Henry e Perry leram e releram todos os livros de Hawthorne e encontraram-se quase todos os dias para compartilhar suas impressões.

A guerra, naquele primeiro verão, parecia estranhamente distante. Nem mesmo a proximidade de um hospital de campanha em Portsmouth Grove tinha o efeito de trazer o conflito para mais perto. Segundo lhes disseram, era possível visitar, como espectadores, quase como turistas, os soldados convalescentes, os inválidos deitados sob tendas de lona ou em barracos toscamente improvisados. Com Perry, Henry foi até lá de barco a vapor, sem saber o que iria dizer, ou como iria desviar os olhos dos ferimentos e dos membros amputados. Ao chegar ao acampamento, notou antes de tudo o silêncio; ele e Perry não sabiam bem a quem abordar, ou se era necessário pedir permissão para fazer isso. Como ninguém veio na direção deles, dirigiram-se a um soldado de barba por fazer, vestido de roupas de baixo e sentado num tronco junto a uma tenda. Sua voz era suave, mas seu tom era totalmente impessoal, e seus olhos pareciam exauridos de toda energia. Contentou-se em fornecer uma informação vaga e sem detalhes, dizendo apenas que os dois visitantes eram livres para falar com qualquer pessoa e ir aonde quisessem. Ao final da breve conversa, quando eles não sabiam como se despedir, Perry deu ao soldado uma moeda, que o homem guardou apressadamente, olhando em volta para verificar se havia sido observado.

Os soldados doentes jaziam inertes, meio mortos, observando os dois rapazes de Newport com o canto do olho. O que mais impressionou Henry de início foi o quanto eles pareciam jovens, tenros, crus. Quando ele e Perry se separaram e passaram a andar cada um por si entre os combatentes, sentiu uma grande ternura por eles e um anseio desesperado de consolá-los. Viera pensando que encontraria feridas abertas, sangue e curativos, mas o que encontrou em vez disso foram no mais das vezes febres e infecções. Ia até onde achava que podia, onde um par de olhos se fixava nos seus com receptividade, onde um vulto parecia não ser demasiado hostil nem estar com tanta febre a ponto de ser inacessível. Tomava o cuidado de não falar muito, no início, a fim de evitar que sua voz, ou seu tom, somado a sua aparência geral e a suas roupas, pudesse parecer ofensivamente abastada, mas logo ficou claro que isso parecia não importar, que, mais provavelmente, ela contribuía para a tímida e cautelosa acolhida cordial que ele recebia de cada um dos soldados visitados.

Um deles, conforme descobriu, era mais jovem que ele próprio, um rapaz louro com claros olhos azuis totalmente desprovidos de medo ou alarme. Perguntou ao garoto de forma educada como ele tinha sido ferido, e então se inclinou em sua direção para ouvir a resposta. O garoto primeiro não disse nada, balançando a cabeça de um lado para outro, mas logo, como se tivesse sido interrompido e agora retomasse uma conversa anterior, começou a falar sobre como não sentira a bala penetrando em sua perna, não havia sentido absolutamente nada, ele disse, como se fosse só esse o seu problema. Não foi nada mais que uma picada de inseto, disse, e foi só quando ele baixou a mão e tocou no local que começou uma terrível ardência.

O rapaz disse que detestara a espera, os dias que passara sentado sem fazer nada, recebendo ordens para marchar numa direção e em seguida ordens para marchar em outra, com boatos correndo o tempo todo e nada acontecendo. E agora, disse ele, que a espera tinha terminado, ele gostaria de poder voltar a ela.

Henry disse ao garoto que tinha certeza de que ele ficaria melhor, mas o garoto nem assentiu nem discordou. Havia aprendido a ser estóico, pensou Henry, o que não combinava com sua juventude. O sofrimento entrara de algum modo em seu espírito e lá permanecera, obstinadamente. Henry se perguntava se os pais do garoto tinham sido informados sobre seu membro amputado, ou se ao menos sabiam onde estava o filho. Pensou em perguntar se ele queria que escrevesse uma carta ou enviasse um bilhete, mas não se sentiu capaz de fazê-lo. Estava evidente que, se a infecção não cedesse, ele teria de se submeter a outra cirurgia ou então morreria, e o que Henry não conseguia compreender totalmente, enquanto tentava falar ao garoto com doçura e naturalidade, era sua serena bravura, sua discreta disposição para enfrentar o que estava por vir.

No final, quando não conseguiu pensar em mais nada, ofereceu-lhe dinheiro, aceito em silêncio pelo soldado ferido, e escreveu seu endereço em Newport para o caso de ele estar em necessidade quando se restabelecesse. O garoto examinou o bilhete e acenou afirmativamente, sem sorrir. Henry não se considerou capaz de perguntar-lhe se sabia ler.

Sentou-se numa espreguiçadeira no convés do barco de volta a Newport naquele entardecer, ele e Perry mantendo-se afastados enquanto o barco rangente deslizava lentamente para casa. Ao observar a luz declinante e desfrutar o que restava de calor, sentiu-se envolvido uma vez na vida com uma América da qual ele se mantivera apartado. Tinha escutado com atenção, mas não soubera como reagir. Tentou imaginar a vida daquele jovem sob a tenda, lutando para sobreviver, preparando-se para o pior enquanto mantinha a esperança de voltar para casa. Tentou evocar o momento em que a faca do cirurgião foi solenemente desembainhada e a perna foi imobilizada, e toda a morfina disponível e todo o uísque foram tomados, e os braços foram puxados para trás e a mordaça foi colocada na boca. Queria abraçar seu jovem amigo, ajudá-lo agora que o pior havia passado, levá-lo para casa para que recebesse os cuidados da família. Mas sabia também que, tanto quanto queria socorrer e consolar o soldado, queria estar sozinho em seu quarto com a noite descendo e um livro por perto e pena e papel e a certeza de que a porta permaneceria fechada e ele não seria perturbado até a manhã seguinte. O fosso entre esses dois desejos enchia-o de tristeza e espanto diante do mistério do eu, do mistério de ter uma consciência individual, conhecendo apenas seus próprios sentimentos despojados e experimentando isolada e solitariamente sua própria dor, seu medo, seu prazer ou sua satisfação.

E de repente agora, naquela viagem de volta de barco a vapor na noite cálida, diante da visão do horizonte suave e apaziguador, voltou a invadi-lo com fúria a compreensão de quão profundamente real e isolado era aquele eu; de quão ileso e resguardado aquele eu estava enquanto a faca cortava sem piedade a carne de outro, rompendo gordura e músculos, tendões, nervos e vasos sangüíneos, rompendo o osso duro de outro eu, do alguém em agonia que não era ele, do alguém que jazia ferido sob a lona longe de casa. Deu-se conta de que seu próprio alheamento era completo, integral, assim como o soldado nunca poderia conhecer o conforto e o privilégio decorrentes do fato de ser o filho de Henry James pai que fora mantido longe da guerra.

Em setembro de 1862 seu pai viajou a Boston com Wilky e ali ajudou o filho e seu amigo Cabot Russell a ingressar no exército do Norte. Pouco depois, tendo mentido sobre sua idade, Bob James também se alistou. Wilky e Bob tornaram-se o centro de todas as atenções. Seus comentários, mesmo os mais fortuitos e triviais, eram guardados como preciosidades e repetidos com freqüência; qualquer fragmento de notícia sobre um dos irmãos mais jovens era passado sem demora aos mais velhos.

Em Cambridge, Henry, depois de hospedar-se com William por um breve período, viu-se num quarto pequeno, quadrado e de aspecto inculto, com largas bancadas junto à janela, onde ele começou a organizar seus livros segundo um sistema de classificação altamente refinado. Caminhava pelas estradas rurais em torno da cidade e observava com satisfação as moradas solitárias nas compridas ladeiras gramadas sob os altos olmos; imaginava não apenas a vida que havia dentro delas, mas de que modo aquela vida poderia ser representada, de que modo seria configurada e modelada se um jovem Hawthorne passasse por ali.

Fazia as refeições com seu irmão no restaurante da srta. Upsham, na esquina das ruas Kirkland e Oxford, dando ouvidos a cada palavra pronunciada pelos outros clientes, desfrutando a proteção de seu irmão tagarela e sendo ele próprio pouco solicitado a falar. Amava a fala esparsa, seca e mordaz do estudante de teologia; ouvia com respeito o velho professor Child, cujo tom, quando o assunto era a guerra, era tão sombrio e pesadamente mórbido quanto o das muitas baladas que ele havia coligido.

Durante as aulas expositivas, Henry prestava toda a atenção possível ao tema em questão, mas principalmente observava os colegas, estudando seus tipos, avaliando as expressões, que iam do obtuso e do vagamente bonito até o memorável e o notável. Procurava deixar os olhos pensarem por ele, decifrando os rostos, os sorrisos e as carrancas, os jeitos de andar e de gesticular, e transformando-os em caracteres e temperamentos. A maioria de seus colegas de escola era da Nova Inglaterra, e ele era capaz de adivinhar facilmente, em seus rostos solenes durante as aulas, em sua falta de brandura e de bom humor, em sua postura e em seu jeito de caminhar, que seus antepassados tinham ocupado púlpitos e pregado com fervor sobre a diferença entre certo e errado, e que eles tinham sido criados em lares onde tais princípios estavam firmemente arraigados.

Agora, ali sentados durante as aulas de direito, uma sombra caía sobre eles, a sombra da guerra para a qual não haviam se apresentado como voluntários, uma guerra nunca mencionada entre eles a menos que houvesse notícias frescas e urgentes. Não pareciam rapazes que facilmente dariam ou receberiam ordens, ou marchariam em sincronia, ou teriam seus membros amputados. Acreditavam na União e na abolição da escravatura assim como acreditavam em Deus, mas acreditavam também em sua própria liberdade e em seus próprios privilégios. Sabiam que a abolição era uma causa nobre, e incluíam-na em suas orações; ao mesmo tempo tomavam notas e liam grossos volumes para preparar-se para o seu futuro. Observá-los, Henry pensava, era mais fácil do que falar com eles. Em suas fisionomias ele via uma retidão juvenil que protegia seu sossego como um grande muro de pedra.

Embora assistisse às aulas assiduamente, Henry mal abria os livros de direito. Em vez disso, lia Sainte-Beuve, freqüentava as palestras de Lowell sobre literatura inglesa e francesa e foi ouvir Emerson quando ele veio a Boston atacar a escravidão. Ia ao teatro. Mergulhava em tudo o que a vida em Cambridge e Boston tinha a oferecer. A guerra era um som indistinto que de quando em quando se tornava mais alto, e algumas vezes lancinantemente próximo. Um dia, em Harvard, ele vira à distância seu primo Gus Barker, evidentemente de volta para casa, de licença, mas não correra em sua direção, acreditando que iria vê-lo nos dias seguintes. Mas não o viu e, quando Gus foi alvejado e morto na Virgínia, ele não foi capaz de conciliar a lembrança do primo, sua pele tão branca e seus olhos transbordantes de esperança, seu corpo tão pleno de força contida, com a idéia de que ele tivesse sido abatido e destruído por uma bala, de que ele, tão jovem e imaturo, tivesse sido destroçado pela dor, e abandonado ali no chão enquanto outros passavam por ele, antes de ser enterrado num lugar distante onde ninguém o conhecia.

Sua mãe, quando lhe escreveu contando sobre Gus, disse que havia escrito também para William. Ao dirigir-se ao restaurante da srta. Upsham para sua refeição seguinte, ele não sabia o que iria dizer a William sobre o primo, e notou, quando William entrou no salão, uma expressão de sombrio constrangimento cobrindo seu rosto. Viu-se apertando a mão de William, e isso tornou o mal-estar entre eles ainda pior. William movia a cabeça de modo grave. Nenhum deles conseguia dizer coisa alguma. Foi só quando William contou ao professor Child que o primo deles fora morto na Virgínia pela bala de um franco-atirador que o feitiço se quebrou e a morte de Gus Barker pôde ser discutida.

"Todos esses rapazes condenados", disse o professor, "todos eles saudáveis e corajosos, deixando os seres amados para trás, jazendo mortos no campo de batalha enquanto a guerra prossegue."

Henry se perguntava se o professor Child estaria citando uma balada ou tentando falar naturalmente. Notou que William tinha lágrimas nos olhos.

"Os melhores foram para a guerra", disse o professor, "e os melhores foram liquidados."

Às vezes, durante essas refeições no restaurante da srta. Upsham, o professor Child parecia prestes a declarar que aqueles que haviam permanecido em casa, incluindo seus companheiros de jantar no restaurante da srta. Upsham, eram covardes, mas acabava se contendo.

Nos meses que se seguiram nem William nem Henry sequer mencionaram o nome de Gus Barker um ao outro. Cada um deles sentia, Henry supunha, uma culpa que eles não gostariam de admitir, nem tampouco discutir.

Quando Henry foi visitar Wilky em Readville, teve dificuldade de acreditar que aquele seu doce companheiro de infância pudesse ter chegado a dominar, com o mero auxílio de sua própria alegria e sociabilidade, os mistérios e os apuros que o exército impunha. Tornar-se, primeiro, um soldado feliz e, depois, um oficial afável foi, para seu irmão mais novo, segundo parecia a Henry, um exercício de amizade ao próximo. Mais tarde ele se lembraria dos companheiros de seu irmão como jovens sorridentes, sociáveis e bronzeados, que, como seus colegas da escola de direito, pareciam repletos de genealogias de Boston, mas, apesar disso, tinham se afeiçoado à vida militar, exibindo uma franqueza, um gosto pelo ar livre e mesmo um espírito brincalhão que contradiziam sua formação e sua origem. O hospital de campanha em Portsmouth parecia muito distante e, ao partir naquele dia de volta a Harvard, ele sentiu que uma guerra longa, ou mesmo uma guerra sangrenta, era um cenário distante da imagem de reluzente ordem e sentimentos positivos que ele acabara de testemunhar.

Sua mãe transcrevia os trechos das cartas de Wilky que julgava mais informativos, edificantes ou alarmantes, e incluía-os em suas cartas a Henry e William. Em janeiro, Wilky escreveu para casa a respeito de uma febre maligna chamada malária, que estava contaminando ambos os exércitos. "Há duas semanas", escreveu ele, "enterramos dois de nossos companheiros num intervalo de três dias, e muitos outros contraíram a doença." Ele conseguia soar ao mesmo tempo impaciente para entrar em ação e impaciente para voltar para casa, mas o que Henry depreendeu das cartas, mais do que qualquer outra coisa, foi o idealismo do irmão e sua crença na retidão de sua causa, assim como sua disposição em lutar por ela. Wilky escreveu e sua mãe transcreveu:

> Estou muito bem e com disposição excelente, mas de quando em quando fico melancólico ao lembrar de casa. Se as coisas não ficarem mais animadoras até o final de maio, tenho um grande receio de que não voltemos para casa, pois o governo, acredito, fará um apelo para que os trezentos mil homens alistados por nove meses fiquem mais três meses, já que seus serviços serão realmente necessários. O que se pode dizer quanto a um apelo que emana de um lugar tão elevado e diz respeito a uma causa tão nobre? Quanto a mim, sinto-me contente em ficar se o país precisar de mim, mas seria duro, posso lhes garantir.

Henry imaginou sua mãe transcrevendo isso, depois de escolher o trecho com cuidado. Sabia que ela devia ter hesitado antes de enviar o texto transcrito, uma vez que ele sugeria claramente onde estava o dever. Ela não acrescentou nada e Henry se alegrou com a idéia de que ela, tanto quanto ele próprio ou William, havia engendrado uma situação em que Wilky e Bob tornaram-se representantes da família James na guerra.

William e ele não se comunicaram muito entre si durante aqueles meses, embora comessem à mesma mesa três vezes por dia. Se chegasse uma carta de sua mãe que Henry julgasse conveniente mostrar a William, ele a passava ao irmão sem nenhum comentário; e William fazia o mesmo. Ambos estavam desfrutando sua solidão, os prazeres da introspecção, da companhia intermitente e da liberdade diante da interferência dos pais e do alarido da vida doméstica, mas acima de tudo estavam entretidos com suas leituras.

Era, por outro lado, um período heróico na vida de Wilky, que ele não voltaria a experimentar e do qual, evidentemente, não iria se recuperar. Ele se apresentou como voluntário para servir sob o comando do coronel Shaw como oficial do 54º Regimento. Sua partida foi um evento glorioso, que valeu a vinda de Henry James pai a Boston especialmente para acompanhá-la, usando a casa de Oliver Wendell Holmes pai como ponto estratégico para assistir ao desfile, que seria para ele um momento crucial na história de sua família e da liberdade na América.

William e Henry souberam do acontecimento por intermédio de sua mãe. Quando a carta dela chegou, informando-os da chegada de seu pai, ficou claro que ela supunha que ambos os irmãos desejariam ver com os próprios olhos o bravo triunfo de Wilky e testemunhar ao vivo um singular entrelaçamento entre a história da família e o destino do país. Parecia não passar pela cabeça dela a possibilidade de eles não desejarem comparecer.

William, porém, respondeu imediatamente a carta para dizer que tinha uma importante experiência a realizar no laboratório naquele mesmo dia e que faria todos os esforços para estar lá, mas se esses esforços fracassassem o evento teria de realizar-se sem ele.

Henry esperou a data se aproximar um pouco mais e então escreveu à mãe sobre suas costas, que lhe causavam muita dor, sobre a necessidade de repouso e a esperança de melhorar até o dia 28 de maio, data do evento. Prometeu fazer todo o possível para comparecer, mas se suas costas continuassem a importuná-lo, ou se piorassem, então ele não teria condições de encontrar-se com o pai e acompanhá-lo à casa do dr. Holmes. Não releu a carta antes de enviá-la.

Na manhã de 28 de maio Henry não foi tomar o café-da-manhã no restaurante da srta. Upsham e, ao chegar para o almoço, descobriu que William tinha dado um jeito de se ausentar de todas as refeições daquele dia. O professor Child e dois outros comensais, todos abolicionistas fanáticos, preparavam-se para assistir ao desfile e supunham que a ausência de William se devia a sua ânsia por ver o irmão, cuja bravura em ter se alistado no 54º sob o comando do coronel Shaw era admirada por todos. Henry se surpreendeu ao ver que eles também presumiam que ele próprio tivesse planejado seu comparecimento ao desfile do regimento; ao vê-lo aprontar-se para escapulir dali, ninguém lhe perguntou aonde estava indo.

Deitado na cama, depois de ter retornado discretamente para seus aposentos, Henry percebeu que a calma e o silêncio eram mais profundos que o habitual, como se todo o ruído tivesse se concentrado no caminho do desfile, deixando-o naquelas margens imperturbadas onde não chegava nenhum som, nenhuma ação, nenhum movimento. Espreguiçou-se, caminhou até a mesa e tamborilou os dedos levemente sobre o tampo lustroso, apreciando o som surdo e débil que eles produziam. Pegou na estante um volume de Sainte-Beuve e folheou-o, mas o sentimento de estar distante do centro dos acontecimentos era agora esmagador. Ficou com a respiração suspensa. Era quase excitante; mais que isso, à medida que a tarde avançava foi sentindo algo próximo à felicidade, mas que não se parecia com a felicidade que brotava do trabalho realizado, ou do puro repouso. Em vez disso, estava num quarto com uma cama, livros e escrivaninha num dia em que o ar exterior carregava o perigo consigo. Quando todos os demais tinham fogo nas veias, ele estava tranqüilo. Tão tranqüilo que não conseguia ler nem pensar, mas apenas deleitar-se com a liberdade que a tarde oferecia, saborear o mais profundamente possível aquela discreta e estranha traição, sua própria retirada furtiva do mundo.

A casa da família, quando ele voltou a Newport, estava num permanente estado de expectativa. A família mal notou sua chegada e não deu atenção alguma a sua condição de semi-exilado. Às refeições, não se discutia outra coisa senão Wilky, Bob e seus camaradas, muitos dos quais eram nomes conhecidos da família. Cada carta era recebida com gritos alvoroçados de sua mãe, tia Kate e Alice, mas permanecia fechada até ser entregue a Henry pai, que a lia de modo lento, grave e silencioso para si mesmo antes de passá-la à esposa, que então lia em voz alta os trechos que considerava dignos de comunicação imediata. Em seguida era entregue a Henry ou William, se estivessem presentes, e por fim a tia Kate e Alice, que a liam em uníssono. Henry pai voltava então e examinava a carta várias vezes, qualificando certas mensagens de Wilky dignas de publicação no *Newport News*, e punha-se a caminho sozinho, com entusiasmo e determinação, para entregar a missiva ao editor.

Foi uma carta datada de 18 de julho de 1863 que lhes contou que Wilky estava entrando então em seu período de maior provação e que estaria todos os dias correndo o mais sério perigo. O *Newport News* publicou orgulhosamente na íntegra:

> Querido pai, estamos descendo o rio Ediston, a caminho do front. Só tenho tempo para dizer que saímos do combate do dia 16 com quarenta e sete mortos e feridos. O regimento comportou-se nobremente; e eu daria o meu braço direito para defender o bom nome que ele conquistou. Estamos agora a caminho da ilha Morris; o novo ataque ao Forte Wagner começa amanhã ao alvorecer. Espero e peço a Deus que o regimento se saia tão dignamente como se saiu na ilha James.

Todos eles sabiam o que era o Forte Wagner. Era, conforme Henry pai lhes dissera solenemente, a mais poderosa fortificação isolada da história das guerras. Ela teria que ser conquistada, disse ele, mas não seria fácil fazê-lo. Henry pai estava acostumado a defender a conveniência do envio do 54º, um regimento composto predominantemente de negros, cuja própria aparência provocaria um alvoroço entre os soldados confederados. Nos dias que se seguiram, nos quais eles não receberam nenhuma notícia, ele discutia o assunto com os muitos visitantes preocupados que apareciam na casa dos James e repetia tudo ao visitante seguinte e assim por diante, até ter certeza de que sua atitude com relação à batalha era a correta, ou mesmo a única que valia a pena defender.

Tudo o que eles podiam fazer era esperar. Sabiam que a batalha tinha sido um desastre e que o Forte Wagner continuava nas mãos dos soldados confederados. Ouviram a notícia de que os soldados do 54º haviam se destacado pela bravura. E ouviram que muitos deles estavam mortos. Mas não sabiam nada sobre Wilky. Nos dias e noites quentes de verão, tão profundamente associados ao bem-estar, à felicidade e ao prazer, eles não dormiam, suas refeições eram reuniões embaraçosas em que se comia sem vontade, e à medida que o tempo foi passando eles compreenderam que Wilky talvez não tivesse saído ileso da batalha. Àquela altura, ele já teria dado notícias. Por isso, eles esperavam com apreensão.

Henry pensou nele enterrado junto a uma pilha de corpos, sem nome nenhum para marcar seu lugar de repouso eterno.

"Isso seria o pior para sua mãe", disse-lhe tia Kate, "pensar que talvez ele tenha sobrevivido, e pensar que talvez ele entre na sala a qualquer momento para fazer-lhe uma surpresa. Sua mãe nunca deixaria de ter esperança."

Ninguém, em momento algum, mencionou a ameaça, ou os rumores sobre a ameaça, que Jeff Davis teria emitido num manifesto, ordenando que os oficiais brancos do 54º Regimento de Massachusetts capturados com vida fossem enforcados. Quando tia Kate encontrou aquilo num jornal, onde Henry também já o havia visto, ele a observou levando o jornal para a cozinha e queimando-o no forno.

Com o tempo, é claro, eles iriam descobrir todo o horror do que havia acontecido em Forte Wagner, as fileiras dizimadas praticamente a cada passo, os corpos se amontoando, a morte do coronel Shaw testemunhada pessoalmente por Wilky, a morte de seu amigo Cabot Russell, o primeiro ferimento de Wilky no flanco, e em seguida o impacto de uma metralha no pé. Quando jazia ferido no chão, foi percebido por dois padioleiros, que o estavam transportando a um abrigo provisório para os feridos quando um tiro de chumbo grosso arrancou a cabeça do padioleiro que vinha atrás. Wilky presenciou sua morte instantânea e horrível. O outro saiu correndo. Wilky acordou na manhã seguinte dentro de uma barraca do Serviço de Saúde, a quase três milhas de distância. Depois de algum tempo foi transferido para o Port Royal Hospital, que não era propriamente um hospital, mas um campo cheio de feridos graves e agonizantes, coberto precariamente por uma lona fina, onde os pacientes recebiam apenas a assistência mais rudimentar. Wilky ficou deitado ali semiconsciente, seus ferimentos se infeccionando aos poucos, sem condição alguma de entrar em contato com sua família.

Foi salvo por um milagre. O pai de Cabot Russell viajara à Carolina do Sul em busca de seu filho, acreditando que ele tivesse sido feito prisioneiro. Embora tenham lhe garantido que seu filho não sobrevivera à batalha, ele empreendeu uma busca desesperada e dolorosa nas tendas onde estavam os feridos, e foi assim que encontrou Wilky, reconhecendo-o por puro acaso entre os soldados machucados. Avisou imediatamente a família James por telegrama, fazendo-lhes saber que, enquanto continuava a procurar seu filho, ele garantiria também que Wilky James fosse levado para casa. No início de agosto, o sr. Russell desistiu de sua busca vã no caos da Carolina do Sul e aceitou o que lhe haviam dito desde o começo — que seu filho estava morto. Viajou de barco com Wilky numa maca até Nova York, a infecção cada vez pior, e a bala alojada em seu pé tendo que ser removida a bordo. O outro ferimento, próximo à espinha de Wilky, estava ainda mais infeccionado, mas não podia ser tocado.

Quando Wilky chegou em Newport, depois de viajar com o sr. Russell todo o tempo ao seu lado, estava próximo da morte. A maca foi trazida até o corredor da casa, mas o médico determinou que ela parasse por ali mesmo. A família se reuniu em torno dele, aliviada pelo fato de o momento ter chegado e Wilky ter voltado vivo para eles, mas ao mesmo tempo conscientes de que tal momento poderia ser breve, todos eles convictos de que a sobrevivência dele era agora mais importante que qualquer outra coisa. Só então eles deram atenção ao rosto sofrido do sr. Russell, e Henry ficou observando como cada um deles tentava não parecer abertamente exultante ou preocupado demais com Wilky a ponto de excluir todo o resto na frente daquele pai aniquilado que acabava de chegar do campo de batalha onde jazia seu filho morto. Naquelas primeiras horas, enquanto William recebia instruções do médico para poder cuidar pessoalmente do irmão, e seus pais seguravam a mão de Wilky e mantinham as visitas à distância, e sua tia e sua irmã corriam da cozinha para o corredor com água quente, toalhas e novos curativos, Henry perscrutava o sr. Russell, impressionado por sua cordialidade digna e uniforme, e consciente da diferença que faria para ele se estivesse observando o paciente com uma compaixão ainda mais íntima. O sr. Russell manteve-se silencioso e discreto enquanto esperava a hora de partir; esse silêncio e essa discrição impregnaram a atmosfera até o momento em que a idéia de que aquele homem bom e generoso perdera seu único filho e, ainda assim, sentava-se ali ereto e de olhos enxutos diante do alívio da família acabou fazendo cada um deles, na visão de Henry, agir com cuidado e atenção à sua volta.

Menos de um ano antes, Wilky e Cabot tinham vivido num estado de alegre expectativa, como se a faixa de terra que eles habitavam tivesse sido criada e desbravada especialmente para a liberdade e a felicidade deles. Em Boston, em Newport e nas povoações da Nova Inglaterra, eles eram bem recebidos em toda parte, seu sotaque era compreendido, seus modos, valorizados. Com o tempo, sua franqueza juvenil seria temperada pela experiência, assim como sua beleza iria amadurecer e suas crenças se tornariam sólidas. Ninguém lhes disse, nem tampouco avisou seus pais, que eles seriam mortos antes de fazer vinte anos. A Nova Inglaterra que seus avós e bisavós haviam criado não era um lugar de morte violenta, de ruidosas guerras ou ferimentos infeccionados, mas de colonização, propriedade, paz, retidão. Sentado num banco junto ao sr. Russell, no corredor, Henry sabia que o abalo do seu visitante não vinha apenas do brutal desaparecimento de seu filho dourado da face da terra, mas da idéia de que um pacto coletivo, uma versão da ordem cívica, tal como determinada pela história, tinha sido cruelmente despedaçada.

Wilky voltou para casa sem nenhum pertence. Até seu uniforme estava destruído e teve de ser removido com cuidado. O cobertor que o cobria foi jogado de lado e abandonado num canto do corredor. Alguns dias depois, Henry, de vigília junto ao irmão, deparou-se com ele e levou-o para a cozinha. Ao desdobrá-lo ali, sentiu um cheiro opressivo, mas tão associado ao que devia ter sido o sofrimento de Wilky no campo de batalha que ele teve dificuldade em livrar-se do cobertor. O cheiro era de tabaco, e também da estranha mistura de podridão e suor humano que o uniforme de Wilky tinha exalado. Mas, mais que tudo, havia o cheiro da própria terra, de uma terra de lodo, de estrume e de guerra, a terra que tinha sido estremecida pelos regimentos e violada pelos coveiros, a terra fétida. Encontrou um lugar para o cobertor num galpão atrás da cozinha e voltou para o corredor, mas o cheiro permaneceu com ele. Era o mais vívido testemunho daquilo que seu irmão tinha sofrido.

A casa vivia ao sabor do fluxo e refluxo do tormento de Wilky. Henry se deu conta de que prestara tanta atenção ao sr. Russell naquele primeiro dia porque teria feito qualquer coisa para escapar de olhar para o seu irmão e contemplar seu futuro. Depois que o sr. Russell se foi, ele não teve como deixar de absorver a cena em todo o seu horror. O cabelo de Wilky estava opaco; seu corpo, flácido e suado. Seu irmão não parecia dormir; deitado de lado, gemia o tempo todo e, quando a dor aumentava, gritava subitamente. Às vezes os gritos tornavam-se guinchos e enchiam a casa. Henry acreditava que seu irmão iria morrer.

No café-da-manhã do terceiro dia, sua mãe disse que todos eles, da maneira que pudessem, deveriam tentar compartilhar a dor de Wilky, tirar dele um pouco dessa dor e viver com ela. Todos na casa, disse ela, diante do gesto de anuência do marido, deveriam se dedicar a tomar a dor de Wilky e sofrer uma pequena parte dela em seus próprios corpos. Quando olhou para William, Henry descobriu que o irmão também assentia com a cabeça, como se algo de muito sábio e prático tivesse sido dito. Depois de voltar para o seu quarto, deitou-se na cama e concentrou-se na ferida infectada no flanco de Wilky, que os médicos haviam aberto, mas sem conseguir livrar da infecção. Nenhum desejo, por mais intenso que fosse, poderia fazer alguma coisa para aliviar o sofrimento de seu irmão. Desceu para o corredor e sentou-se junto a Wilky, que gemia suavemente. Aproximou-se do irmão — enquanto sua tia Kate, que já estava lá, sorria para ele — e segurou sua mão por um momento, mas isso pareceu causar-lhe dor e então ele recolheu o gesto. Gostaria que o irmão pudesse sorrir como sempre fazia, mas seu rosto retorcido dava a impressão de que nunca mais voltaria a sorrir. Ele tremia e se franzia de dor, em vez de se abrir num afetuoso reconhecimento. Henry e sua tia ficaram ali sentados com Wilky até que sua mãe chegou e, sem nenhuma palavra, tomou o lugar da irmã no banco ao lado da maca.

A família escondeu de Bob a gravidade do estado de Wilky, e só quando o paciente deu sinais de melhora eles contaram a Bob a verdade. Bob deu um jeito de enviar-lhes uma carta pessoal expressando sua opinião e a de muitos outros sobre a ofensiva contra o Forte Wagner — a de que questões importantes de estratégia tinham sido negligenciadas. Os massacrados, disse ele, eram monumentos à loucura. A carta de Bob não agradou a seus pais; ela carecia de idealismo e de otimismo. Ele, como ficou claro em outras cartas, estava cansado. Sofrera de insolação e disenteria, além de falta de respeito por seus superiores. Suas cartas eram lidas apenas pela família imediata, e sua mãe expressava sua desaprovação deixando sem leitura algumas das cartas, permitindo que seu marido lesse para ela apenas os trechos mais edificantes, se conseguisse encontrá-los.

Quando as feridas de Wilky começaram a sarar, tiveram início seus pesadelos. Ele gritava como se o calor da batalha ou a desordem da retirada se abatessem sobre ele. Depois que melhorou o bastante para ser transferido para o quarto, cada membro da família cumpria um turno para passar a noite ao seu lado, mas nenhum deles sabia como devolver a tranqüilidade ao seu sono e convencê-lo de que não estava sendo atacado e alvejado e de que seus amigos e camaradas não estavam sendo mortos ao seu redor. Seus pesadelos só cessavam quando toda aquela agitação frenética e violenta dos sonhos fazia-o despertar. Era a dor que o trazia de volta à lucidez.

Com freqüência o dia não era melhor, já que a lembrança do que havia visto e sentido tornou-se um pesadelo acordado para Wilky. Seu pai permanecia otimista, certo de seu restabelecimento e certo também de que os mortos na guerra estariam vivendo agora uma manhã eterna, uma felicidade jamais imaginada. Até mesmo o sofrimento de Wilky, dizia ele, servira para unir a família e só poderia conduzir o filho a uma grande proeminência espiritual no futuro.

Henry estava sentado no quarto um dia quando Wilky, agora capaz de falar, embora de modo entrecortado, pediu ao pai que proferisse um sermão. A voz de Wilky era débil, mas seus olhos estavam ansiosos e ele ficou mirando o pai com uma avidez inocente quando Henry pai deu início ao sermão, explicando que cada mortal, tanto o saudável e rico como o doente e ferido, era igualmente dependente da mão divina, e que o melhor que poderíamos fazer era nos dispor a segui-lo com a inocência dos cordeiros. Prosseguiu até que Wilky, de início balbuciando, depois em voz alta e com lágrimas nos olhos, interrompeu-o.

"Ah, pai, é fácil pregar a fé na proteção divina", disse ele, "mas era difícil, onde eu estive, colocá-la em prática."

Henry pai ficou em silêncio. Eles ficaram observando Wilky respirar com dificuldade, em busca de fôlego para poder falar mais. Seu pai virou-se para Henry como se consultasse seu segundo filho para saber se devia prosseguir com o sermão ou esperar para ver se Wilky tinha mais a dizer. Henry não respondeu, mas logo a voz de Wilky conquistou força suficiente para continuar, abolindo qualquer dúvida de que ele não queria mais ouvir pregação alguma, apesar de ter sido ele próprio que a requisitara inicialmente.

"Acordei deitado na areia sob a minha tenda, e lentamente rememorei muito do que havia acontecido, meus ferimentos, minha queda, os dois homens que tentaram me levar para o hospital de campanha, a queda de um deles, meu débil rastejamento em direção à ambulância. Acordei e me vi esquecido, doente e fraco pela perda de sangue. Enquanto eu me perguntava se algum dia voltaria a ver minha casa, vi um pobre homem de Ohio com o queixo arrancado por um tiro, que pensou, suponho, que eu estivesse perto dele e, não conseguindo levantar, se debruçou sobre mim e me inundou com seu sangue. Naquele momento eu senti..."

Wilky cobriu o rosto com as mãos e começou a chorar descontroladamente, mas não conseguiu mais articular nenhuma palavra. Seu choro ficou mais alto, mais histérico, até que ele começou a estremecer na cama, sob os olhares impotentes do pai e do irmão. Logo que sua mãe chegou, ela o abraçou e acalmou, falando depois com brandura aos três.

"Quando Wilky era um bebê no seu berço", disse ela quando ele finalmente adormeceu, "parecia estar sempre sorrindo. Tentei descobrir se ele ficava sorrindo o tempo todo ou se começava a sorrir só quando ouvia que eu estava me aproximando. Mas nunca consegui descobrir. É disso que eu gostaria agora, é isso que eu estou esperando — que ele comece a sorrir novamente."

William voltou para Harvard naquele setembro para prosseguir seus estudos, mas Henry não seguiu seu exemplo. Seus pais continuavam preocupados com Wilky, mas tiveram um grande alívio quando, numa nova ofensiva ao Forte Wagner — que, felizmente, fora evacuado pouco antes do ataque —, Bob sobreviveu sem nenhum arranhão.

Henry permanecia em seu quarto enquanto Wilky convalescia e Bob seguia com seu regimento. A reação de sua mãe à sua reclusão e ao seu silêncio tornou-se mais doce quando Wilky começou a manifestar o desejo de voltar para o exército assim que se sentisse em condições, sem se importar com o que dissessem os médicos. Durante as refeições sua mãe falava um bocado sobre o sacrifício e a bravura de seus dois filhos mais jovens, mas seu tom era mais de amargura do que de orgulho.

"Ambos viram coisas que ninguém da sua idade deveria ver. Testemunharam e viveram horrores, e agora não sei como eles vão algum dia ter paz, sem ser perseguidos por visões que nenhum de nós seria capaz de imaginar. Quem dera não tivessem se alistado. É tudo o que posso dizer. E quem dera a guerra nunca tivesse começado."

Tia Kate fez um gesto afirmativo, mas Henry pai ficou fitando vagamente a distância, como se sua esposa tivesse feito um comentário amável. Tão logo terminava cada refeição, Henry voltava para o seu quarto. Sua mãe começou, mais uma vez, a preocupar-se com suas costas, trazendo-lhe almofadas e fazendo com que se deitasse para ler, em vez de ficar sentado.

Ele não soube o que lhes dizer quando seu primeiro conto, escrito à moda francesa, sobre uma mulher adúltera, foi aceito pela *Continental Monthly* de Nova York. Seria publicado anonimamente, portanto ele sabia que poderia esconder deles a notícia, se quisesse. Esperou um dia ou dois, mas então, ao encontrar seu pai sozinho na biblioteca, decidiu revelar seu segredo. Em menos de uma hora seu pai leu a história e expressou desaprovação ao seu conteúdo, que a seu ver não era nem um pouco edificante e dramatizava os motivos mais abjetos. Então seu pai escreveu a William, que enviou a Henry um bilhete zombando dele e se perguntando como ele ficara conhecendo senhoras adúlteras francesas. Por fim, seu pai espalhou por Newport a notícia de que seu filho estava para publicar um conto à moda francesa.

Wilky voltou para seu regimento, mas foi considerado sem condições físicas de ir em frente e teve de voltar para casa de novo, determinado a melhorar para poder acompanhar a guerra até a vitória final. Nada turvava seu entusiasmo. Tornou-se um hábito de Henry, nesse intervalo em que Wilky esperava para se reincorporar, sentar-se ao seu lado para ler em silêncio enquanto o irmão dormitava ou ficava deitado imóvel e calado. Uma noite, quando se preparava calmamente para voltar ao seu próprio quarto, deixando Wilky tranqüilo, foi abordado no corredor por sua tia Kate. Ela sussurrou a Henry que tinha deixado um pedaço de bolo e um pouco de leite para ele na cozinha. No momento em que ia responder-lhe que não queria bolo nem leite, ele percebeu o rosto dela se turvando e sua testa se franzindo, e compreendeu que ela queria que ele a seguisse até a cozinha.

Os dois desceram, caminhando pela casa na ponta dos pés. Na cozinha, ela começou a cochichar alguma coisa sobre o restabelecimento de Wilky, depois fechou a porta e pôde falar em voz alta.

"Ele está louco em querer voltar para a guerra", disse ela. "Como se não bastassem os ferimentos que já teve e tudo o que sofreu."

"Ele se mantém idealista quanto à causa", disse Henry.

Tia Kate franziu os lábios em desaprovação.

"Ele nunca vai sossegar, mesmo depois que esta guerra terminar. Ele é como todos os James, com exceção de você", prosseguiu ela. "Teimoso, cheio de entusiasmo insensato."

Examinou o rosto dele para ver se tinha ido longe demais, mas ele lhe sorriu de volta, divertido, indicando que ela podia continuar falando, se quisesse.

"Eram todos iguais, na família de seu pai. Se eles tomavam um drinque, acabavam tomando mil drinques. Uma noite de jogatina levava-os a perder até o último centavo. Uma página de teologia bastava para..." Ela se interrompeu, balançou a cabeça e suspirou.

"E metade deles morreu cedo, você sabe, deixando órfãos seus primos, as garotas Temple e o pobre Gus Barker. Claro que o velho patriarca, o velho William James de Albany, era tão rico quanto o senhor Astor, mas os Astor eram todos bons nos negócios, gente equilibrada, e os James, depois que o patriarca morreu, eram bons em jogatina e bebedeira e morriam jovens, mergulhando de cabeça em causas insensatas. Cada vez que ouço Wilky falando em voltar ao combate, vejo os James claramente, sempre prontos a fazer algum desatino. E William querendo ser pintor num dia e médico no dia seguinte. Você é o único que puxou à nossa parte da família, o único sólido."

"Mas eu estudava direito no ano passado e depois mudei de idéia", disse Henry.

"Você não tinha entusiasmo algum pelo direito. Fez aquilo só para escapar daqui, e, com toda essa loucura de guerra, você estava certo. Se tivesse ficado, eles o teriam alistado e agora você estaria coxeando por aí com metade do corpo amputada."

Sua voz agora era áspera, e seus olhos penetrantes, quase furiosos. À luz baça da lâmpada ela parecia o desenho de uma velha ao mesmo tempo sábia e louca. Parou de falar e deixou a boca e o queixo sossegarem. Observava-o, à espera de uma resposta. Quando viu que ele não falava, começou de novo.

"Você é o único consistente, o único que vai saber cuidar de si próprio. Pelo menos nós temos você."

Na época em que o primeiro conto de seu filho apareceu impresso, Henry pai já estava inquieto novamente e decidira, segundo disse, transferir a família definitivamente para Boston. Henry ficou feliz em deixar Newport. Agora ele mantinha seus contos em segredo, deixando a família ver apenas as resenhas que ele estava escrevendo para periódicos — a *Atlantic Monthly*, a *North American Review*, a *Nation*. Sem que nenhum deles soubesse, ele trabalhava com vagar e minúcia todos os dias na história de um rapaz que vai à guerra, deixando a mãe e a namorada para trás. Ao começar, estava envolvido numa invenção pura e engenhosa, como se estivesse escrevendo uma balada daquelas que o professor Child compilava. Definiu a mãe difícil, orgulhosa e ambiciosa; John, seu filho corajoso e despreocupado; e Lizzie, a namorada inocente, bonita e coquete. Criava cada cena com desvelo, relendo a cada manhã o que havia escrito no dia anterior, fazendo supressões e acréscimos o tempo todo. Tentava trabalhar rapidamente de modo a conferir velocidade e fluência à narrativa e, num daqueles dias, na nova residência alugada pela família em Beacon Hill, ocorreu-lhe algo que o chocou, mas não o fez parar.

"No quarto dia, ao anoitecer, John Ford", escreveu ele, "foi trazido até a porta na maca, sua mãe caminhando solenemente ao seu lado, endurecida pelo sofrimento, e amigos gentis e silenciosos espremendo-se para prestar ajuda."

John estava doente demais para ser transportado, e seus ferimentos eram graves demais para que ele pudesse receber a visita de sua namorada Lizzie. Ao escrever, Henry sentia que estava se aproximando ao máximo do que lhe afligia na vida desperta e na maioria dos seus sonhos: o destino de seu irmão ferido. Seu pai não poderia acusá-lo de imoralidade, e William tampouco poderia escarnecer dele por escrever sobre um mundo que não conhecia. Subitamente ocorreu-lhe uma imagem e sua respiração parou, de puro medo de que pudesse perdê-la. "Quando Lizzie foi convencida a deixar a casa de John, ela pegou uma coberta numa pilha de panos que fora largada apressadamente no corredor de entrada: era um velho cobertor do exército. Envolveu-se nele e saiu para a varanda."

Teve vontade de ir até o galpão atrás da copa e procurar o cobertor que tinham tirado de Wilky, mas então se lembrou de que estavam em Boston agora, e não em Newport, e de que o cobertor certamente fora jogado fora ou abandonado lá por ocasião da mudança. Tratou de buscar na memória o cheiro do cobertor, sua aura de exército e campo de batalha: "Um estranho cheiro de terra permanecia naquela velha manta desbotada, e com ele um vago perfume de tabaco. Instantaneamente os sentidos da moça foram transportados como nunca antes para aqueles distantes campos de batalha do Sul. Ela viu homens estendidos no brejo e pitando seus cachimbos, puxando os cobertores para junto de si, banhados pela mesma luz tênue que banhava a confortável fraqueza dela própria. Sua mente vagava por aquele cenário...".

A sensação de poder era nova para ele. Aquela incursão em suas próprias lembranças, aquele reexame de um objeto que lhe era tão próximo, tão entranhado em seu tesouro pessoal que ninguém jamais saberia de onde tinha vindo aquela passagem de sua narrativa, faziam-no acreditar que havia feito algo de ousado e original.

8. Junho de 1898

Viu sua amiga, a romancista, caminhar em direção à janela da sala de estar, mas não sugeriu a ela que talvez ficasse mais confortável no lugar que lhe reservara originalmente. Ela buscou uma posição em que ficasse de costas para a luz. Ele se perguntava se ela teria lembrado que duas ou três de suas próprias heroínas tinham entrado em salas daquela maneira e sentado alegre e deliberadamente de costas para uma ampla janela, de modo a mostrar aos outros seu costado sob a mais favorável das luzes.

Uma vez sentada, porém, a sra. Florence Lett não parecia preocupada com seu rosto, já que enrugava a testa e fazia caretas. Não era capaz de proferir uma frase sem exibir mudanças dramáticas de fisionomia, sorrindo, franzindo o cenho e torcendo o nariz, de resto tão perfeito. Ele se perguntava como aquele rosto tinha suportado tantas alterações atmosféricas. Em pouco tempo, pensou, haveria um desmoronamento, alguma coisa teria de descambar. Enquanto isso não acontecia, ele desfrutava a conversa dela sobre sua temporada na Itália, seu próximo livro, sua filha encantadora, a lentidão dos trens até Rye, sua tristeza por só poder ficar por um curto período, e de novo sua linda filha, de seis anos, que estava sendo festejada na cozinha pela criadagem, a educação e a herança da filha, e de novo a Itália e a morte, por suicídio, da grande amiga de Henry, a romancista Constance Fenimore Woolson.

"Em Veneza", disse ela, "eles falaram de você, querendo saber por que você partiu de modo tão abrupto e por que não voltou. Ele é um artista, eu lhes disse, um artista supremo, não um diplomata, mas de todo modo eles querem muito vê-lo. Veneza é triste, é sempre triste, mas agora mais ainda, e pessoas que provavelmente nem conheciam Constance dizem sentir falta dela. Pobre Constance, você sabe que eu não poderia caminhar por aquelas ruas. Tive de sair dali, não sei o que você vai fazer."

Devagar, a porta se abriu e a filha da sra. Florence Lett entrou silenciosamente na sala. Sua mãe estava no meio de uma frase e não se interrompeu. A garotinha examinou a sala com uma expressão serena. Trajava um longo vestido azul. Henry notou também o azul intensamente suave de seus olhos e sua pele fresca e clara. Nesse momento, enquanto ela se postava ali em silêncio, respeitando a conversa da mãe, ele a julgou imensamente linda. Do sofá, estendeu os braços para ela e, sem pensar muito, ela caminhou furtivamente em sua direção e o abraçou, sentando-se em seu colo com os braços ao seu redor.

"Todos fomos ver o túmulo dela, é claro", prosseguiu sua visitante. "Diante de certos túmulos a gente sabe que a pessoa está em paz, que o fato de jazer ali faz parte da natureza. Mas eu não senti nada disso com relação à pobre Constance, embora o cemitério seja um lugar perfeito. Ela o teria adorado. Mas não sinto que ela esteja em paz. Não sinto mesmo."

Henry ficou ouvindo enquanto a sra. Florence Lett entrava em detalhes. Ele não dizia nada à garota no seu colo, e supunha que, depois de alguns instantes, ela atravessaria a sala em direção à mãe. Contudo, ela havia se acomodado confortavelmente, a ponto de amolecer os braços aos poucos e cair no sono. Ele não sabia se o fato de ficar à vontade com estranhos era um dos encantos da menina, mas decidiu não perguntar isso à mãe.

Quando a menina despertou, a luz na sala estava esmaecendo, a criada havia recolhido o chá e a sra. Florence Lett já esgotara um grande número de assuntos. A menina sorriu para ele ao abrir os olhos. Ele se sentiu imensamente comovido por ela, como se sua vinda até ele, com a confiança que uma criança deposita no pai ou na mãe, trouxesse consigo segurança e boa sorte. Sorriu enquanto ela se levantava.

Já que a sra. Florence Lett deixou de comentar o que acabara de ocorrer, ele também não disse nada. Teria dado qualquer coisa para poupar a garotinha de um embaraço. Ela viera até ele tão naturalmente. Quando elas estavam partindo e os criados vieram se despedir da menina, ficou claro que ela causara uma grande impressão durante sua visita à cozinha e à copa. A menina ficou então encabulada pela primeira vez e agarrou-se à sua mãe, que lhe falou com firmeza e cuidado, incentivando-a a oferecer um sorriso tímido e contrafeito e um breve aceno de mão antes de partir.

Quando voltou à sala de visitas e ao sofá onde havia estado, ele sentiu na atmosfera um resíduo daquela presença angelical. Desde seu retorno de Londres, alguns dias antes, estivera tentando trabalhar, obrigando-se a permanecer no escritório durante todo o dia, descuidando de sua correspondência e não convidando ninguém para visitá-lo. A sra. Florence Lett tinha sido mais esperta: anunciou por telegrama que estava a caminho, deixando claro que não esperava resposta alguma, e cumpriu o prometido.

Agora, enquanto as luzes se acendiam na Lamb House, ele voltou para sua escrivaninha e começou a pensar no que ela dissera sobre Veneza. Tinha diante de si uma carta da sra. Curtis, a proprietária do Palazzo Barbaro, cuja hospitalidade ele havia desfrutado tantas vezes. Ela usava as mesmas palavras sobre a cidade. Escrevia sobre a tristeza do lugar, sobre as ruas próximas ao edifício de cujo segundo andar Constance Fenimore Woolson se atirara.

A morte de Constance, assim como a da irmã dele, Alice, conviveu com ele dia após dia. Imagens dela iam e voltavam, às vezes do seu corpo inerte estendido na rua sob a sua janela, e às vezes um detalhe, o modo como seus lábios se moviam em silêncio enquanto ele lhe falava, o desespero com que ela, a despeito da má audição, tentava acompanhar o que ele dizia. Ele a via sob o sol de Bellosguardo, talvez a época mais feliz da vida dela, debaixo de um guarda-sol, vestida de branco e sorrindo para ele, como se estivesse posando para um retrato cuidadosamente composto e oferecendo-lhe, como fazia tantas vezes, sua plena e possessiva aprovação, antes mesmo que ele começasse a falar. Ela fora, ele supunha, sua melhor amiga, a pessoa de fora da família que mais se aproximara dele. Ainda não conseguia acreditar que ela estivesse morta.

Entre os objetos que lady Wolseley incentivara-o a comprar para a Lamb House estava um velho mapa de Sussex, que comprovava as mudanças de relação entre o mar e a terra firme naquele trecho da costa. Ele sentia prazer em pensar que Rye e Winchelsea pertenciam a um terreno móvel, à transformação sem fim da orla marítima. As linhas ali não estavam determinadas e estabelecidas numa pedra, mas sim abertas, como ele gostava de pensar, à inspiração. Às vezes, quando caminhava lentamente para um lado e para outro do espaço radiante de seu jardim-de-inverno, ou sentava-se na sala de visitas, no andar de cima, olhando para a luz que vinha de fora, alimentava a fantasia de que, com um gesto de sua pena, ou com o som de sua voz, o rio poderia mudar seu curso, ou o mar invadiria a terra, ou um novo e pequeno recorte apareceria na costa.

Tanto Rye como Winchelsea pareciam agora localizadas de um modo quase tolo. Ele adorava contar a suas visitas de que maneira Winchelsea fora praticamente destruída no século XIII por uma imensa tempestade que revolveu trechos da praia, deixando claro que o futuro da cidade era precário. E por conta disso a cidade foi transferida, e a antiga foi abandonada como um fantasma, ele gostava de dizer a seus convidados, ou como uma velha família reduzida a seu último membro, guardando apenas lembranças de seu tesouro efêmero enquanto uma família usurpadora florescia. Mas o sucesso daquele novo empreendimento também estava destinado a ter vida curta. Quando há um combate entre o mar e a terra, prosseguia ele, é geralmente o mar que sai vitorioso, enquanto a terra se dissolve. Rye e Winchelsea, isto é, a nova Winchelsea, estavam dispostas a ser grandes portos, com grandes planos e sonhos. Mas então, nos séculos que se seguiram, a terra venceu, e devagar e furtivamente uma modesta planície, onde agora pastavam ovelhas, começou a se formar entre aquelas cidades e o mar, empurrando de volta o mar de modo suave e efetivo.

Se a primeira Winchelsea morreu por afogamento, a segunda permaneceu alta e seca. Ele falava como se esse fosse um fato difícil de aceitar. Essa planície, esse estranho acréscimo à terra firme, dizia ele, colocado ali por um capricho da natureza, deixava-o satisfeito, como se ele tivesse ajudado pessoalmente as coisas a acontecerem. Aquilo contribuía para o mistério de Rye, e para o seu envolvimento pessoal com o lugar — o mar chegara no passado até a sua porta da frente, e agora tinha recuado, deixando apenas a luz marinha, as gaivotas e uma planície rasa, um ambíguo empréstimo que as águas tinham feito a Sussex e seus habitantes.

Para aquele mundo, de onde o oceano tinha se retirado tão educadamente, ele havia se transferido, ao seu próprio modo brando e educado, criando espaço para que seu trabalho florescesse e seu sono chegasse com facilidade. Ele agora possuía um lar, muito maior do que qualquer um com o qual seus pais pudessem ter sonhado, e a condução serena de seu pequeno império era uma questão de cuidados, orgulho, preocupação e altas despesas.

De Londres, onde eles o haviam servido com lealdade, trouxera os Smith, a sra. Smith para cozinhar e seu marido para trabalhar como mordomo. Em Rye, ele empregara Fanny, a copeira, bonita, calada e atenciosa, e também em Rye encontrara um tesouro chamado Burgess Noakes, baixo como um gnomo e nada bonito, mas que compensava isso com sua pontualidade e seu desejo de agradar. Burgess era jovem, e aquele era seu primeiro emprego sério, o que significava que ele não adquirira hábitos iníquos ou desleixados. Podia ser treinado como empregado doméstico e também como secretário pessoal sem ser levado a pensar que os deveres do primeiro cargo pudessem ser menos honrados ou menos dignos de atenção que os do segundo.

Henry falara com a mãe do rapaz, que se estendera em considerações sobre como ele era bem-disposto, asseado, reputado e maduro para os seus quatorze anos, e como ela ficaria triste por separar-se dele. Quando o rapaz finalmente apareceu, a discrepância entre seu rosto e compleição de malandro e a avidez sem fim de seu olhar conquistaram imediatamente o afeto de Henry. Este não deu sinal nenhum disso, contudo, restringindo-se a explicar à mãe, enquanto o rapaz ouvia, que Burgess Noakes seria empregado por um breve período, de modo a ter testada sua adequação ao cargo, e que depois daquele período eles discutiriam os termos da sua contratação, se fosse o caso.

Henry gostava de ser conhecido em Rye. Ao caminhar pelas ruas, tinha prazer em cumprimentar com cortesia e urbanidade todo mundo que reconhecia. Freqüentemente saía acompanhado por seu cachorro Maximilian, ou pelo escocês, que encontrara moradia em Rye e tornara-se um assíduo caminhante e ciclista, ou ainda por alguma visita que estivesse hospedada na Lamb House. A idéia de residir numa pequena e tradicional comunidade inglesa fazia parte dos seus sonhos; ele se sentia profundamente orgulhoso de sua boa acolhida em Rye e de conhecer seus habitantes, sua topografia e sua história, principalmente na presença de visitantes americanos.

Quando as visitas chegavam de trem, como costumava acontecer, Henry encontrava-as pessoalmente na estação. Burgess o acompanhava, conduzindo com habilidade um carrinho de mão que servia para transportar a bagagem dos visitantes ladeira acima até a Lamb House. Henry admirava o instinto social de Burgess nessas ocasiões. Ele ficava à parte, com o carrinho de mão a postos, quando o trem parava na estação. Por um momento ele não se intrometia, enquanto Henry e seus visitantes entregavam-se aos cumprimentos e aos comentários preliminares; tratava de saber do comissário do trem que bagagem pertencia ao visitante do sr. James sem precisar consultar seu proprietário. Tomava o cuidado, entretanto, de fazer o viajante ver a bagagem colocada no carrinho de mão. Então ele se deslocava discretamente atrás de Henry e de seu visitante enquanto eles caminhavam ladeira acima.

A casa era, a seu modo modesto, linda e perfeita, mesmo para aqueles que só a conheciam pelo exterior. Seu segredo, entretanto, era o jardim, privado, apartado, cheio de plantas antigas e cultivado com cuidado e bom gosto.

Tão logo alugou a casa, Henry contratou George Gammon, um jardineiro local, por meio período. Todos os dias eles discutiam a propósito de mudanças que poderiam ser feitas, novas plantas e ajustes sazonais, mas conversavam acima de tudo sobre que flores estavam brotando agora, ou a ponto de brotar, e como aquele ano estava diferente do anterior, e quanto poderia ser feito em um curto espaço de tempo. Ambos examinavam o espaço murado em seus detalhes e em sua totalidade. Ele apreciava o modo como George Gammon deixava o silêncio se prolongar, sem acrescentar nada, e, antes de se afastar, esperava até que Henry decidisse que era hora de voltar para o trabalho.

Os Smith não se adaptaram a Rye. Durante os dez anos em que trabalharam para ele em Kensington, morando no quarto de empregados do seu apartamento, eles lidavam com os mesmos comerciantes todos os dias, e freqüentavam os mesmos estabelecimentos. Conheciam muitos outros criados da vizinhança. Para eles, umas poucas ruas de Kensington representavam uma aldeia na qual se sentiam plenamente em casa. A cada manhã, a sra. Smith, com expressão respeitosa, mas tentando também, de um modo tímido e sofrido, estar alerta e inteligente, ouvia do romancista suas tarefas diárias. Quando ele estava trabalhando, essas tarefas resumiam-se à refeição simples e bem preparada, servida com muda discrição pelo sr. Smith. Às vezes, quando havia companhia, ele dava aos Smith instruções para vários dias e discutia com a mulher os pratos com alguma minúcia. Quando estava fora de casa, não sabia o que os Smith faziam, mas supunha que tomassem posse de seu apartamento com o máximo de ousadia de que eram capazes, e que com isso desenvolvessem numerosos maus hábitos.

Quando ele estava em casa, porém, eles se mostravam discretos e cautelosos, e satisfeitos com seu patrão, que geralmente era, segundo acreditava, pouco exigente. Quando já trabalhavam para ele havia seis anos, e ficaram sabendo que ele viajaria para o exterior depois da morte de sua irmã, a sra. Smith procurou-o para tratar de um assunto pessoal. Mais tarde, ele se deu conta da quantidade de discussão que devia ter havido entre eles antes de concordarem em tomar aquela atitude. Ela tremia visivelmente ao falar. O pedido era incomum, e a maioria dos patrões, mesmo os bondosos, o teria recusado de imediato, e mesmo se incomodado com sua natureza insolente, mas ele foi surpreendido pela energia que a sra. Smith infundiu em seu discurso e pela sua tímida sinceridade. E também, é claro, compreendeu sua grande necessidade.

Ela lhe disse que sua irmã estava doente e teria de submeter-se a uma operação. Precisava de um lugar para convalescer. A paciente não poderia ficar sozinha durante aquele breve período e não tinha ninguém mais a quem recorrer. Uma vez que o sr. James passaria vários meses na Itália e que o apartamento ficaria, supunham eles, vazio, ela se perguntava se não haveria possibilidade de sua irmã mudar-se para o quarto de hóspedes e ser assistida ali. Ela iria embora, evidentemente, antes que o sr. James voltasse.

Ele ficou feliz pelo fato de não ter remoído o assunto nem procurado conselho de outra pessoa. Tomou a decisão naquele instante e disse à sra. Smith que, desde que ela e seu marido arcassem com as despesas, sua irmã poderia ficar, mas o apartamento deveria estar desocupado e silencioso quando ele voltasse da Itália. Assim que acabou de falar, ele viu que a cozinheira tentava se conter, tentava agradecer, mas ao mesmo tempo queria sair correndo para dar a notícia ao marido. Ela caminhou nervosamente para trás, agradecendo-o o tempo todo, antes de se virar e deixar a sala.

Ele não mencionou a irmã da sra. Smith nas ocasiões em que falou com ela nos dias anteriores a sua partida. Deixara claro as condições e achava que seria indelicado trazê-las à tona novamente. Tampouco queria vê-la outra vez naquele papel desagradável. Durante sua temporada na Itália, portanto, presumiu que a irmã da sra. Smith não estava lhe causando nenhuma despesa pessoal e que todos os vestígios dela estariam apagados quando ele voltasse.

Tão logo entrou pela porta dois meses depois, porém, soube que uma pessoa enferma estava sendo assistida em seu apartamento. Ficou perplexo quando o sr. Smith, que o recebeu no salão de entrada, não fez referência alguma ao fato. Quando ele pediu cortesmente ao mordomo, mal disfarçando sua impaciência, que dissesse à esposa que o sr. James desejava vê-la em seu escritório, o sr. Smith reagiu como se essa fosse uma solicitação corriqueira que pudesse ser transmitida sem grande preocupação.

A sra. Smith pareceu-lhe mais destemida que em qualquer outra ocasião em que a havia visto. Postou-se diante dele plenamente senhora de si. Sim, disse ela, sua irmã ainda estava ali, sofrendo de câncer, e ela, a sra. Smith, aguardava a opinião do sr. James para decidir o que fazer.

Se aquilo fosse um romance, o personagem dele certamente diria algo muito áspero à sra. Smith, mas Henry estava ciente de que a irmã dela jazia doente num quarto próximo e que a sra. Smith tinha uma séria responsabilidade, agora compartilhada por ele, uma vez que a mulher enferma estava sob seu teto.

"O médico tem vindo?", perguntou ele.

"Sim, ele já esteve aqui."

"A senhora poderia providenciar para que ele viesse de novo o mais rápido possível, para que eu possa conversar com ele?"

O médico era sombrio e esquisito. Quando ele quis saber de que posição a irmã da sra. Smith gozava na casa, Henry insistiu em que se ativessem a assuntos médicos. Estava claro, disse o médico, que aquela senhora iria precisar de uma nova operação, e depois disso, de cuidados consideráveis, e ele não sabia se esses cuidados estariam disponíveis.

"Custam dinheiro, esses cuidados. Tudo custa dinheiro."

Quando Henry abriu a porta para o médico, o sr. Smith andava de um lado para outro do salão de entrada.

"O senhor pode providenciar a operação e me informar que tratamento será necessário em seguida?", perguntou bruscamente.

"Tudo isso vai custar, como o senhor deve saber", disse o médico antes de partir.

Em algum momento das duas semanas seguintes, enquanto a paciente se submetia à sua operação, Henry se deu conta de que o sr. Smith andava bebendo. Esperou até que o casal estivesse ausente e a outra doméstica saísse para uma incumbência qualquer e entrou na cozinha, onde encontrou uma garrafa vazia de uísque e algumas garrafas vazias de vinho doce e de xerez. Mais tarde, inspecionou as contas da casa, mas não encontrou nenhuma evidência de que aquelas garrafas tivessem sido compradas com o seu dinheiro. Sentiu-se ridículo por espionar a cozinha e decidiu que não faria mais aquilo. Se os Smith queriam adquirir bebidas alcoólicas, eram livres para fazê-lo, desde que isso não interferisse no seu trabalho. O sr. Smith parecia apático e inexpressivo, especialmente no final da tarde e início da noite, mas talvez esse efeito fosse causado tanto pela pressão da doença da cunhada como pelo álcool.

A notícia que veio do hospital, assim que a operação foi declarada um sucesso, era a de que a paciente necessitaria de cuidados de enfermagem vinte e quatro horas por dia ao longo de pelo menos um mês. Até onde ele pôde apurar, a irmã da sra. Smith, até ficar boa, não tinha outro lugar para ir. Como nenhum convidado seu estava sendo esperado, ele pensou que teria dificuldade de passar pelo quarto de hóspedes todo dia sabendo que ele estava vago enquanto a irmã da sra. Smith, já acostumada ao quarto, padecia abandonada em outro lugar. A dificuldade da sra. Smith seria ainda maior. Ele sabia que ela devia estar se preparando para um apelo final à compaixão dele, e decidiu que não suportaria o clima de preparação na casa antes que ela finalmente o abordasse, cheia de abjeta e ávida humildade. Decidiu informá-la sem demora de que acolheria sua irmã no quarto de hóspedes e pagaria pelas despesas de enfermagem, contanto que seus próprios aposentos não fossem perturbados, nem a sua rotina afetada. O rosto dela, ao ouvir a notícia, parecia sugerir que o medo que sentia dele era maior do que nunca.

Os Smith ficaram gratos. Assim que sua irmã se restabeleceu e voltou para o seu patrão, a sra. Smith chegou a fazer um discurso breve e formal de agradecimento. Talvez mais significativo que isso, contudo, foi o fato de que o comprometimento dele com o bem-estar da irmã doente pareceu uni-lo ao destino dos Smith. Ficou claro que, se qualquer um deles precisasse de cuidados médicos, ou de qualquer outro tipo de cuidado, a responsabilidade ficaria a cargo de seu patrão. Ele lhes pagava razoavelmente bem, e eles não tinham despesas, pois o sr. Smith ficava com as roupas usadas do patrão e a sra. Smith não se interessava em trajar-se com elegância, e isso o levava a crer que eles estavam, como pessoas previdentes que eram, poupando a maior parte de seus salários com vista a uma aposentadoria feliz e tranqüila.

Sua concordância em ajudá-los num momento de necessidade não resultou em maior dedicação ao serviço; nem tampouco, por outro lado, o trabalho dos Smith piorou drasticamente. A sra. Smith continuava ouvindo suas instruções a cada manhã e obedecendo-as da melhor maneira possível. O sr. Smith ainda parecia andar bebendo, mas nenhuma quebra dramática do decoro apareceu de imediato, e era só quando ele era observado atentamente que sua fala e seu andar, na última parte do dia, pareciam prejudicados. Não obstante, uma certa mudança aconteceu. A sra. Smith agora era capaz de discutir com o sr. Smith um assunto que não tinha nada a ver com o serviço da casa na presença do patrão. Ela sabia que Henry apreciava o silêncio, e devia saber também que ele esperava que ela e o marido discutissem seus assuntos particulares somente no quarto deles. Entretanto, Henry não conseguia repreendê-la; nos dias em que ele oferecera caridade à sua irmã, ela vencera uma espécie de batalha invisível com ele, o que a habilitava a sentir-se sutilmente à vontade na casa. Cuidar da irmã dela, praticando a misericórdia e a compaixão, havia diminuído a distância entre ele e a sra. Smith.

Pelo fato de haver estado excitado e preocupado nos meses que antecederam sua mudança para Rye, ele não tinha lembrança alguma da reação dos Smith à novidade. Como eles estavam envelhecendo, pensou que talvez apreciassem a tranqüilidade de uma cidade pequena e as boas instalações da Lamb House. De todo modo, eles não fizeram nenhum protesto explícito, e ele providenciou para que não fossem sobrecarregados no processo de mudança, para que sua tarefa principal naqueles meses fosse apenas o deslocamento deles próprios e de seus pertences para sua nova moradia em Rye. Um ou dois de seus amigos, ele sabia, tinha percebido os esforços de Smith para disfarçar seu estado de embriaguez enquanto servia o jantar, mas ele acreditava que, uma vez distante das ruidosas pressões de Londres, Smith pudesse ser aconselhado e conduzido de volta à sobriedade.

Tão logo se instalaram na nova casa, ele descobriu que havia um problema. Os Smith dormiam no quarto dos empregados, no sótão. Pelo fato de haver apenas uma escada, eles tinham de passar pelo primeiro andar da casa, onde ficavam o escritório e os aposentos de Henry, para chegar ao seu próprio quarto. As tábuas do assoalho do quarto deles rangiam; uma delas em especial, que ficava acima da sua cama, parecia entrar e sair do lugar cada vez que os Smith pisavam nela. À noite, durante aquelas primeiras semanas em Rye, os Smith subiam para o seu quarto numa hora normal, mas não sossegavam; moviam-se para um lado e para outro, fazendo ranger o assoalho, depois ficavam quietos por um instante, mas logo voltavam a se agitar, indiferentes ao repouso do seu patrão, que tentava dormir logo abaixo deles. De vez em quando ele podia ouvir suas vozes, e umas poucas vezes chegou a ouvir o som de um objeto sólido e pesado caindo no chão.

Warren, o arquiteto, foi consultado. O piso, disse ele, estava em boas condições; um novo jogo de tábuas não faria diferença alguma. Os Smith deviam ser aconselhados, disse ele, a mover-se mais silenciosamente, ou então seus aposentos deveriam ser transferidos para o andar térreo. Havia, ele lembrou, um pequeno quarto ao lado da despensa que teria espaço para a cama do casal e poderia se tornar conveniente para eles se fosse aberta uma janela maior e as paredes fossem cobertas com um papel de parede adequado. Assim, os Smith montaram residência num cômodo junto à despensa.

Os comerciantes de Rye não conquistaram o afeto dos Smith; o açougueiro não compreendia os bilhetes dela e não gostava nem um pouco das suas queixas quando as peças de carne que mandava não eram as que ela havia pedido. O padeiro não assava o pão que ela pedia e não achou graça quando ela se viu forçada a voltar a ele depois de descobrir que o padeiro rival tampouco produzia aquele tipo de pão, nem qualquer outro pão que fosse do seu agrado. O merceeiro não gostava dos modos londrinos da sra. Smith, e em pouco tempo a lista de encomendas passou a ser levada à mercearia pelo seu marido, pois a presença dela se tornara indesejada.

Os Smith descobriram que a Lamb House era a única de

sua categoria em Rye. Em torno dela havia casas menores e mais modestas, que dispunham de uma copeira e talvez uma cozinheira em regime de meio período, mas não de um casal da posição deles. As casas com criados semelhantes a eles eram as mansões senhoriais e os palacetes na área rural, mas esses criados não passeavam pela cidade como seus pares haviam passeado em Kensington. Os Smith em pouco tempo constataram que não havia ninguém como eles em Rye, que ninguém os cumprimentaria informalmente todos os dias nem trocaria notícias com eles. Logo eles passaram a ser recebidos nas casas de comércio com frieza ou uma leve hostilidade, ao contrário de Burgess Noakes, que era recebido com simpatia e afeto aonde quer que fosse.

O sr. e a sra. Smith recolheram-se na Lamb House, ela orgulhando-se de nunca deixar seus limites e nunca ter visitado a maioria dos monumentos célebres de Rye. Na cozinha, na despensa e no jardim dos fundos ela reinava soberana. Quando recebia ordens, conseguia exibir um novo tom que enfatizava sua sólida competência e disposição em realizar seus deveres, mas sem poupar seu patrão de sinais de ressentimento.

Em Kensington, Henry costumava receber visitas freqüentes, mas, apesar de se preocupar com a qualidade de sua própria hospitalidade, as noites em que recebia eram apenas leves perturbações. Agora, em Rye, ele se preocupava muito mais com seus visitantes, escrevia muitas cartas convidando amigos para ver sua nova morada, e esperava com alguma ansiedade sua chegada e sua reação à casa. Em decorrência disso, a decoração e a limpeza diária dos quartos de hóspedes eram essenciais, assim como a qualidade das refeições e do serviço, que agora incluíam café-da-manhã e almoço. A sra. Smith não estava habituada a muitos hóspedes. No início, quando aquilo era uma novidade, ele lhe explicava quem viria e quais as necessidades de seus hóspedes, mas logo ficou claro para ela que haveria um fluxo constante de convidados na Lamb House, e que seria sua tarefa cozinhar para eles e zelar pelo seu conforto.

Os encontros matutinos durante os quais ele lhe transmitia suas instruções tornaram-se tensos. O que marcava a diferença não era nada que ela dissesse, mas apenas a expressão de seu rosto, os silêncios e os suaves e lentos suspiros. Ele não dava atenção à nova atitude da empregada, dizia-lhe simplesmente quem chegaria e o que devia ser feito, sem esperar resposta alguma. Mas depois de um tempo ela passou a retê-lo com comentários azedos, aludindo ao custo crescente do cuidado com os hóspedes, ou ao açougueiro desagradável, ou ao aborrecimento que era Burgess Noakes. Uma nota de beligerância se insinuava em sua voz quando mais hóspedes eram esperados. Ele não conseguia conter sua própria ânsia de ver velhos amigos e membros da sua família, e considerava ofensivo e irritante que a sra. Smith expressasse seu rancor contra eles de modo tão claro.

O marido dela, enquanto isso, desenvolvera um andar controlado e movimentos canhestros que muitos hóspedes tomavam por comportamento antiquadamente cerimonioso, mas que Henry sabia ser pura e simples embriaguez. Bem que gostaria de poder mencionar o assunto aos Smith, abordando-os como a sra. Smith uma vez o abordara, e pedindo-lhes sua ajuda, insistindo para que Smith parasse de beber. Mas não tinha coragem de fazer pedidos dessa ordem. Sabia, em todo caso, que, para negar a embriaguez do marido, a veemência da sra. Smith viria à tona, e ele não queria encarar isso.

Burgess Noakes, por sua vez, tornava-se mais prestativo e bem-disposto com o passar do tempo. Não falhava nunca e não se esquecia de nada. Não aprendeu a sorrir, mas logo sabia os nomes, hábitos e necessidades de cada hóspede, e parecia saber também se um telegrama justificava que seu patrão fosse chamado quando estava acompanhado ou se podia ser deixado na estante da sala para ser lido depois. Pisava nas tábuas do assoalho de seu quarto no sótão com a mais extrema discrição.

Burgess recebeu com indiferença seu banimento da cozinha pela sra. Smith. Quando não estava cumprindo seus deveres, ele perambulava pelas profundezas de Rye, onde começou a aperfeiçoar a arte do pugilismo na categoria peso-galo, na qual logo se tornou um campeão. Voltava alegremente para casa, porém, e sempre na hora determinada, exalando orgulho de sua posição na Lamb House e aparentando saber tudo o que ocorria entre seus muros. Quando Henry começou a suspeitar que a sra. Smith estava se juntando ao marido na bebida, já sabia que, para obter um relato dos hábitos pessoais dos Smith, teria simplesmente que consultar Burgess Noakes.

Era muito importante para ele que seus visitantes ficassem contentes com a hospedagem e desejassem voltar à Lamb House. Gostava das cartas que mencionavam visitas passadas e futuras. Não tinha companheiros próximos na cidade ou na região; não havia a possibilidade de sair e se distrair por algumas horas à noite. Por isso seus visitantes eram importantes. Considerava a espera por eles, o sentimento de expectativa antes de uma visita, como o mais feliz dos momentos. Avisava a todos que passava as horas da manhã em seu escritório. Tendo deixado seus hóspedes no café-da-manhã, adorava ir para lá, sabendo que se reuniriam novamente à tarde. Antes disso, teria várias horas de solidão ou de ditado ao escocês. Saboreava também os dias que se seguiam à partida de um hóspede, apreciava a paz da casa, como se a visita não tivesse sido nada senão uma batalha pela solidão, vencida finalmente por ele.

Em pouco tempo, porém, sua solidão satisfeita poderia se converter em isolamento. Em dias cinzentos e ventosos do primeiro longo inverno, seu escritório na Lamb House e a própria casa podiam parecer uma prisão. Tanto ele como os Smith tinham sido retirados de seu ambiente natural. Ele tinha seu trabalho, mas sabia que eles ficavam, no final de cada dia, discreta e efetivamente embriagados.

Não tinha certeza quanto ao grau de alcoolismo da sra. Smith. Ela administrava sua cozinha serenamente; sua comida, por assim dizer, não falhava. Sua aparência pela manhã, contudo, foi ficando cada vez mais desleixada, e sua reação à notícia de novos visitantes cada vez mais belicosa. Seu cabelo pendia perigosamente próximo aos lugares onde os caldeirões e panelas poderiam estar. O estado das unhas de suas mãos tampouco inspirava confiança. Ele se perguntava se ela sabia por que ele suspendera as sopas quando havia visitas, e molho de carne também, assim como os temperos mais líquidos ou pastosos. Não se podia contar com o sr. Smith para servi-los de modo seguro.

Quando servia o jantar, Smith conseguia não cambalear ao entrar na sala com cada prato, mas logo que se virava para sair não era mais capaz de exercer o mesmo controle. Henry adquiriu o hábito de posicionar seu principal convidado de costas para a porta. Notou que, uma vez que os visitantes sentados à mesa viam Smith cambalear ou vacilar, eles não conseguiam parar de observá-lo. Seu objetivo era evitar que o problema virasse tema de discussão à mesa de jantar, ou entre os visitantes, mais tarde. Não queria que chegasse a Londres nem a seu pequeno círculo de amigos americanos a informação de que ele empregava criados bêbados.

Burgess Noakes passou a auxiliar Smith, abrindo-lhe portas, induzindo-o silenciosamente à estabilidade. Henry esperava que o problema se resolvesse por conta própria, ou pelo menos continuasse como estava. Não queria tomar uma atitude porque sabia que atitude teria que ser. Tentava não pensar nos Smith.

Uma tarde, de uma janela do andar superior, ele viu a irmã da sra. Smith aproximar-se da casa. Ouviu quando a porta se abriu para ela e supôs que agora estivesse na cozinha com a irmã. Não a via desde o tempo em que ela havia convalescido em seu apartamento e, embora aquele contato também tivesse sido superficial, formara dela a impressão de uma pessoa sólida e sensível. Decidiu falar com ela e, ao descer as escadas e encontrar Burgess Noakes no salão de entrada, pediu-lhe que informasse à irmã da sra. Smith que ele gostaria de vê-la quando ela tivesse um momento livre. Esperaria na sala de estar da frente.

Ela chegou logo depois, acompanhada da sra. Smith. Enquanto a primeira era um retrato da respeitabilidade e da boa aparência, a segunda estava ainda mais desleixada que de costume e ostentava uma expressão insolente à qual ele já estava habituado.

"Fico contente em vê-la bem, senhora", disse ele à irmã da sra. Smith.

"Estou muito bem, senhor, bastante recuperada, e graças ao senhor e à sua generosidade."

A sra. Smith observava-o e examinava a nuca da sua irmã, com a postura de alguém que tivesse sido deixado de lado.

"Está visitando a região?", perguntou ele.

"Não, senhor, sou casada com o jardineiro da casa do poeta laureado. Vivemos no chalé do jardineiro, lá."

"Do poeta laureado?"

"O senhor Austen, senhor, em Ashford."

"Claro, claro, Alfred Austen."* Ele pensara por um momento que ela estivesse trabalhando para lord Tennyson.

* Trata-se, na verdade, de Alfred Austin (1835-1913), "poeta laureado" do período 1896-1913. "Poeta laureado", na época em questão, era o título concedido a um poeta que recebia um salário da família real britânica e cuja atribuição era escrever poemas a serem lidos em ocasiões públicas oficiais. (N. T.)

Estava a ponto de perguntar se podia conversar com ela em particular quando se deu conta de que havia interrompido claramente uma conversa difícil entre as irmãs, da qual a sra. Smith saíra aborrecida. Enquanto a irmã fazia o possível para disfarçar isso, a sra. Smith continuava a fuzilar os dois com o olhar.

"Imagino que a veremos com mais freqüência então, não é mesmo?", perguntou ele.

"Oh, não quero perturbá-lo, senhor."

"Ora, de modo algum", disse ele. "A senhora acha que sua irmã está bem?"

Olhou diretamente para ela e não fez esforço algum para ajudá-la quando ela baixou o olhar e ficou calada. Ela havia captado o sentido da pergunta; agora ele dava tempo para que as implicações da falta de resposta ficassem claras para as três pessoas presentes. Quando sentiu que isso havia sido alcançado, decidiu que não precisava vê-la a sós, que já fora dito o bastante. Sorriu afetuosamente e fez uma reverência enquanto ela deixava a sala, sem dar a menor atenção à sra. Smith. Agora ele sabia onde encontrar a irmã da sra. Smith, caso precisasse dela.

Sua irmã Alice teria rido com vontade do seu aperto; teria feito com que ele descrevesse os Smith em detalhes. Mas teria também, ele achava, assumido uma postura imperiosa e exigido que ele tomasse uma atitude sem demora. Alice, sua cunhada, era a pessoa mais prática da família. Teria descoberto de modo calmo e astucioso um meio de se livrar dos Smith. Não podia contar o caso a ela, porém, pois não suportaria uma carta de William sobre o assunto. Tampouco havia em Londres alguém a quem ele pudesse recorrer. Todos os seus amigos ingleses teriam, ele achava, demitido os Smith ao primeiro sinal de bebedeira e mau humor.

Começou a ter conversas imaginárias com Constance Fenimore Woolson. Ela teria ficado fascinada com as cenas na cozinha, e também, com certeza, com as que se passaram no quarto junto à despensa. Ela também teria sabido o que fazer; teria concebido uma maneira de convencer os Smith a ir embora sem rancor, ou então a se emendar. Ele pensou no encanto sereno dela, em sua afetividade solta, em sua mistura de curiosidade e simpatia; e pensou nos seus últimos dias em Veneza, os dias que antecederam seu salto pela janela. Suspirou e fechou os olhos.

Entre seus familiares e a maioria dos amigos, sua intimidade com Constance geralmente não era conhecida. Nem William nem a esposa deste faziam parte do pequeno grupo que estivera em Florença naqueles meses nos quais ele dividiu uma casa grande com Constance em Bellosguardo (e nos quais, ele supunha, o relacionamento dos dois tinha sido muito discutido). Mas aqueles que sabiam continuavam a mencionar Constance em suas cartas para ele, com referências vagas e misteriosas a ela; com freqüência manifestavam seu espanto diante de sua morte. Mas apenas uma amiga perguntou-lhe diretamente se ele sabia por que ela cometera o suicídio. Lily Norton era a filha encantadora de seu amigo Charles Eliot Norton e sobrinha de uma de suas bostonianas favoritas, Grace Norton. Lily conhecera Constance na Itália e, apesar de ser mais de vinte anos mais nova, ficara muito ligada a ela, a quem admirava.

Escreveu a Lily do modo mais franco e direto que conseguiu. Explicou que, como ela sabia, ele não estivera em Veneza na época, tendo apenas recolhido informações de outras pessoas. Constance estava fora de si, febril e doente, escreveu ele, mas isso não era tudo. Havia também algo que Constance conseguira esconder do mundo exterior, e que era, conforme ele contou a sua jovem amiga, um estado de melancolia crônica e absorvente que era muito aguçado pela solidão. Parou por aí; Lily fora valente o bastante para perguntar, e agora teria de ser valente o bastante para ler a dura verdade.

Lily Norton nunca mais voltara ao assunto, mas sua tia Grace mencionara de passagem que a sobrinha ficara aborrecida com a frieza e a segurança da carta dele. Quando Lily Norton aceitou seu convite para ir a Rye — e sabendo que eles estariam sozinhos no primeiro dia —, ele se perguntou se ela levantaria o assunto Constance. Eles teriam, afinal de contas, muitas outras coisas a discutir. Lily se europeizara. Teria, à maneira européia, muitos temas para desenvolver se quisesse evitar cuidadosamente os perigosos. Só a conversa a respeito de seus parentes, e dos amigos deles, já propiciaria várias horas agradáveis a ela e a seu anfitrião. O interesse dele nos Norton, nos Sedgwick, nos Lowell, nos Dixwell e nos Darwin, ele imaginava, poderia ocupar pelo menos uma longa refeição, e talvez uma caminhada com sua jovem amiga pelas ruas da cidade.

Quando foi buscá-la na estação, percebeu rapidamente o quanto ela havia se tornado formidável e interessante. Ao descer do vagão, ela o viu, mas não sorriu. Seus olhos estavam alertas, sua expressão séria, autoconsciente e maravilhosamente serena. Tinha o ar de uma jovem duquesa, de alguém que conseguia ser obedecida sem nunca ter que ser autoritária. Tão logo começou a caminhar em direção a ele, porém, Lily passou a sorrir, radiante, e seu rosto se abriu, como se ela tivesse decidido de modo súbito e impetuoso que era uma americana, capaz de jogar umas contra as outras sua personalidade natural e suas personalidades construídas, para deleite de seu anfitrião.

Lily olhou de relance para Burgess Noakes enquanto ele e o comissário do trem colocavam sua bagagem no carrinho de mão; ela percebeu a movimentação e deu a entender sua aprovação sem fazer sequer um gesto. Uma vez na casa, prometeu a Henry que nunca diria a palavra "bonita" de novo, mas disse que tinha de comentar que a casa em si era muito bonita e que os jardins eram mais ainda, e que mesmo o pequeno gabinete que ele lhe oferecera para o caso de ela querer escrever cartas era bonito, e seu quarto, bem, ele também. Ela sorriu calorosamente para ele e tocou-lhe o ombro, agora que tinha acabado de admirar tudo à sua volta. Estava feliz por estar ali, disse.

Enquanto tomavam chá sentados no jardim, ele a examinou com cuidado. Ela exalava uma mistura de intelecto ágil e charme pessoal num grau mais elevado que as mulheres das gerações anteriores de ambos os lados da sua família. Herdara algo da cara de cavalo dos Norton, mas nela isso era atenuado e aperfeiçoado. Tinha os olhos e o jeito de sorrir da mãe antes de falar e enquanto ouvia os outros. Mas quando abandonava o sorriso, deixando emergir toda a gravidade elegante de seu rosto, o que aparecia era uma moça cuja distinção e cujos modos eram novos para ele, assim como seu jeito de ser ao mesmo tempo formal e afetuoso. Pensava com satisfação no tempo que passaria ao lado dela.

Acompanhou-a pela cidade, orgulhoso de seu fascínio e deliciando-se com sua conversa, que ia da brincadeira à observação perspicaz. Ela percebia o quanto ele a estava observando e também a atenção que as pessoas da cidade, por sua vez, dispensavam ao olhar para eles. Ele passou a admirá-la mais ainda ao ver como ela ficava profundamente pensativa durante o passeio e parecia muito feliz depois de deixar o silêncio reinar entre eles. Agora deixava seu rosto parecer sombrio e meditativo, sua expressão quase obscura e ameaçadora, como se a marca de seus ancestrais não a tivesse abandonado.

Ela agora tinha mais de trinta anos, e alguma coisa na sua

personalidade, alguma coisa irônica e distante, sugeria aquilo que sua tia Grace já tinha dito a ele — que ela não se casaria. Ela dispunha de uma renda pessoal, não muito grande, mas suficiente para permitir-lhe vagar livremente pela Itália e pela Inglaterra e voltar para sua terra natal quando bem lhe aprouvesse, a exemplo do que havia feito Constance Fenimore Woolson. Ele gostaria que ela tivesse uma grande casa para cuidar, ou um grande nome, e sentia nela uma espécie de tristeza por ter se contentado com menos que isso, ou com mais que isso: sua independência. Umas poucas vezes, enquanto eles caminhavam de volta para a Lamb House, o tom dela, a amplidão de seu discernimento, a estranha liberdade de suas frases e algumas inflexões de seu sotaque faziam-no lembrar de sua própria irmã, Alice. Ambas provinham de lares semelhantes, onde as idéias eram sagradas, superadas apenas pelas boas maneiras, e onde havia uma tensão entre uma comunidade ordeira que conhecia Deus e um idealismo, uma disposição em confiar no espírito em toda a sua instabilidade. Se a inquietude dos James acabara por tirar as amarras de Alice, Lily herdara a calma dos Norton sem prejuízo de seu agudo discernimento. Ele daria qualquer coisa para que sua irmã tivesse tido o equilíbrio e a serenidade de Lily.

Antes de o jantar ser servido, ele deixou Lily sozinha na sala de estar do andar superior, de modo a poder inspecionar a sala de jantar. Encontrou Burgess Noakes em pé junto à porta aberta da sala de jantar, com seu pequeno rosto franzido de preocupação, seus gestos nervosos. Burgess indicou-lhe que a causa de sua inquietação estava na sala de jantar, e quando Henry entrou nela encontrou uma grande e recente mancha púrpura na toalha de mesa.

"É preciso trocá-la imediatamente", disse.

"Ela diz que esta serve muito bem", disse Burgess.

"A senhora Smith?", perguntou ele.

Burgess fez que sim com a cabeça. "Ela não deixa que a troquem, senhor."

Ao abrir a porta da cozinha, ele viu o sr. Smith à mesa grande, descansando a cabeça sobre os braços. A sra. Smith estava mexendo uma panela no fogão. Quando o viu, ela não disse nada, mas encolheu os ombros para sugerir sua própria impotência e indiferença. Ele falou o mais alto que pôde.

"A toalha de mesa deve ser trocada imediatamente e o mordomo deve retomar suas obrigações."

A sra. Smith largou a colher e foi em direção à mesa. Postou-se estoicamente atrás do marido e, num gesto másculo, agarrou-o pelos ombros; levantou-o com firmeza e, quando ele estava em pé, deixou-o livre. Ele mostrou seu olhar embaciado habitual ao perceber a presença do patrão na cozinha, e então, com seu jeito forçado e canhestro, começou a caminhar em direção ao armário do canto.

"Dentro de quinze minutos nós vamos jantar", disse Henry. "Espero que tudo esteja em ordem, a começar pela toalha de mesa."

Quando entrou acompanhado de Lily Norton na sala de jantar, ele viu imediatamente que a toalha fora trocada e a mesa estava perfeitamente arrumada. Posicionou Lily de costas para a porta. Não sabia se Smith serviria a refeição ou se Burgess Noakes, ou mesmo a própria sra. Smith, iria substituí-lo na função. Quando finalmente Smith entrou com o primeiro prato e começou a servir o vinho, Henry admirou-se mais do que nunca de que ele mal tivesse condições de permanecer em pé e não enxergasse quase nada diante de si. Era uma estranha espécie de embriaguez. Smith não oscilava nem cambaleava; muito pelo contrário: andava reto como se pisasse numa linha invisível; quando parava, mantinha-se rígido. Estava em completo silêncio. O álcool parecia tê-lo transformado num poste de madeira.

Henry teve o cuidado de não olhar demais para Smith; tentou manter uma conversa trivial mesmo quando o mordomo estava servindo o vinho. Até onde pôde averiguar, Lily Norton não percebeu nada, mas agora ele sabia que teria de tomar providências para que os Smith fossem embora. Tinha dois outros convidados para o almoço do dia seguinte, e Lily e um deles ficariam para o jantar. Depois disso ele tomaria uma atitude, embora não soubesse como começar, nem tampouco a forma que essa atitude assumiria.

"Você sabe", disse Lily, "não estive em Veneza desde que Constance morreu, mas encontrei outras pessoas que estiveram lá, e todas dizem que há algo naquela rua, no lugar em que ela caiu. Todos se vêem obrigados a evitá-lo. E ninguém consegue acreditar plenamente que ela se matou. Não parece combinar com ela."

Seus olhos pousaram calmamente sobre ele e então ela lançou um olhar rápido ao prato à sua frente, como se algum novo pensamento lhe houvesse ocorrido. Levantou o olhar para ele de novo.

"Falei longamente com alguém que conhecia a irmã dela", disse Lily. "A família está preocupada com o fato de que muitos de seus papéis se perderam; cartas, diários e outras anotações pessoais. O modo como ela passou suas últimas semanas é um mistério para todo mundo."

"Foi um acontecimento muito triste", disse Henry.

Smith abriu a porta e ficou parado em silêncio, forçando a vista para dentro da sala como se ela estivesse às escuras. Lily se virou e o viu. Ele ficou imóvel por meio minuto, e sua presença na soleira da porta era um misto de um fantasma e alguém que viu um fantasma. Então ele se dirigiu lentamente para a mesa para recolher os pratos. Apanhou-os com uma série de gestos silenciosos e estilizados e deixou a sala de novo, sem incidentes.

"Ela era, evidentemente, uma pessoa um bocado triste e muito solitária", disse Henry.

Tão logo terminou, percebeu que havia falado com demasiada rapidez e brusquidão.

"Ela era uma romancista muito talentosa e uma grande dama", disse Lily Norton.

"Sim, sem dúvida", disse Henry.

Esperaram em silêncio pelo retorno de Smith. Henry percebeu que não podia mudar de assunto agora, pois o tom de Lily Norton de algum modo impedia isso.

"Penso que ela merecia uma vida melhor", disse Lily, "mas não foi esse o seu destino."

Em sua última frase não havia nenhum traço de resignação ou conformismo, mas sim de repreensão e amargura. Henry percebeu de repente que ela havia planejado aquela conversa, que o que estava acontecendo em sua pequena sala de jantar era manipulado de modo discreto e efetivo por ela. A todo momento ele espreitava Smith, na esperança de que, não importava quão bêbado estivesse, ele viesse interromper essa conversa constrangida entre eles, que inevitavelmente conduziria a um silêncio constrangido.

"Todos estivemos lá com ela naquele verão", prosseguiu Lily, "ela estava tão atarefada e tão cheia de sonhos e projetos. Todos a lembramos como alguém que estava feliz, a despeito de seu temperamento melancólico. Mas isso foi destroçado."

"Sim", disse Henry.

Smith abriu a porta, deixando entrever Burgess Noakes atrás de si. Burgess vestia um paletó grande demais para ele. Tinha a aparência de um mendigo. Smith carregava um prato de carne com os movimentos de alguém que estivesse à beira da morte. Burgess veio atrás dele com outros pratos. Lily Norton virou-se e examinou-os, e num segundo Henry a viu captar o que estava acontecendo na Lamb House. Ela perdeu toda a sua sutileza e autocontrole. Parecia repentinamente alarmada, e quando se virou novamente seu sorriso era forçado. Smith, naquele momento, começou a verter mais vinho na taça dela, mas não conseguia manter a mão firme. Os outros três observavam-no impotentes quando ele derramou um pouco do vinho e em seguida, tentando se corrigir, despejou uma grande quantidade de vinho diretamente na toalha de mesa. Quando ele virou as costas para a mesa, seus movimentos tornaram-se uma seqüência de passos trôpegos e vacilantes que o levaram para fora da sala, deixando a Burgess Noakes a tarefa de servir a comida.

Comeram em silêncio; o assunto que ele queria mudar agora estava acompanhado por um outro assunto que não devia ser mencionado. Ele sabia que se fizesse a Lily alguma pergunta específica sobre sua tia ou seus planos, ela riria ou então ficaria furiosa. Resignou-se a não dizer nada; ela decidiria o rumo da conversa.

Finalmente ela falou.

"Não creio que ela tivesse vindo a Veneza em busca de solidão. Não é um lugar para se ficar sozinho em tempo algum, muito menos no inverno."

"Sim, talvez para ela fosse mais sensato ter saído de lá", disse ele. "É difícil dizer."

"Claro que tanto o senhor Curtis como ela acreditavam que você planejava alugar um *pied-à-terre* em Veneza", disse Lily. "Acho até que eles chegaram a procurar um para você por algum tempo."

Ele percebia para onde ela estava indo e sabia que era essencial detê-la.

"Temo que eles tenham entendido mal o meu entusiasmo pelas belezas e prazeres do lugar", disse. "Sim, sempre que eu estava lá, sonhava em abraçar a majestosa cidade úmida, por assim dizer, dispondo de um ponto de observação, mesmo que modesto. Mas essas fantasias só podem ser acalentadas por um breve tempo, infelizmente. O resto é aborrecimento. Chama-se trabalho e faz exigências."

O olhar dela era obscuramente penetrante, mas com um matiz de simpatia. Ela sorriu.

"Sim, posso imaginar", disse secamente.

Pela manhã ele disse à sra. Smith que desejava que o seu marido ficasse na cama, onde seria, em algum momento do dia, examinado por um médico. O almoço seria servido pela copeira com o auxílio de Burgess Noakes, para quem se deveria providenciar um paletó que lhe servisse. Perguntou a ela se podia acompanhá-lo até o jardim, pois sabia que Lily Norton estava escrevendo uma carta numa sala que não tinha vista para lá, e portanto não presenciaria a cena. Queria observar a sra. Smith à luz do dia, e ao fazê-lo percebeu que ela não poderia continuar em sua cozinha, pois dava a impressão de não tomar banho e não trocar de roupa havia muito tempo.

"Espero que sua hóspede esteja apreciando sua estada aqui", disse ela. "Espero que tudo esteja em ordem com ela e que não haja nenhuma queixa."

Seu tom era quase insolente. Quando ele compreendeu que ela estava a ponto de dizer algo mais, interrompeu-a levantando a mão direita, e então fez uma reverência cordial e retornou para a casa.

Encontrou Burgess Noakes e pediu-lhe que investigasse urgentemente junto aos comerciantes de Rye o nome da irmã da sra. Smith que morava no chalé do jardineiro em Ashford. Em pouco tempo, Burgess voltou com a informação de que seu nome era sra. Ticknor. Quando ele já se virava para ir ao seu escritório, Burgess tocou-o no ombro, colocou o dedo diante dos lábios em sinal de silêncio e conduziu-o ao jardim.

Henry observou, perplexo, que Burgess, com expressão cautelosa e alerta, certificava-se de que ninguém pudesse vê-los. Enquanto Burgess o conduzia para a edícula atrás da cozinha, Henry se perguntava o que seu criado doméstico estaria querendo lhe mostrar. Depois de certificar-se que Henry o seguia, Burgess fez-lhe sinal para que entrasse num dos telheiros e afastou uma coberta de lona para revelar um enorme esconderijo de garrafas vazias de uísque, vinho e xerez, que exalavam um odor forte e azedo.

Na hora do almoço Henry já convocara o médico para uma visita vespertina e enviara um telegrama urgente à sra. Ticknor. Com as coisas assim encaminhadas, pôde receber Ida Higginson, a amiga de Lily — a qual certamente só conhecera em sua vida os rituais domésticos mais ordeiros que Boston podia proporcionar —, e um amigo de Eastbourne que viera passar o dia, como se seu lar estivesse saudável e em perfeita harmonia. Sabia que Lily Norton não seria indelicada a ponto de mencionar o assunto a qualquer pessoa, exceto a sua tia Grace, já que esta estaria tão interessada nas novidades que seria impossível privá-la delas. Ele estava contente por não ter se aberto com ela nem com ninguém. Explicou às visitas que o mordomo não se sentia bem e que ele esperava que elas não se ofendessem com o fato de o almoço ser servido pela copeira com a ajuda do jovem Burgess Noakes.

Quando o almoço chegou ao fim, a sra. Smith tendo milagrosamente feito a comida mais uma vez, Burgess indicou a Henry que a sra. Ticknor tinha chegado, e que o aguardava na sala de estar da frente. Ele sabia que isso o impediria de passear com seus convidados pelo jardim, mas manobrou facilmente a situação, dizendo que tinha um trabalho inadiável, na forma de um romance publicado em capítulos, e pedindo à srta. Norton que levasse os outros convidados para uma caminhada em Rye, cidade com a qual ela já estava plenamente familiarizada.

Logo que eles partiram alegre e inocentemente, ele foi ao encontro da sra. Ticknor e contou-lhe seus apuros. Enfatizou que aquilo não poderia e não iria continuar. Desejava demitir os dois. Acertaria generosamente as contas com eles, disse, mas não poderia mais empregá-los. A sra. Ticknor, ele esperava, poderia tomar providências por eles, mas ele não a ajudaria nisso.

A sra. Ticknor não disse nada, e seu rosto não traía emoção alguma. Simplesmente perguntou onde estava sua irmã e se podia falar com ela. Ao entrarem no salão de entrada, viram que a copeira fazia o médico entrar na casa. Henry despachou a sra. Ticknor para a cozinha e, tendo feito um breve relato ao médico, mandou que a copeira o levasse ao quarto junto à despensa, onde, pelo que dissera Burgess Noakes, o sr. Smith estava deitado.

Naquela noite, durante o jantar com Lily Norton e o amigo de Eastbourne, a conversa estendeu-se sobre assuntos políticos e literários. Lily estava persuasivamente encantadora e inteligente como nunca. Levando em conta a insistência dela em abordar o caso Constance Fenimore Woolson na noite anterior e a sua insinuação de que ele abandonara a amiga ao seu destino em Veneza, ele se perguntava se também ela, Lily Norton, fora abandonada, ou se vivia com medo de que isso acontecesse. O fato de ela não ter se casado, não ter se unido a alguém que lhe pudesse oferecer maior sentido e alcance a todo o seu charme e discernimento, era, na visão dele, um erro, e provavelmente isso ficaria mais evidente com o passar do tempo. Enquanto olhava para ela por cima da mesa, ocorreu-lhe que a recriação dela própria, seu deliberado esforço em causar boa impressão, poderia ter atrofiado outras qualidades mais valorizadas por um potencial pretendente. Constance, ele pensou, poderia ter escrito um romance muito bom sobre ela.

O médico voltou na manhã seguinte e declarou o caso sem esperança. O sr. Smith, disse ele, permanecia bêbado porque a ingestão de álcool por tantos anos o transformara nisso. Quando o suprimento acabasse, ele sofreria enormemente. A sra. Ticknor voltou com o marido e disse a Henry que agradecia sua generosidade, e que esta seria de fato necessária, já que os Smith não tinham um tostão. Não tinham economizado nada. Tinham gastado todos os seus rendimentos em bebida e, a bem da verdade, deviam dinheiro a vários fornecedores de Rye. A sra. Ticknor tinha um tom enérgico, e seu marido, em pé ao seu lado, estava visivelmente constrangido, com o boné nas mãos.

Enquanto os pertences dos Smith eram reunidos, ele os via simplesmente como duas vítimas saturadas e desmoralizadas que não tinham o que dizer em sua defesa; mesmo a sra. Smith cumpria em silêncio a sua sina, evitando seu olhar. Ele sabia que eles não voltariam a encontrar trabalho e que, quando seus salários terminassem, e os parentes mais próximos não pudessem mais mantê-los, eles se veriam diante do abismo. Os Smith, ele pensou, que o tinham acompanhado tão fielmente durante tantos anos, estavam perdidos. Mas ele sabia também que daria qualquer coisa para tirá-los de sua casa.

Escreveu a sua cunhada a respeito do episódio, mas não o mencionou a ninguém mais. Foi, disse ele, um perfeito pesadelo de aflição, desgosto e incômodo. Deu-se conta de que todo mundo em Rye logo descobriria o destino dos Smith. Embora eles não fossem queridos, a rapidez da sua demissão, ele sabia, faria as pessoas o examinarem de cima a baixo quando ele caminhasse pela cidade.

Esse episódio e as enervantes semanas que se seguiram, nas quais ele viveu sem criados e fez suas refeições numa hospedaria local, infundiram-lhe uma tristeza que só o trabalho poderia curar. Pelas manhãs, ele se sentava junto à ampla janela sul da sala de visitas que recebia em cheio o sol matutino e relia o que havia escrito no dia anterior. A janela dava para o macio gramado verde, e ele adorava ficar vendo George Gammon trabalhar sob a sombra de uma velha amoreira. Mais tarde, ao caminhar pelo jardim, gostava de se sentir protegido do mundo pelos altos muros do jardim da Lamb House.

9. Março de 1899

Nada lhe vinha com facilidade agora. Nada do que ele viu e ouviu naquela sua primeira viagem para fora da Inglaterra em cinco anos pareceu-lhe uma experiência capaz de maravilhar e digna de ser guardada com carinho. Em Paris encontrou-se com Rosina e Bay Emmet, as filhas de Ellen Temple, irmã de Minny. Ambas haviam nascido depois da morte de Minny e conheciam-na apenas por fotografias, como uma ausência obscura. As garotas não se pareciam uma com a outra. Rosina era mais bonita e extrovertida; Bay era miúda e levemente atarracada, mais discretamente crédula e confiante que a irmã. Sua ambição como pintora já ficava evidente com sua observação perspicaz das obras nas galerias e da vida nas ruas, esta última parecendo a ambas as garotas tão bela e artificial quanto as primeiras.

Às vezes, quando elas falavam, ele ouvia a voz de Minny Temple. Invejava-lhes sua falta de autoconsciência, o fato de ignorarem que suas vozes americanas, tão cheias de entusiasmo, não eram tão originais quanto imaginavam, nem tão isentas de complicações históricas como supunham.

Aos cinqüenta e seis anos, era velho o bastante para deplorar certas coisas com toda a convicção, e Bay Emmet sustentava jocosamente que ele estava imitando o dr. Sloper de *Washington Square* em sua excursão pela Europa com sua filha infeliz e mal-educada. Ele criticava a pronúncia das garotas e corrigia-as regularmente enquanto eles se deslocavam de um museu para outro. Quando Rosina, por exemplo, manifestou sua admiração pelas jóias numa vitrine parisiense, Henry imediatamente a corrigiu.

"Jó-ia, não djô-ia."

E quando ela concordou que as garotas americanas daqueles dias não pronunciavam corretamente as vogais, ele retrucou:

"Vo-gais, não vogals, Rosina."

Em pouco tempo as duas irmãs, deleitando-se claramente com as reprimendas do primo, passaram a encontrar novas afrontas a serem impingidas ao seu suscetível ouvido. Agora mais do que nunca elas o faziam lembrar da tia falecida, que amava encontros como aquele e se deliciava com a reação que um novo comentário poderia causar. As garotas conseguiam marcar território não por meio da discussão com ele, mas sim de uma leve zombaria, engolindo toda consoante que cruzava o seu caminho e usando um idioma moderno concebido para irritá-lo. Quando Bay anunciou uma manhã que precisava subir ao quarto para fixar o cabelo, Henry lhe perguntou: "Fixar onde e com quê?".

Paris estava mais deslumbrante do que nunca, mas por trás do esplendor ele detectou algo que não lhe agradava. Teve o cuidado de não discutir isso com as garotas Emmet. Adorava a atenção inocente que elas prestavam às cores, aos panoramas e texturas; saboreava o modo como destacavam detalhes para ele e entre si, e a felicidade com que mergulhavam na magnificência da cidade. Umas poucas vezes, quando Bay Emmet ficava em silêncio e parava de participar das brincadeiras, dando a impressão de estar absorvendo o cenário numa espécie de devaneio, ocasiões em que podia se irritar facilmente com qualquer interrupção, ele sentia o fantasma de Constance Fenimore Woolson no ar em volta deles, serena e introspectiva, tão sensível à sugestão e à sombra como Minny Temple tinha sido ao esplendor e à luz.

Com isso, suas primas traziam à vida antigas lembranças. Às vezes, de tão fascinadas que estavam com o que as cercava, elas não se davam conta das memórias melancólicas dele. Ele achava encantadora a indiferença delas por ele, um alívio mesmo, e ficava pensando se alguns de seus velhos amigos, que exigiam sua atenção em demasia e monitoravam muito de perto o que ele dizia e fazia, não deveriam ser encorajados a seguir o exemplo das irmãs Emmet.

Chegou à conclusão, quando viajava para o sul, depois de ter deixado as garotas seguirem sozinhas sua excursão pela Europa, de que poderia viver facilmente sem muitos amigos. Gostaria, claro, de receber cartas ocasionais, e com certeza de ter notícias sobre suas vidas e atividades. Mas durante uma noite que passou em Marselha, consciente de que no dia seguinte estaria nas garras deles, reconheceu que poderia alegremente ter mantido distância da residência de Paul e Minnie Bourget e mesmo ter deixado de ver seus amigos. Os píncaros da fama e da riqueza tinham proporcionado a Bourget uma propriedade de vinte e cinco acres na Riviera, numa encosta de montanha com um parque de pinheiros e cedros, rodeada de paisagens magníficas. Mas proporcionaram também o excessivo interesse por suas próprias opiniões, as quais, exacerbadas pelo anti-semitismo, tinham se tornado desagradavelmente rígidas e autoritárias.

Havia outro hóspede na propriedade, um romancista francês de segunda linha. Henry fez o que pôde nos primeiros dias de sua estada para não discutir Zola ou o caso Dreyfus com Paul e Minnie Bourget, tampouco com o hóspede, pressentindo que suas próprias opiniões sobre o assunto divergiriam das dos seus anfitriões. Seu apoio a Zola, e obviamente a Dreyfus, era forte o bastante para que ele não quisesse ouvir os preconceitos dos Bourget a respeito do tema. Podia perceber que o luxo e o gosto requintado dos amigos, assim como a natureza presunçosa de sua rotina diária, estavam relacionados com a rigidez e os ódios de sua política intolerante. Os ingleses, ele pensava, eram mais brandos em suas visões, mais ambíguos nas conexões entre suas circunstâncias pessoais e suas convicções políticas.

Achava que conhecia Bourget como se o tivesse criado. Conhecia sua natureza e sua cultura, sua raça e seu tipo, sua futilidade e seu esnobismo, seu interesse em idéias e suas ambições. Mas essas eram questões menores comparadas ao efeito de conjunto do homem, ao cerne da personalidade que ele revelava tão facilmente. Este era mais rico, mais digno de estima e mais complicado do que qualquer pessoa supunha.

Ao contrário de Henry, que prestava bastante atenção em seu anfitrião, Borget não percebia nada. Sua lista dos atributos de Henry, se tivesse que fazer uma, seria simples, clara e imprecisa. Ele não observava o eu escondido e, Henry supunha, nem sequer se interessava por essa questão. E isso, quando sua estada com os Bourget terminou, deixou-o contente. Permanecer invisível, aperfeiçoar-se na arte da auto-anulação, mesmo diante de alguém que ele conhecia há tanto tempo, dava-lhe satisfação. Estava sempre disposto a ouvir, mas não preparado para revelar o raciocínio em funcionamento, a imaginação, a profundidade do sentimento. Às vezes, ele sabia, a expressão neutra era muito mais que uma máscara. Ela agia tanto interna como externamente, de tal maneira que, tendo deixado a propriedade dos Bourget e seguido viagem para Veneza, a possibilidade de encontros futuros com seus recentes anfitriões logo se tornou para ele um assunto sem importância.

* * *

Não se esquecera do quanto amava a Itália, mas temia ter ficado velho e gasto demais para ser arrebatado mais uma vez por ela; temia que a Itália, sob a pressão do tempo e do turismo, tivesse perdido seu encanto dourado. Ficou sentado em silêncio em seu vagão de trem durante a parada de três horas em Ventimiglia, observando a multidão enfadonha que se agitava e protestava, liderada por um grupo de alemães endinheirados. Quisera ter podido levantar-se e atravessar altivamente a fronteira a pé, com a bagagem sendo carregada atrás de si num carrinho de mão conduzido por Burgess Noakes. Sentia uma imensa impaciência em deixar a França para trás e abrigar-se sob as asas da Itália. Os costumes na Itália eram francos e viçosos; todo o refinamento ficava oculto, era algo pressuposto. Quando finalmente se viu sentado numa poltrona junto à janela de seu hotel em Gênova, desfrutando o ar italiano e o renascimento de suas lembranças italianas, sentiu-se aliviado e feliz.

Quando chegou a Veneza e a noite caiu, ele soube que nem o turismo nem o tempo haviam causado dano à mistura de tristeza e esplendor que caracterizava a cidade. Foi da estação ferroviária ao Palazzo Barbaro por canais secundários, de gôndola, guinando e serpenteando através de caminhos vagamente reconhecíveis. Esses percursos traziam consigo uma solenidade, como se os passageiros fossem conduzidos com teatralidade a seu destino. Mas então, quando se deixava o barco flutuar suavemente e diminuir a velocidade até bater de leve numa estaca de ancoradouro, o outro lado de Veneza aparecia — a suntuosidade crua, o esplendor impudente, os espaços ostensivamente desproporcionais à necessidade real.

Veneza estava carregada de velhas vozes, velhos ecos e imagens; era o refúgio de incontáveis segredos estranhos, fortunas arruinadas e corações feridos. Cinco anos antes, depois de ter colocado em ordem as coisas de sua amiga Constance Fenimore Woolson, ele deixara a cidade acreditando que nunca mais voltaria. Era como se tanto ele como Cosntance tivessem se arriscado demais em seu jogo de apostas com Veneza, e ela tivesse perdido tudo, enquanto ele perdia a ela. Veneza atingia-o, agora, já não com uma ressonância vaga e histórica; a violência e a crueldade que rivalizavam com a beleza e a magnificência já não eram abstratas. Eram representadas pela violenta morte de sua amiga. Instalado como hóspede dos Curtis no Palazzo Barbaro, ele trabalhava num novo conto num dos quartos dos fundos, com um pomposo teto pintado e paredes de damasco antigo verde pálido, levemente puído e remendado. Sabia que a poucos cômodos dali resplandecia o Canal Grande. Se ficasse em pé na sacada, como fizera tantas vezes, poderia observar as cúpulas, os ornamentos, os contrafortes festonados e as estátuas formando a coroa da Salute, as amplas escadarias parecendo a cauda de um manto. Poderia levantar o olhar para a esquerda e deixar-se deslumbrar pelo Palazzo Dario, coberto com as mais encantadoras placas de mármore e círculos entalhados, requintado, compacto, delicado.

Naquele giro de cabeça da Salute ao Palazzo Dario, seu olhar era capturado a cada vez pelas lúgubres janelas góticas da Casa Semitecolo e era então que Veneza deixava de ser um espetáculo para ele, era então que ela abandonava sua aparência de vasto cenário e tornava-se real, dura, repleta de horror. Foi do segundo andar daquele prédio que, cinco anos antes, Constance Fenimore Woolson se atirou sobre o calçamento.

Ele a havia conhecido no início de 1880 em Florença, quando estava escrevendo *O retrato de uma senhora*. Estava com trinta e sete anos, e ela com quarenta. Constance aparecera com uma carta de apresentação da irmã de Minny Temple, Henrietta. Ela já havia lido tudo o que ele escrevera, mas ele não lera nada dela. Ele havia conhecido muitas mulheres americanas em viagem pela Europa com cartas de apresentação a ele. Tais cartas, se reunidas, ele pensava, formariam uma pilha enorme, mas não seriam tão tediosas quanto muitas de suas portadoras, entre elas numerosas romancistas que gostariam de ter escrito *Daisy Miller* e mostravam-se ansiosas para dizer a ele que estavam prestes a fazer alguma coisa que não ficaria atrás.

A surdez de Constance em um dos ouvidos interessava-lhe tanto quanto parecia irritá-la. Chamava a atenção para algo que, de outro modo, talvez ele não tivesse percebido tão depressa. Ela possuía uma quantidade extraordinária de circunspecção e auto-suficiência e não parecia ansiosa nem para agradá-lo nem para impressioná-lo. Vivia, num grau que ele considerava incomum, em sua própria cabeça. Ele não se surpreendeu, ao mostrar-lhe os encantos de Florença, com o fato de ela querer evitar os turistas, mas ficou fascinado por sua falta de interesse na comunidade anglo-americana de Florença e por sua recusa em ser apresentada aos amigos e conhecidos dele nos altos escalões da sociedade florentina. Ela precisava das noites para si própria, conforme dizia taxativamente; não podia absorver com alegria a companhia de tantas pessoas, não importando quanto elas fossem ricas e importantes.

Não era capaz de dizer se as reações dela a igrejas, afrescos e quadros eram de fato originais. No entanto, o frescor da sua inteligência, de seus gostos e desgostos, e a maneira como ficava desconcertada e confusa faziam-no querer acompanhá-la cidade adentro pelas manhãs. Dois anos depois, quando leu *O re-*

trato de uma senhora, ela observou, e insinuou a ele com sutileza, que sua habilidade em revelar uma americana cheia de franqueza, curiosidade e idéias próprias na Itália era, pela primeira vez, conduzida discreta e firmemente por um conhecedor, um homem de modestos recursos materiais que havia estudado a beleza. Ele usara a impressão que tivera dela, anexando-a, por assim dizer, a seus modelos anteriores para a protagonista do romance, e escrevera às vezes nos mesmos dias em que perambulava pela cidade com sua nova amiga americana. De tal modo que Isabel Archer via o que Constance Fenimore Woolson via e talvez até sentisse o que ela sentia, se ele tivesse tido a faculdade de adivinhar plenamente o que Constance sentia.

Ela caçoava dele por conta de sua formação domesticada; o fato de ele ser um nativo da família James causava-lhe grande diversão, assim como Newport, Boston e as perambulações européias dele. Ela, sobrinha-neta de James Fenimore Cooper, tivera acesso a uma América que ele jamais viria a conhecer. Tanto em Ohio como na Flórida, contou-lhe, ela mantivera relações próximas com a natureza agreste. E antes que ele pensasse que ela era uma caipira, disse-lhe com um sorriso ameaçador, deveria saber que, enquanto ele era o primeiro da sua família a pôr os pés na Itália, o tio-avô dela vivera em Florença e escrevera um livro sobre a cidade.

Somada à formação dela havia sua estranha e ativa independência. Ela o via pela manhã, mas à tarde caminhava pelas colinas em torno de Florença durante horas, e à noite escrevia e lia. A cada dia, quando eles se encontravam, ela parecia ter uma nova perspectiva sobre a cidade, uma nova experiência para contar e um olhar juvenil para absorver o que ele havia programado lhe mostrar.

Ele não a mencionava em suas cartas aos pais, à irmã Alice ou ao irmão William. Naqueles anos, todos eles estavam inclinados demais a se empolgar com a mais leve sugestão de uma aventura amorosa que pudesse levá-lo ao casamento. Ele sabia que cada linha de suas cartas era cuidadosamente analisada à procura de uma pista que mostrasse o que se passava no seu coração. Para seus parentes em Boston, sedentos de notícias, seu coração permanecia tão duro quanto ele era capaz de deixá-lo.

Constance e Henry se encontraram quando seus caminhos se cruzaram em Roma e depois em Paris. Corresponderam-se pelos poucos anos seguintes e leram as obras um do outro. Às vezes, ele se preocupava com seus próprios textos ou com outros correspondentes, mas freqüentemente, depois de escrever uma carta para ela, ele descobria que o antigo deleite da sua companhia fora despertado novamente; pegava-se escrevendo outra carta para a amiga antes mesmo de receber uma resposta à anterior. Temia que ela ficasse confusa com esse súbito interesse depois de um longo silêncio e sabia que ela era desconfiada. Tornara-se sua leitora mais inteligente e, depois que ele obteve dela a promessa de destruir suas cartas, a confidente mais perspicaz e digna de confiança. Quando vinha a Londres, como fez quando eles já se conheciam havia mais de três anos, ela se convertia em sua constante, reservada e secreta melhor amiga.

Nenhum deles falava sobre suas vidas privadas, suas personalidades ocultas. Ele falava a ela sobre seu trabalho e sua família, e ela fazia observações que eram pessoais no sentido de pertencerem a uma mente particular; pareciam confidências, não importava o quanto o assunto fosse geral ou vago. Ela não conversava sobre seu trabalho com ele, mas Henry concluiu, por insinuações e por acidente, que a realização de cada um dos livros dela trazia consigo um colapso nervoso, que a deixava em estado de permanente temor. Os invernos não eram nada gentis para com ela; dias escuros e temperaturas baixas deixavam-na deprimida, de tal maneira que havia ocasiões em que ela não conseguia sair da cama, não conseguia vê-lo, nem a ninguém mais, não conseguia trabalhar e não conseguia, até onde ele podia avaliar, ver esperança alguma, embora ela tentasse desesperadamente esconder a extensão e a profundidade do seu sofrimento. Ela, que se mostrara tão disposta à sua amizade e companhia, sabia ser silenciosa e introvertida. Ele não conhecera ninguém que compartilhasse no mesmo grau aquela disposição e seu extremo oposto. Sabia que podia confiar em Constance, que podia permanecer-lhe próximo mesmo estando distante, se fosse preciso. Ela podia sair abruptamente do seu lado como se temesse que ele estivesse a ponto de rejeitá-la e ela não pudesse tolerar a dor e a humilhação disso. Nada do que ela fazia com ele era simples; ele se espantava e muitas vezes se preocupava com o fato de não a conhecer plenamente, de não ser capaz de averiguar se aqueles vívidos gestos de separação eram aspectos de sua vulnerabilidade ou de sua necessidade de ficar sozinha, ou ainda de seu medo, ou de tudo isso junto.

Uma noite em Londres, em fevereiro de 1884, Henry foi com a sra. Kemble ver o ator italiano Salvini em *Otelo*. Era uma noite de gala e uma produção de gala, e havia gente mais rica que a sra. Kemble e Henry, com títulos e também beleza, atributos que nem a sra. Kemble nem ele possuíam, mas não havia par mais elegante na platéia, mais notado e observado, que a grande atriz acompanhada pelo autor de *O retrato de uma senhora*.

A sra. Kemble era despótica com ele, e ele a elogiava regularmente por sua presença de espírito, e ouvia-a com admirada atenção, tendo-a visto pela primeira vez no palco quando ainda era um rapaz. Ela sabia que todos à volta deles queriam ouvir o que ela estava dizendo e, por isso, alternava uma voz elevada com um sussurro. Ela acenou para algumas pessoas e falou brevemente com outras, mas não se deteve com ninguém. Em vez disso, atravessou a multidão até chegar ao camarote deles, deixando claro pelo modo de olhar que ninguém estava autorizado a juntar-se a eles.

Pouco antes de as luzes se apagarem, Henry viu Constance Fenimore Woolson tomar o seu assento. Era típico dela não mencionar a ele, embora se tivessem visto poucos dias antes, que planejava ir ao teatro. No tempo todo que ela estivera em Londres eles jamais tinham se aventurado naquele mundo juntos. A incursão dela na elegante vida londrina, quando ninguém mais estava sozinho, deixou-o perplexo. Constance parecia cansada e preocupada, e não uma distinta e bem-sucedida romancista oriunda de uma velha família americana que tinha rodado o mundo. Vista do camarote dele, ela poderia passar por dama de companhia ou governanta. Ele não sabia se ela o havia visto.

Enquanto ele assistia à trama de ciúme e traição desenrolada no palco, versões mais íntimas dos mesmos temas vinham-lhe à mente com força. Poderia facilmente fazer de conta que não a vira. Mas se ela o tivesse visto — e ela geralmente não deixava passar nada — e se tivesse a mais leve suspeita de que ele tentara ignorá-la, ele sabia o quanto ficaria magoada, e o quanto essa mágoa permaneceria secreta e escondida, e com que talento ela se dedicaria a acalentar esse ressentimento ao longo do inverno londrino.

No intervalo, ele pediu licença à sra. Kemble e abriu caminho em meio à multidão, encontrando Constance em seu assento, com o texto do *Othello* na mão. No instante em que se postou diante dela e ela levantou os olhos, ele viu que ela não sabia o que fazer, e quando ele falou, percebeu que ela não conseguia ouvi-lo. Sorriu e indicou-lhe que o seguisse. Sabia, enquanto eles se dirigiam ao camarote, que a sra. Kemble estava lançando um olhar hostil a ele e a sua companheira.

Quando ele fez as apresentações, Constance pareceu-lhe ainda mais desamparada do que quando a vira tomar seu assento. O que ele captava agora, enquanto ela tentava conversar com a sra. Kemble, era o que tinha captado antes de a peça começar — uma solidão e uma melancolia que pareciam oprimir as outras qualidades que ela se esforçava em enfatizar. A sra. Kemble, por sua vez, nunca sofrera de solidão e, logo que percebeu que Henry planejava convidar sua amiga para o camarote, desviou rudemente deles a sua atenção, olhando fixamente para um ponto na distância, com a ajuda de seus óculos de teatro.

Ele continuou a encontrar Constance ao longo dos dois anos seguintes, enquanto ela vivia fora de Londres, e a se corresponder com ela. Especialmente depois que sua irmã Alice chegou a Londres, ele viu Constance se esforçar ao máximo para não ser um fardo para ele, para não se mostrar dependente, e para fazer menção freqüente a seus planos de viagem e de trabalho — sua famosa independência. Ele não tinha permissão de sentir pena dela, nem tampouco de conhecê-la plenamente, exceto como um feixe de contradições impetuosas sublinhadas por duas verdades essenciais: ela era imensamente inteligente e estava sozinha.

Sua audição se deteriorava; quando ele lhe falava, ela precisava examinar seu rosto e observar seus lábios para seguir o que ele estava dizendo. A fisionomia dela assumiu uma inquieta gravidade, intensificada toda vez que ele mencionava planos de partir ou de viajar em breve. Naqueles anos, o que ele planejava com mais freqüência era viajar à Itália. Esperava com ansiedade o momento em que tivesse terminado um livro ou um conjunto de contos e estivesse livre. Esses planos eram de tal maneira parte integrante de sua existência que ele os esquecia, modificava e refazia sem hesitar e sem consultar ninguém. Aos poucos, ele começou a perceber que, quando revelava a ela suas intenções, ela ia para casa e ficava meditando sobre o que ele havia dito. Umas poucas vezes, ele notou sua surpresa e leve irritação ao descobrir que ele mudara de idéia e não discutira a mudança com ela. Compreendeu por fim que sua presença era importante para ela, e que, na intimidade, tudo o que escrevia e dizia era levado minuciosamente em consideração por ela. Para ela, ele era um mistério, mais até do que ela era para ele, mas, acreditava Henry, ela dedicava mais reflexão e energia do que ele jamais dedicara à resolução do mistério, ou pelo menos à tentativa de descobrir suas peculiaridades.

Quando ela começou a se preparar para deixar a Inglaterra e voltar a Florença, ele a convenceu de que ela devia conhecer algumas pessoas lá, alguns amigos dele, e ingressar na sociedade local, por mais restrita que esta fosse. Ela sorriu e abanou a cabeça.

"Já vi americanos suficientes na América", disse, "e ingleses suficientes na Inglaterra, e não creio que os italianos terão muito interesse em mim. Não, eu prefiro trabalhar a tomar chá, prefiro caminhar nas montanhas a me vestir para sair à noite."

"Há duas pessoas encantadoras e muito sérias que eu gostaria que você conhecesse", disse ele, "pessoas que, por sua vez, não ingressaram muito facilmente na sociedade. Não quero que você viva à mercê da colônia toda de anglo-americanos."

"Nesse caso", disse ela, "não quero nada mais do que conhecer seus amigos."

Ao escrever a seus amigos pedindo-lhes que proporcionassem algum respaldo social à srta. Woolson quando ela retornasse a Florença, Henry estava correndo um risco que não correra antes, pois não a apresentara a ninguém na Inglaterra. Ele sabia que seu velho amigo Francis Boott e sua filha Lizzie tinham trazido uma renda particular e o melhor da discrição e do refinamento de Boston a Bellosguardo, ao norte de Florença. Em seus gostos e hábitos, eram gente simples. Se fossem menos simples, pensava ele, o talento do pai como compositor e o da filha como pintora talvez os tivessem alçado a grandes alturas. Eles careciam da solidez da ambição e da dedicação, e substituíam-nas pelo gosto refinado e pela elevada hospitalidade. Ele sabia que eles se afeiçoariam de uma romancista americana com os modos e a linhagem de Constance.

A chance de eles não simpatizarem mutuamente era pequena. Lizzie, agora com quarenta anos, casara-se recentemente com um pintor boêmio, Frank Duveneck, e assim Francis Boott, que até então se devotara à filha, teria tempo e energia para dedicar-se a uma nova amiga. O verdadeiro risco que ele corria ao apresentar Constance aos Boott era o de que eles gostassem uns dos outros mais do que gostavam dele, de que, quando caísse a noite em Bellosguardo, eles discutissem seu caso e chegassem a conclusões a seu respeito que exigiriam discussões suplementares, até que ele se tornasse apenas um dos assuntos que os uniam.

Ele não estava se vangloriando. Sabia o quanto Constance seria cuidadosa de início, o quanto seria reticente e cautelosa, e sabia o quanto o velho Francis Boott gostaria que a conversa com uma nova amiga fosse genérica, e que, se pudesse, se refugiaria em suas moedas raras antigas, nos damascos antigos e nos compositores italianos havia muito tempo esquecidos. Não obstante, sabia que Lizzie Boott, a quem ele conhecera em Newport vinte e cinco anos antes, havia desejado casar-se com ele e chegara a comunicar seu desejo a ele e a sua irmã Alice, com quem ela se correspondia regularmente, assim como o pai dela se correspondia com William. Henry se deu conta de que, tão logo Constance chegasse a Florença e fosse procurá-los, os Boott tomariam conhecimento do que ninguém mais sabia: a freqüência com que ele via Constance e a importância que a sua presença tinha para ele; e eles achariam muito estranho, considerando sua proximidade com Henry e sua família, que ninguém tivesse mencionado isso antes. Não era impossível que eles desejassem discutir o assunto com Constance.

Quando ela já se estabelecera em Florença e, conforme ele ficou sabendo, visitara com freqüência Francis Boott e sua filha Lizzie, ele recebeu uma carta de Constance que o surpreendeu por sua franqueza e seu tom pessoal. Estar com os Boott, disse ela, na residência deles em Bellosguardo, era maravilhoso, contudo na terceira ou quarta visita algo causou-lhe espanto, e continuava causando; ela teve de esperar até desempacotar seus livros para finalmente ter certeza a respeito. Os cômodos da casa de Bellosguardo, escreveu ela, estavam descritos com precisão em *O retrato de uma senhora*. A sala onde ela costumava ser recebida era, de fato, repleta de arranjos planejados sutilmente e requintes ostensivos, e continha os reposteiros e tapeçarias, arcas e armários, bronzes e cerâmicas, sem falar das poltronas amplas e acolchoadas, que ocupavam a principal sala de visitas de Gilbert Osmond naquele romance.

E não só isso, escreveu ela, num tom quase acusatório, mas o próprio homem tinha sido descrito à perfeição no livro. Tinha, de fato, um rosto vistoso, delgado, extremamente modelado e bem-composto, e sim, seu único defeito era ter as extremidades muito aguçadas, o que era enfatizado pelo formato da sua barba. Às vezes, disse ela, quando pai e filha falavam era como se Gilbert Osmond e sua filha Pansy estivessem conversando. "Você me apresentou a dois dos personagens de seus livros", escreveu ela, "e sou-lhe grata por isso, mas me pergunto se você tem planos de me incluir na continuação."

Ele demorou algumas semanas para responder, e quando o fez deixou de mencionar os comentários dela sobre seu romance e os Boott. Concluiu a carta secamente, com a certeza de que ela não deixaria de percebê-lo, e acreditando que isso, ao lado da sua demora em escrever, teria o efeito de remover a discussão das fontes de seus romances para o reino do não-dito, no qual ele e ela normalmente transitavam em liberdade, como cidadãos estimados.

Permaneceu profundamente curioso, entretanto, a respeito do relacionamento dela com os Boott e com Frank Duveneck. Veio-lhe à mente uma idéia sobre um cavalheiro americano de idade avançada, com recursos pessoais e modos cultivados na Europa, e sua filha. Ambos, na sua história, iriam casar; a filha primeiro e o pai algum tempo depois, motivado pela solidão. Seus cônjuges, ocorreu a ele, poderiam ser duas pessoas que secretamente se conheciam, ou que tinham vindo a se conhecer agora. Ele estava fazendo, conforme percebeu, o que Constance sugerira — colocando-a perto de seus outros personagens, o pai e a filha de *O retrato de uma senhora*, para ver o que acontecia. Deixou de lado a idéia para o conto, não desejando satisfazer a especulação dela quanto aos possíveis motivos que o levaram a apresentá-la aos Boott, e acreditando também que o que ele visse quando viajasse para Florença talvez fosse mais interessante que qualquer coisa que pudesse imaginar.

Constance alugara sua própria residência em Bellosguardo, a Casa Brichieri-Colombi, que tinha vista para a cidade, um espaço amplo e lindos jardins. Mas quando Henry chegou, em dezembro, depois de obter de Constance e dos Boott a promessa de que ninguém em Florença fosse informado da sua presença, Constance ainda não tinha se mudado, e ainda estava alojada num apartamento próximo aos Boott, a uma pequena quadra da Casa Brichieri-Colombi. Ela lhe ofereceu a casa, que estava desocupada, e ele aceitou.

Dessa maneira, acabou morando naquela que viria a ser, na verdade, a futura residência de Constance; via-a quase todo dia e deixava-a dirigir sua arrumação doméstica, e enquanto isso nenhum de seus outros amigos em Florença sabia que ele estava na cidade. Os Boott sabiam, mas estavam mais ocupados com o iminente nascimento do filho de Lizzie. Isso não impediu Francis Boott, porém, de subir Bellosguardo para visitá-lo.

A cultura excepcional de Francis Boott era acompanhada por sua grande brandura. Ele parecia incapaz de ofender ou de sentir-se ofendido. Quando *O retrato de uma senhora* veio a público e ficou claro que ele próprio, sua casa e sua filha tinham sido usados abertamente no livro, e que o insensível vilão do romance tinha seu próprio rosto, não fez nenhuma queixa ao autor e até pareceu divertir-se. Era um extremamente respeitável habitante de Florença, Henry sabia, assim como havia sido em Boston e Newport; como anfitrião ou convidado, ele estava acima de qualquer reparo. Dava a impressão, apesar da delicadeza de suas maneiras, de que o decoro de sua conduta social simbolizava outros decoros nos quais ele também acreditava, mas parecia não ter razão alguma para exibir suas crenças.

O velho cavalheiro estava envolvido num xale quando se sentou numa espreguiçadeira na sala principal da Casa Brichieri-Colombi. Henry teve sua atenção chamada para sua figura felina e de movimentos lentos, seus dedos longos e finos e seu rosto que, apesar do interesse pela boa comida, tornara-se singularmente ascético com o passar dos anos.

“Adoramos sua amiga, a senhorita Woolson”, disse ele. “Ela tem um raro encanto e inteligência. Lizzie e eu nos afeiçoamos muito dela.”

“E ela se afeiçoou de vocês, acredito”, disse Henry.

“Ela tem um humor delicado, você sabe, e um jeito gracioso de nos deixar como se sua vida dependesse disso. Sempre queremos que ela fique por mais tempo, mas ela tem trabalho a fazer. Nossa, como ela tem trabalho."

Os olhos de Francis Boott cintilavam de prazer enquanto falava.

"Claro que estamos plenamente conscientes de que ela só é nossa amiga por sua causa. Ela o admira tanto. E confia em você."

Quando seu amigo cruzou as pernas novamente, Henry notou como seus sapatos eram bonitos e como seus pés eram esbeltos. Henry queria trazer a conversa de volta para Lizzie e sua gravidez, mas já havia perguntado sobre ela logo que Francis chegou. Mesmo assim, tentou novamente.

"Dê minhas lembranças a Lizzie", disse.

"Eu conto tudo a ela, como você sabe", disse Francis, sorrindo de novo. "Nós dois nos preocupamos com Constance. Há profundezas que nenhum de nós chegou a explorar plenamente, mas fizemos uma ótima idéia dela."

"Sim", disse Henry, "Constance é profunda."

"E ela sofre, talvez muito mais do que uma pessoa com o talento dela mereça sofrer", disse Francis, franzindo as sobrancelhas. "Mas é maravilhoso que ela tenha encontrado e conhecido você. Nós dois sentimos isso também."

Henry fitou-o sem expressão nenhuma no rosto.

"Nós dois notamos a mudança que ela sofreu ao longo das últimas semanas, quando sua chegada foi se tornando cada vez mais certa. Sabe, ela ficou muito mais alegre; passou a usar roupas coloridas e a sorrir mais. Era evidente."

Francis Boott se calou, tossiu, procurou um lenço e bebericou o chá que lhe haviam trazido. Dava a impressão de ter dito tudo o que tinha a dizer, e com toda a clareza. Então, subitamente voltou a falar, em voz alta no início, como se estivesse interrompendo alguém.

"Ficamos nos perguntando se você estava contente aqui, nesta casa."

"Oh, sim, eu adoro a casa."

"Com Constance tão perto, e a casa sendo dela, ou prestes a ser dela..." Francis Boott baixou a voz, mas se certificou de estar sendo ouvido. "Ninguém sabe que você está aqui, é claro, portanto não creio que possa haver algum escândalo. Bellosguardo, apesar de tudo, é uma espécie de bastião."

Tamborilava com os dedos as costas da cadeira.

"Não, o problema é: o que ela vai fazer quando você for embora? É com isso que Lizzie e eu nos preocupamos. Não com o fato de você estar aqui e vê-la com tanta freqüência, mas com o fato de não estar, se é que você me entende."

"Vou fazer o melhor que posso", disse Henry. Sabia que a frase soava inconsistente, mas, como ela fez Francis Boott lhe sorrir de modo afetuoso, quase radiante, não se corrigiu.

"Não tenho dúvidas quanto a isso. É só o que podemos fazer", disse o velho.

Terminou o seu chá e levantou-se para partir.

Em janeiro, logo que Constance tomou posse da Casa Brichieri-Colombi, Henry se mudou para Florença. Seus dias eram ociosos, suas tardes e noites desperdiçadas com as pessoas que Constance desdenhosamente evitava. Ele ficava entediado e freqüentemente irritado com os excessos do grupo, mas aprendera a disfarçar tais sentimentos e, em todo caso, uma noite eles acabaram desaparecendo. Ao ver a condessa Gamba, que, como era de conhecimento geral, possuía um escaninho com cartas de Byron, Eugene Lee-Hamilton, um grande mexeriqueiro literário, contou a Henry que a presença dela o fazia lembrar da história de um outro escaninho de cartas. Claire Clairmont, amante de Byron e cunhada de Shelley, havia, segundo Lee-Hamilton, vivido até a velhice. Passara seus anos finais reclusa em Florença com uma sobrinha-neta. Um americano obcecado por Shelley, sabendo que ela detinha papéis pertencentes aos dois poetas, passou a assediá-la, de acordo com Lee-Hamilton. E a partir de sua morte o homem dirigiu o assédio à sobrinha-neta, uma senhora de cinqüenta anos, até que esta o convidou a casar com ela se quisesse ver os papéis.

Lee-Hamilton contou a história animadamente, como se fosse um mexerico conhecido, sem se dar conta da atenção com que era escutado, ou de quanto o drama narrado afetava seu ouvinte.

As implicações e possibilidades daquela história ocuparam a mente de Henry por algum tempo depois daquilo. Tomou nota, tão logo voltou a seus aposentos, do retrato das duas velhas inglesas fascinantes, pobres e desacreditadas, vivendo em meio a uma estranha geração, em sua esquina bolorenta de uma cidade estrangeira, com as cartas que eram seu bem mais precioso. Mas, ao refletir sobre o cerne do drama, percebeu que ele estava nas mãos do americano, que apareceria sob o duplo aspecto de aventureiro e estudioso. A história das três figuras fechadas num drama de lembranças desbotadas e necessidade urgente tomaria tempo e concentração. Não poderia ser feita nas manhãs de Florença. Tampouco poderia ambientar seu conto na cidade sem que todo mundo lá acreditasse que ele estava meramente transcrevendo uma história já conhecida e repetida com freqüência. Transferiria a história para Veneza, pensou, e, como os convites continuavam a chegar, decidiu ir, ele próprio, para Veneza também, e trabalhar lá num conto cujas características ele saboreava cada vez mais.

Em Veneza, encontrou hospedagem em quartos que pertenciam a sua amiga, a sra. Bronson, num palazzo escuro e abafado. O fato de Browning ter habitado uma vez aqueles cômodos não os iluminava, nem os livrava do frio, apesar da certeza da sra. Bronson de que a história que eles comportavam fazia toda a diferença. Ele adquiriu o gosto de jantar sozinho antes de dar um passeio a pé pelas ruas mal-assombradas da cidade. Tão logo a noite caía e os venezianos voltavam para casa, eles não se aventuravam a sair de novo. Veneza estava nevoenta e estranha, e pela primeira vez na vida ele se perguntou o que estava fazendo na cidade que tanto amava. Poderia facilmente ter ido para a Inglaterra em vez de ficar ali. O conto agora estava claro em sua mente e ele se embebera o bastante dos palácios descoloridos onde suas heroínas viveriam e do sentimento de velhos segredos e heróicos afetos naqueles edifícios sombrios, muito adornados e pouco hospitaleiros, outrora cheios de delicado romance e pomposa alegria, e agora repositórios de melancolia e teias de aranha, muitos deles habitados pelos instáveis e pelos inválidos.

Uma noite, tendo passado pelos Frari e cruzado a ponte que levava em direção ao Canal Grande, ele viu de relance uma mulher numa sala num andar superior, com as costas voltadas para uma janela iluminada. Ela estava conversando; alguma coisa em seu cabelo e em seu pescoço o fez estacar na rua deserta. À medida que a conversa se tornava mais animada, ele a via encolher os ombros e gesticular. Ela era, até onde ele podia ver, mais jovem que Constance e mais morena, e seus ombros muito mais largos, de modo que não foi sua presença física que o fez pensar em Constance. Ao se afastar dali, ele percebeu que sentia muita vontade de estar naquela sala onde a mulher falava, que ansiava por ouvir sua voz e seguir o que ela estava dizendo, fosse o que fosse. E lentamente, enquanto caminhava pelas ruas escuras com as vidas escondidas nos prédios dos dois lados, deu-se conta de que, embora sua estada em Bellosguardo tivesse durado apenas três semanas, ele sentia falta da companhia dela, sentia falta da sua vida com Constance Fenimore Woolson. Sentia falta da mistura de impetuosidade e reticência de seus modos, da vida americana que ela carregava consigo de modo tão copioso, da aura que as horas de solidão lhe conferiam, da sua furiosa ambição, da sua admiração e sua crença nele. Sentia falta das poucas horas diárias que passavam juntos, e do silêncio encantador que vinha antes e depois delas. Decidiu que retornaria à Inglaterra ou voltaria para Florença. Escreveu a Constance resumindo seu dilema, percebendo só em parte que ela poderia ler sua carta como um arremedo de apelo.

Constance respondeu imediatamente e ofereceu-lhe, animada, aposentos próprios num andar inferior da Casa Brichieri-Colombi, que, através de uma porta e três arcadas, davam vista para o Duomo e a cidade. Ele poderia trabalhar em paz ali. Enquanto Florença se exibia em toda a sua riqueza e complexidade para o prazer dos que residiam em Bellosguardo, o inverso não acontecia. Bellosguardo permanecia à parte da cidade dos palácios, igrejas e museus. Voltar a pé para lá à noite era, depois de transpostas algumas ruas a partir do rio, como caminhar em direção a qualquer cidadezinha de montanha do interior da Toscana. Constance habitava o amplo apartamento acima dele, e eles compartilhavam a criadagem, a cozinha e o jardim. Não havia mais ninguém morando na casa. Dessa vez eles nem chegaram a discutir a necessidade de discrição quanto à presença dele na cidade. Pouquíssimos sabiam que ele estava vivendo sob o mesmo teto que a srta. Woolson e isso não era mencionado a mais ninguém. Henry escreveu a William apenas para dizer que tinha conseguido moradia em Bellosguardo. Escreveu a Gosse insistindo que estava sozinho e trabalhando. Escreveu à sra. Curtis sobre as belezas de Bellosguardo e sua satisfação com o panorama. Não revelou que tudo isso se devia à cortesia de Constance.

Nem tampouco mencionou a ninguém que durante o período em que estivera longe, para alarme dos Boott e do médico de Constance, ela caíra numa melancolia profunda e ficara o tempo todo na cama, onde sofrera, segundo as palavras de Francis Boott, mais do que era possível imaginar. Ele pôde ver sinais disso quando chegou, apesar dos esforços dela em disfarçá-los. Ela ficava contente pelo fato de ele jantar em Florença, pois assim podia ficar sozinha à noite. Parecia irritar-se com a própria surdez, e, depois de pouco tempo juntos, dava a impressão de se sentir obrigada a se recolher.

Mas, à medida que o tempo abrandava e chegava a primavera, Constance foi ficando mais feliz. Ela amava sua casa ampla e o jardim que agora começava a florir, e aprazia-se diariamente com a velha cidade que via lá embaixo, sem nunca se sentir tentada a caminhar para fora de seu pequeno território. Assim ela guardava sua privacidade e respeitava a dele, e nas seis semanas que ele morou com ela, eles nunca apareceram juntos em público.

Ele trabalhava duro em seu conto sobre os papéis de Shelley e Claire Clairmont e o visitante americano. Acreditava que voltar para aquela linda casa e para aquele cenário idílico tinha sido um pouco inconveniente, pois ele havia apelado à compaixão de Constance quando ela já não tinha nenhuma para dar. Ela sabia, tanto quanto ele, que Henry partiria, que aquilo seria apenas um intervalo para ele, umas férias de sua solidão total, ou de sua vida londrina, ou de suas outras viagens. Mas para ela a estação, a casa e a sóbria presença dele fariam daquele período o mais gratificante e encantador de toda a sua vida. Sua felicidade, tal como era, vinha, segundo ele acreditava, do perfeito equilíbrio entre a distância que eles mantinham entre si e o fato de não sentirem falta de nenhuma outra companhia. Ela se vestia com esmero, quase sempre de branco. Dava atenção à decoração da casa e ao estado do jardim, e supervisionava a cozinha com um olhar exigente.

Uma tarde, quando eles estavam juntos no terraço para o chá, a Casa Brichieri-Colombi recebeu a visita inesperada de uma dama romancista da tendência inglesa, srta. Rhoda Broughton, que ele conhecera em Londres muitos anos antes. Ela dissera, numa carta enviada de Londres, que o visitaria, mas não especificara uma data. Expressou muita admiração ao encontrá-lo e abraçou-o calorosamente.

"Eu sabia que você estava na Itália", disse ela. "Amigos me contaram em Veneza, mas eu não sabia que você estava em Florença."

Henry a ficou observando enquanto ela se acomodava numa cadeira de vime, depois de rearranjar as almofadas, falando o tempo todo no seu tom avoado habitual que podia levar os incautos a crer, erradamente, que ela era uma tola.

"E vocês dois aqui!", disse ela. "Que lindo! Eu poderia ficar viajando pela Itália durante anos e não ver nenhum dos dois, e agora subitamente encontro a ambos."

Henry sorriu e aquiesceu com a cabeça, enquanto o criado servia mais chá à srta. Broughton. Que ela parecesse nunca ouvir o que os outros diziam nem notar coisa alguma que não fosse seu conforto imediato era, ele bem sabia, uma grande simulação. Ela tendia, na verdade, a não deixar escapar nada. Ele supôs que ela sabia o tempo todo que ele estava vivendo sob o teto da srta. Woolson; estava determinado a deixá-la partir da Casa Brichieri-Colombi em dúvida quanto à veracidade da informação.

Conversaram sobre várias pessoas de Veneza que a srta. Broughton encontrara, e depois disso o assunto passou a ser o prazer de sair de Londres.

“Sempre sonhei em viver em Florença”, disse Constance.

“E agora você vive”, disse a srta. Broughton. “E agora você vive. Como vocês dois são felizardos de ter uma casa tão linda.”

A srta. Broughton deu um gole em seu chá enquanto Constance mirava a distância com olhos fixos e penetrantes. Henry desejou estar escrevendo, pois sentia que seria capaz, na privacidade de seu quarto, de conceber uma resposta apropriada. Precisava pensar rapidamente e não sabia se conseguiria fornecer uma negação cabal.

“Evidentemente, senhorita Broughton, estou meramente de visita, assim como a senhorita. A senhorita Woolson é a felizarda.”

Quando olhou para Constance, ele viu que o comentário não parecia ter atraído seu interesse.

“Onde você está hospedado?”, perguntou Rhoda Broughton.

“Oh, eu tenho perambulado um bocado”, disse ele. “Estive em Veneza, como você sabe, e posso ir para Roma. Florença é maravilhosa, mas há aqui sociedade demais para um pobre escritor.”

“Eu não estava nem mesmo informada de que você tinha vindo a Florença”, Rhoda Broughton disse de novo.

Henry achou que ela soou ainda menos convincente na segunda vez e sentiu que já haviam discutido o bastante o tópico de seu paradeiro. A srta. Broughton, felizmente, deixara-lhe agora uma brecha. Ao fazer-lhe friamente uma mesura, ele podia insinuar que o fato de ela não estar informada talvez fosse, na verdade, parte do seu plano. Enquanto ela buscava absorver as conseqüências disso, Constance mudou de assunto.

Uma vez que ele não queria que seu novo conto fosse lido diretamente como a história de Claire Clairmont e sua sobrinha-neta, e não julgava que bastasse para isso a simples mudança de cenário de Florença para Veneza, tornou americano o escritor morto; um dos pioneiros da literatura americana. Sabia, ao estabelecer isso, que talvez pudesse estar fazendo referência a James Fenimore Cooper e, ao se concentrar em seu aventureiro americano, percebeu que estava utilizando momentos de sua própria visita de retorno a Florença, de sua própria intrusão, também. Começou a compreender, quando esboçava o conto, a ironia da situação. Se estava buscando uma solteirona exilada que guardava papéis e era parente de um pioneiro da literatura americana, então tinha uma logo ali no andar de cima, se bem que extremamente independente.

Perguntava-se o que aconteceria se ele abandonasse a oferta de casamento da solteirona, se pudesse tornar o desenlace do conto semelhante à vida estranha, matizada, infinitamente interessante e de final em aberto que ele estava compartilhando naquele momento com Constance Fenimore Woolson, se pudesse fazer seu aventureiro começar a precisar, ou precisar em parte, da vida doméstica de um inquilino com uma mulher reservada e inteligente que estava sozinha, mas não disposta a ser pilhada. Ela poderia pedir a ele algo menos óbvio que casamento; o que ela queria era uma ligação próxima, satisfatória e, se necessário, não convencional, com lealdade, atenção e afeto, mas também com solidão e distância.

Uma manhã em Florença, quando a criada viera, e ele abrira uma carta de Katherine Loring sobre a saúde e o estado geral de sua irmã, ele começou a conversar sobre Alice com Constance.

"A vida sempre foi difícil para ela", disse ele. "A vida em si parece ser a raiz da enfermidade dela."

"Acho que é difícil para todas nós. O fosso é muito largo", disse Constance.

"Você quer dizer entre a imaginação dela e os limites em que ela está inserida?", perguntou Henry.

"Quero dizer entre usar nossa inteligência como mulheres até o fim e as conseqüências sociais disso", disse Constance. "Alice fez o que tinha que fazer, e eu a admiro."

"Ela na verdade não fez nada, a não ser ficar de cama", disse Henry.

"É precisamente isso o que eu quero dizer", Constance respondeu.

"Não compreendo", disse ele.

"Quero dizer que as conseqüências entram na medula da sua alma."

Sorriu para ele com brandura, como se tivesse dito um gracejo.

"Estou certo de que ela concordaria com você", disse ele. "A bênção dela é contar com a senhorita Loring."

"Ela parece ser um anjo da guarda", disse Constance.

"Sim, todos nós precisamos de uma senhorita Loring", disse Henry.

Mal acabou de fazer esse último comentário, ele se arrependeu. O próprio som do nome srta. Loring sugeria uma solteirona tarimbada apenas na arte de cuidar dos outros. Ele tinha desejado que sua observação soasse como uma piada, ou um sinal de gratidão, ou ainda uma maneira de reduzir a intensidade da conversa, mas sabia, como se desse para apalpar no ar, que aquilo saíra como uma impertinente manifestação de sua própria necessidade, como se fosse aquilo que ele esperava de Constance. Voltou-se então para ela, preparando uma declaração que desfizesse os danos do que acabara de dizer, mas percebeu que ela não parecia ter notado nada, ou levado a sério. Tinha certeza, entretanto, que ela o ouvira. Ela continuava serena quando retomou a conversa.

* * *

Entre sua partida de Florença e a morte dela, eles continuaram a se escrever e a se encontrar. Uma vez, quando ambos passavam uma temporada em Genebra, morando em lados opostos do lago, mas se encontrando diariamente, Alice James começou a detectar a familiaridade entre eles. Henry está em algum lugar do continente, ela escreveu para William, flertando com Constance. Quando ele voltou, achou a irmã mais truculenta que o habitual, caprichosa, quase irada, acusando-o de negligenciá-la enquanto se divertia com uma romancista fêmea.

Constance deixou Florença por considerar, segundo disse, que as interrupções e invasões da sociedade florentina eram demais para ela. Mudou-se novamente para Londres, onde se assentou com seu ardor costumeiro, colocando a solidão e o trabalho árduo no topo de sua lista de necessidades. Viajou para o Oriente com coragem e independência e enviou a ele com regularidade notícias sobre si mesma, usando um tom ao mesmo tempo divertidamente irônico e distante. Quando voltou à Inglaterra para morar em Cheltenham e em seguida em Oxford, sua capacidade de trabalho solitário, conforme Henry escreveu a Francis Boott, era tão extraordinária e admirável como sempre fora.

Permaneceram próximos, sempre cientes do paradeiro e das preocupações um do outro. Quando Alice James começou a agonizar e Constance estava em Oxford, Henry a manteve atualizada com notícias sobre o estado de saúde de sua irmã. Ambas as mulheres, nos primeiros meses de 1892, mandaram uma à outra mensagens curtas, sutis e espirituosas. Constance continuou na Inglaterra por um ano depois da morte de Alice e depois decidiu finalmente voltar à Itália e morar em Veneza.

Àquela altura, os dois romancistas haviam desenvolvido um modo estranho, desorganizado e satisfeito de permanecer próximos. Tornaram-se peritos nos encontros de vinte e quatro horas em lugares ingleses de província, hospedando-se em pequenos hotéis separados, fazendo caminhadas e jantando juntos. Ela podia, nessas ocasiões, ser esplendidamente caprichosa e combativa, pedindo licença para discordar dele a propósito dos livros em evidência ou das paisagens que haviam visto, e pronta a provocá-lo por conta do apego dele ao requinte. Ele se perguntava como eles seriam vistos por um espectador desinteressado. Ambos eram americanos que tinham ficado distantes da América por muitos anos. Nenhum dos dois conhecera os compromissos trazidos pelo casamento, nem as preocupações da paternidade ou da maternidade. Nenhum deles tivera de cuidar de uma criança chorando no meio da noite. Poderiam, ele achava, ser tomados por irmãos. Mas então ele a via deleitar-se com as peripécias de sua própria sagacidade, senhora que era de uma centena de escaninhos ou categorias nos quais compartimentava seus companheiros mortais, edifícios e cidades inteiras, bem como suas lembranças pessoais e as observações de Henry. E ele sabia, quando ela lhe sorria, que ninguém iria achar que sua amiga, agora tão misteriosamente efervescente, divertida e encantadora, estivesse em companhia do irmão. Assim como eles eram um mistério um para o outro, ele sentia que permaneceriam sendo um mistério para a estreita fatia da sociedade que conseguia notá-los.

Henry encontrou-a em Paris quando ela se mudava, com seus pertences, de Oxford para Veneza. Tinha levado meses arrumando as malas e preparando-se para partir. Estava exausta e desnorteada, e uma dor no ouvido esquerdo causava-lhe um imenso tormento. Ela deixou claro, ao chegar, que não estaria em condições de estar muito com ele. Ele podia explorar a cidade sozinho, disse ela, e talvez ela pudesse passar algum tempo com ele à noite. Mas não tinha sequer certeza, acrescentou, de poder encontrá-lo.

Apesar das advertências, na segunda daquelas noites Constance parecia bem o bastante para jantar em sua companhia. Ele notou que os movimentos dela eram lentos. Era obrigada a inclinar o ouvido direito em sua direção quando ele lhe falava, para poder ouvi-lo.

"Recebi uma carta de Francis Boott", disse ela, "que sabia da sua vinda a Paris, mas tinha a impressão de que você vinha sozinho e de que nós não tínhamos contato um com o outro havia algum tempo."

"Oh, sim", disse Henry, "escrevi a ele a respeito de meus planos, que eram vagos na época."

"Ele achou divertido, acho", disse Constance, "porque eu lhe disse que nos encontraríamos aqui por uns dias, e na mesma leva de cartas chegou a sua declarando que iria a Paris sozinho. Ele me perguntou se você era capaz de estar sozinho e em minha companhia ao mesmo tempo."

"O bom Francis", disse Henry.

"Devo dizer a ele que ficar parcialmente invisível é apenas um pequeno aspecto do meu encanto."

Ela soou levemente amarga, quase irritada.

"Veneza, evidentemente", disse ele, "estará linda. Assim que você se assentar lá, vai sentir-se como num sonho."

Ela suspirou e em seguida fez um gesto afirmativo.

"A parte difícil é a mudança, mas talvez a permanência possa ser ainda mais difícil", disse ela.

"A grande lástima é que não há montanhas em torno de Veneza", disse ele. "Ou a pessoa está lá ou não está. A vantagem é que é mais fácil encontrar um belo lugar para ficar do que em Florença."

"Ir para lá agora me dá medo. Não sei por quê", disse ela.

"Sempre pensei", disse ele, "que eu iria gostar de passar lá uma parte de cada inverno, a época tranqüila em que nenhum de nossos compatriotas obstrui o caminho, e dispor de meu próprio refúgio na cidade, de minha própria rotina, sem ser hóspede de ninguém."

"É um sonho", disse Constance, "compartilhado por todo mundo que vai a Veneza."

"Desde a morte da minha irmã", disse Henry, "meus problemas financeiros diminuíram muito. Portanto não seria impossível."

"Alugar um canto em Veneza, um *pied-à-terre*?", perguntou ela.

"Talvez dois", disse ele.

Ela sorriu e, pela primeira vez, pareceu relaxada, quase alegre.

"Não o imagino no Canal Grande", disse ela.

"Não. Em algum lugar escondido", disse ele. "Não importa exatamente onde, desde que seja difícil de achar, com muitos becos sem saída no caminho."

"Veneza às vezes me assusta", disse Constance. "A inconstância dela, a possibilidade de que eu possa me perder cada vez que eu sair."

"Faremos o possível para orientá-la", disse Henry.

Nos anos imediatamente anteriores à locação da Lamb House, seus invernos londrinos tinham sido tranqüilos; sua rotina, quando não vinha visita nenhuma dos Estados Unidos, quando os londrinos que ele conhecia respeitavam seus hábitos, era conveniente e tirava-lhe a vontade de viajar. Havia algo na energia distante e pulsante da metrópole que o fazia apegar-se a Londres, mesmo sendo uma Londres cujas notícias lhe chegavam de segunda mão.

Amava as coisas fixas da manhã, os livros familiares, as horas solitárias usadas com proveito, a tarde escoando lindamente. Em Londres ele jantava fora algumas noites por semana e passava o restante de suas noites sozinho, fatigado e singularmente inquieto a partir de determinada hora, mas aos poucos foi aprendendo a lidar com a quietude, o silêncio e a sua própria companhia.

As cartas de Constance, agora estabelecida em Veneza, sugeriam que ela estava modificando seus hábitos. Ela escrevia sobre a laguna de Veneza, sobre sua exploração das ilhas afastadas e dos pequenos lugares caprichosos, escondidos dos turistas, sobre suas jornadas de gôndola. Mas também começou a escrever sobre as pessoas que encontrava, mencionando os nomes de amigos dele em Veneza — a sra. Curtis e a sra. Bronson, por exemplo — e acrescentando outros nomes, como lady Layard, sugerindo que fazia parte do círculo deles, ou pelo menos era convidada regularmente a suas casas e tinha o prazer de aceitar sua hospitalidade.

Assim, ele começou a achar que sua velha amiga, a quem tanto admirava por sua distância das coisas e por sua auto-suficiência, parecia ter ingressado de bom grado na vida da colônia anglo-americana de Veneza, deixando-se acolher por suas anfitriãs mais ricas e socialmente ambiciosas. Quando ela lhe escreveu para dizer que, junto com a sra. Curtis, vinha procurando com afinco um *pied-à-terre* para ele, ficou alarmado. Percebeu com temor que Constance estava discutindo os planos dele com pessoas que ela não conhecia tão bem quanto ele. O tom das cartas dela e de uma carta que ele recebeu da sra. Curtis sugeriam que Constance chegara perto de deixar claro o quanto ela o conhecia e o quanto eles se tinham visto na década passada. Ele sabia a facilidade e a rapidez com que aquilo poderia ser mal interpretado.

Tanto quanto possível, ele vivera uma vida sem perturbações.

Acreditava que não ofendia nem se sentia ofendido com facilidade. Editores o irritavam — e houve um produtor de teatro chamado Augustin Daly cuja conduta encheu-o de raiva — e os de revistas exigiam uma paciência constante, que muitas vezes se esgotava; além disso, um pagamento que não saía ou que era prometido e demorava a chegar, um livro que não era publicado no prazo, ou que não vendia nada, ou a manipulação mal-intencionada de seu trabalho nos jornais, tudo isso podia atormentá-lo, especialmente quando a noite caía. Mas, passado um certo tempo, essas coisas se tornavam problemas menores que lhe consumiam pouco tempo e energia. Ele as esquecia e não guardava rancor.

Agora, a idéia de Constance em Veneza, passando suas noites nos palazzi do Canal Grande e falando dele abertamente, a despeito da discrição de que ela se orgulhava, começava a oprimir sua mente. Uma nova carta dela descrevendo seus colegas hóspedes na Casa Biondetti, incluindo Lily Norton, cujo pai e cuja tia eram amigos íntimos de Henry e William, encheu-o de presságios. Ele trabalhava na sua peça teatral e vivia, conforme gostava de dizer a Constance, a vida de um eremita em Londres. Não mencionou uma ida a Veneza ou o aluguel de um apartamento lá até ser pressionado a confirmar seu interesse tanto por Constance como pela sra. Curtis, que agora lhe pareciam atuar em conjunto.

Duas vezes, com a ajuda de Constance, ele tinha conseguido habitar a colina junto a Florença sem que quase ninguém soubesse de sua presença. A estrada para Bellosguardo era íngreme, estreita e sinuosa, e aqueles que desejassem visitá-lo teriam de fazer um certo esforço e contar com informações precisas. Parecia que Constance tinha outros planos para ele em Veneza. Não que ele tivesse imaginado a hipótese de viver lá em segredo, mas agora que sua amizade com Constance tinha se tornado pública, ele antevia um círculo no qual ambos estariam incluídos. Imaginava-a escutando com impaciência mal disfarçada, com seu ouvido bom, as surradas histórias de Daniel Curtis, ou os relatos da sra. Bronson acerca de suas aventuras com Browning. Imaginava-a virando-se para ele e, com um único e breve olhar mordaz, dando a entender seu desprezo pela companhia. Ela também estaria disposta, e isso era o que mais o preocupava, a conspirar a favor dele junto a seus velhos amigos, agora que ela se juntara ao grupo deles. Essas conspirações seriam bem-intencionadas, mas iriam colidir crucialmente com sua inviolável necessidade de fazer seus próprios arranjos e agir como bem quisesse. Aos poucos, nas semanas que se seguiram à notícia de que Constance e a sra. Curtis vinham procurando um apartamento para ele, sentiu uma impotência que não sentira desde a infância.

Em julho ele escreveu à sra. Curtis para corrigir a idéia errônea da srta. Woolson de que ele estava procurando um apartamento em Veneza. Ele se deu conta, segundo disse, de que vinha especulando ociosamente sobre os encantos da cidade úmida, mas agora se perguntava se tinha se expressado mal à srta. Woolson, dando a entender que poderia vir a morar em Veneza. Na verdade, não tinha nenhum plano nesse sentido, escreveu, pois necessitava morar em Londres por toda sorte de razões práticas. Toda vez que ia a Veneza, disse, e sem dúvida na próxima vez aconteceria o mesmo, ele acalentava o sonho de ter um modesto *pied-à-terre*, e o sonho se tornava mais vívido, escreveu, quando estava no lugar, esmaecendo assim que ele voltava para casa. Agradeceu à sra. Curtis por todo o seu esforço, acrescentando que, embora nutrisse a mais cálida esperança de ir à Itália naquele inverno, aprendera com a dura experiência a não fazer planos imutáveis.

Sabia que sua carta seria mostrada a Constance e imaginava sua resposta. Na Inglaterra, eles haviam chegado, de modos estranhos e sutis, a depender um do outro. Embora houvesse assuntos que eles nunca discutiam, outras coisas, incluindo o que estavam escrevendo e suas relações com editores de revistas e de livros, eram compartilhadas. Sabia o quanto ela apreciava as confidências dele, e imaginava que depois, sozinha, ela passava em revista cada detalhe do que ele lhe contara. Ela saberia agora que ele não tinha intenção de se estabelecer em Veneza, mas também que ele parecia inclinado a não visitá-la no inverno seguinte, apesar de ter lhe prometido que o faria. Ela seria abandonada à própria sorte em Veneza entre pessoas, especialmente as ricas e ociosas, que ele sabia que ela viria a desprezar.

Talvez pudessem se encontrar na primavera, ele pensou, em Genebra ou Paris, mas não pensava em ir a Veneza. Fazia uma imagem dela examinando-o criticamente quando ele chegasse ao salão da sra. Curtis, e depois aludindo de modo mordaz ao seu comportamento encantador enquanto desfrutava a hospitalidade da sociedade anglo-americana local, cujos membros o viam como uma preciosa glória.

Ele não teve notícias dela enquanto o verão dava lugar ao outono. Presumiu que ela estivesse ofendida e imaginou também que estivesse trabalhando, como ele. Com todos os seus correspondentes, ele se permitia longos intervalos sem escrever. Mas o silêncio entre Kensington e Veneza era de uma espécie diferente. Finalmente, no final de setembro, ela lhe escreveu, mas o tom era frio e distante, a carta meramente informando-o de que ela havia se mudado da Casa Biondetti, onde havia sido muito bem tratada, para uma moradia mais privada, onde ela poderia ficar sozinha, na Casa Semitecolo, nas proximidades. Ela mencionava quase de passagem que estava exausta, depois de escrever e reescrever seu último romance, e agora não desejava nada a não ser um inverno sem livros. Afetuosamente sua, ela escreveu, e em seguida assinou. Ele examinou a carta do princípio ao fim, sabendo que cada palavra tinha sido escolhida com cuidado. Deteve-se na menção ao inverno sem livros e refletiu sobre ela, mas foi só mais tarde que veio a compreender suas funestas implicações.

Dezembro foi consumido numa nova desavença com o produtor de teatro Augustin Daly, que se comportara de modo insolente e devolvera sua peça *Mrs. Jaspar*. Houve uma intensa troca de cartas em torno do assunto, e por algumas semanas, nas proximidades do Natal, o desentendimento com Daly ocupou uma boa parte de sua vida diurna. Seu Natal e seu Ano-Novo em Londres, contudo, foram calmos e reflexivos, pois ele ficou reescrevendo sua peça.

Numa tarde de janeiro ele estava trabalhando tranqüilamente quando Smith colocou um telegrama sobre a cornija da lareira. Henry deve tê-lo deixado ali sem lhe dar atenção por uma hora ou mais, absorvido que estava em sua escrita. Foi só quando fez uma parada para tomar chá que ele se dirigiu distraidamente até a lareira e abriu o envelope. O telegrama informava que Constance tinha morrido. Sua primeira reação foi procurar Smith e pedir-lhe calmamente o chá; retornou então ao seu escritório e, fechando a porta, sentou-se à escrivaninha e examinou o telegrama, que tinha sido enviado dos Estados Unidos pela irmã de Constance, Clara Benedict. Ele sabia que teria de ir a Veneza e perguntava-se a quem deveria interrogar para saber dos detalhes da morte dela. Tomou o chá quando este foi trazido, e em seguida foi à janela e esquadrinhou freneticamente a rua como se algum detalhe distante ali, algum movimento, ou mesmo um som, pudesse ajudá-lo a compreender melhor o que havia ocorrido, ou pudesse apagar a compreensão que aos poucos começava a emergir.

Como ela morrera? O que lhe ocorria agora, fazendo-o congelar, era a suspeita de que ela não tinha morrido de nenhuma doença. Ela era forte, ele pensou, e perfeitamente saudável, e ele não era capaz de imaginá-la sucumbindo a uma enfermidade qualquer. Ela concluíra seu livro, e isso a teria deixado, como sempre, desolada. Ele sabia que ela odiava o inverno, e o inverno em Veneza podia ser especialmente sombrio e rigoroso. Pensou, paralisado de pavor, em sua própria recusa em ir a Veneza, e no fato de não a ter deixado saber disso diretamente. Tinha certeza de que o fato de não ter arranjado as coisas de modo a visitá-la devia tê-la deprimido profundamente. E assim, em pé diante da janela, deu-se conta de repente de que ela podia ter se matado. Foi então que ele começou a tremer e teve de caminhar até uma poltrona em seu escritório, onde se sentou paralisado de assombro, obrigando-se a passar em revista várias vezes os fatos da existência dela durante o ano anterior.

Algum tempo depois ele foi interrompido por Smith, com um segundo telegrama. Abriu-o com pressa. Era da sobrinha de Constance, que, estando em Munique quando soube da notícia, chegara agora a Veneza. Ela confirmava as notícias. Enquanto colocava de lado o telegrama, ele tomou a decisão de não ir a Veneza. Não teria utilidade lá, e a idéia do corpo inerte da amiga, o fato físico do seu cadáver, e do seu rosto morto mascarando e desmascarando sua própria história enquanto a luz permitisse, enchia-o de horror. Não queria ver o corpo, ou chegar perto do caixão, que seria, segundo o telegrama, enterrado uma semana depois no cemitério protestante de Roma.

Permaneceu em seu apartamento o dia todo e não contou a ninguém o que havia acontecido. Escreveu ao médico de Constance na Itália, que era também um amigo, expressando seu choque, ainda sem saber como ela havia morrido. Só havia, ele disse, uma aflição e um espanto medonhos. Ele não soubera nem mesmo que ela estava doente, disse, e fazia uma horrível e lúgubre imagem dela solitária e sem amigos em seus últimos momentos, uma pessoa que tivera intrinsecamente uma das mais infelizes naturezas que ele havia conhecido. Quando terminou a carta, veio a ele uma imagem do rosto dela em toda a sua complexa existência, com seus olhos brilhantes, sua expressão radiosa de inteligência, sua receptividade. Permitiu-se chorar antes de voltar à janela e olhar fixo para o cenário lá embaixo, para as pessoas que transitavam pela rua e que não significavam nada para ele.

Pela manhã soube que, embora não houvesse sonhado com Constance, seu espírito, a essência indagadora de quem ela era, fizera-se conhecida dele durante a noite, e ele quis, tão logo acordou, fechar os olhos e voltar a dormir para evitar o fato cru da sua extinção. Ninguém que ele conhecia lera o trabalho dele com tanta atenção, nem tentara conhecê-lo com tanta clareza. Ninguém tinha a mistura que ela possuía de ambição e perspicácia, vulnerabilidade e melancolia, imprevisibilidade e valentia. Ninguém tinha a grande simpatia dela, e tornou-se um pesado fardo em seu vazio interior imaginar tal simpatia chegando ao fim de sua resistência.

Não recebeu mais notícias, e a cada hora que passava ele imaginava um enredo diferente, desdobrando-se e produzindo suas conseqüências. Começou a hesitar entre decididamente não ir a Roma para o funeral e partir imediatamente; diversas vezes mandou Smith fazer e cancelar a reserva de uma passagem para a Itália. Até que, tendo tergiversado por vários dias, abriu o *Times* e deparou com a notícia de que Constance havia saltado para a morte da janela da casa onde morava em Veneza. Foi suicídio, dizia o jornal. Imediatamente, ele começou a tentar se convencer de que não tinha culpa. Não ficara devendo nada a ela, pensou, não lhe fizera promessas comprometedoras. Eles não tinham sido amantes; não tinham relações de sangue. Ele lhe devia apenas sua amizade, assim como devia a muitos outros, e todos os outros sabiam que quando um livro estava sendo escrito suas janelas estavam fechadas, ele não estava acessível. Todos os seus amigos sabiam não lhe fazer exigências, e Constance também sabia.

Henry escreveu a John Hay, um amigo comum que já estava em Roma. Contou a Hay que estivera, na verdade, prestes a viajar para comparecer ao túmulo dela no cemitério protestante, mas, assim que a natureza da sua morte foi confirmada, ele havia sucumbido ao sentimento de lástima e horror, escreveu, e agora não era capaz de viajar. Ela sempre fora, acrescentou, uma mulher tão pouco talhada para a felicidade real que a metade da afeição que alguém podia ter por ela era, em essência, uma espécie de angústia.

Resistiu ao pensamento que lhe ocorreu depois de escrever a carta e ficar sozinho. Era algo com uma força esmagadora, e ele o evitou enquanto pôde. Permitiu-se pensar que não tinha sido de modo leve que Constance tomara o tempo dele, nem tampouco tinha sido leve o modo como ela deixou que suas emoções se tornassem tão concentradas. Ela fora sutil e nervosa o bastante para fazer suas exigências em silêncio, mas estas eram mais claras e enfáticas justamente por isso. Agora ele tinha de encarar a idéia de que ele próprio, por sua vez, enviara a ela sinais poderosos e sutis de que sentia sua falta. E toda vez que ficava evidente para ele o efeito que esses sinais causavam, ele recuava para o quarto trancado de si mesmo, um lugar de cuja segurança precisava tanto quanto precisava do envolvimento dela com ele.

Ela havia sucumbido, por assim dizer, a um grande mal-entendido, não apenas à armadilha do solitário e sedentário exílio dele, mas também à idéia de que ele era um homem que não desejava, e não desejaria nunca, ter uma esposa. A inteligência dela certamente devia tê-la alertado de que ele iria, sob a mais leve pressão, até mesmo por medo, recuar; mas a carência que ela sentia e a qualidade de sua empatia acabaram por sobrepujar sua inteligência, ele pensou. Não obstante, ela havia sido cuidadosa: reconhecera as necessidades e reticências dele e estava disposta a abrir espaço para elas, mas quando ela se aproximou demais, quando se tornou demasiado pública, ele a rejeitou.

Ele tinha seus motivos para preferir permanecer sozinho; sua imaginação, contudo, só chegara até onde chegavam seus temores, e não fora além. Havia exercido controle; o que fizera causava-lhe arrepios. Sabia que se tivesse ido a Veneza naquele inverno ela não se mataria. Se ela lhe tivesse pedido que a visitasse e ele tivesse recusado, agora talvez fosse mais fácil sentir simplesmente culpa. Mas os apelos dela pairavam sobre tudo e pairariam para sempre. Ele a havia abandonado. Não sabia se os amigos dela em Veneza, e os dele próprio, compreendiam que o caso era esse, e se o discutiam nos dias que se seguiram à sua morte.

Não era capaz de enfrentar a idéia de que o suicídio de Constance tivesse sido planejado com longa antecedência. Escreveu a outros, a Rhoda Broughton, a Francis Boott, a William, dizendo a cada um deles que o último gesto de Constance tinha sido impulsivo, uma forma de loucura, um momento de insensatez. Não acreditava plenamente no que escrevia, embora a cada vez que colocava aquelas coisas no papel elas parecessem se tornar mais plausíveis e definitivas. Não expressou a ninguém suas reservas acerca de sua própria versão do modo como ela morrera. Contudo, enquanto alguma parte do espírito dela esvoaçava pelos aposentos dele nas semanas posteriores à sua morte, ele a sentia como a única pessoa que conhecera que estava plenamente apta a decifrar o não dito e o não pronunciado. Não havia nem mesmo necessidade de sussurrar as palavras, ou de deixá-las tomar forma completa em sua mente; o fantasma recente dela compreendia que ele sabia, que ele sabia bem que ela não era dada a momentos de insanidade ou a gestos súbitos e abruptos, por maior que fosse a pressão. Era uma mulher de grande determinação, que tomava decisões de modo cuidadoso e racional. Tinha uma permanente aversão à estridência e à teatralidade.

Logo que a noite caía e o fogo era aceso, e as lâmpadas se acendiam e ele ficava sozinho, via-se frente a frente com o que acontecera a sua amiga. Ela planejara sua própria morte, ele passou a acreditar, tendo avaliado por algum tempo as possibilidades. O romance dela estava pronto, e ele sabia que freqüentemente, uma vez terminado um livro, ela não se julgava capaz de voltar a escrever. O inverno era triste e abatido em Veneza, onde ela trafegava entre a sombria solidão e as pessoas com quem podia facilmente começar a antipatizar.

E em nome de alguma coisa, escondida em sua própria alma, que resistia a ela, e por causa do seu respeito pelas convenções e pelo decoro social, ele a abandonara lá. Ele era a pessoa que poderia tê-la resgatado, se lhe tivesse enviado um sinal.

Ela planejou a própria morte, ele pensou, assim como planejaria um livro, cheia de incerteza e inquietação, mas também com ambição e uma coragem física inexorável. A gripe que a acometera naquelas semanas, da qual ele soube pelo médico, teria simplesmente aumentado sua força de vontade. Ela chegara à conclusão, ele sabia, de que seria feliz em repouso, e para atingir seu objetivo estava preparada a cometer uma extrema violência contra si mesma, a despedaçar seus ossos e sua cabeça contra o chão duro. Sua insaciável curiosidade, a pura honestidade de suas reações, a natureza prática de sua imaginação, tudo isso vinha a ele agora, de tal modo que o que ela havia sido invadiu-o com força no inverno londrino, quando sua morte já deixara de ser novidade, até que ele percebeu que teria de ir a Veneza, onde ela morrera, e de lá viajar a Roma, onde seu corpo esfacelado jazia sob a terra.

Ela veio até ele de modo intenso, palpável, nos dias que antecederam sua viagem. A mulher que ele tivera ao alcance da mão foi substituída por uma mulher em potencial, um espectro com que ele sonhava. Os pais dele estavam mortos, sua irmã morrera já havia dois anos; William estava longe, e ele se importava muito pouco com a sociedade londrina à qual tinha dado tanta atenção no passado. Poderia ter feito o que quisesse; poderia ter vivido em Bellosguardo dividindo um lar com Constance, ou tê-la encorajado a encontrar casas vizinhas para eles em alguma cidade costeira da Inglaterra.

Agora ele pensava no seu corpo morto, e nos quartos que ela havia preenchido com a paixão de sua aura, seus livros, seus suvenires, suas roupas, seus papéis. Ela preferia esses cômodos à maioria das pessoas; os quartos eram seus espaços sagrados. Ele começou a imaginar seus quartos em Veneza, na Casa Biondetti, e os da Casa Semitecolo, bem como seus quartos em Oxford, antes de ela deixar a Inglaterra. Sentia falta agora daqueles espaços como se os houvesse conhecido e tivesse razões para ter saudades deles. Via a figura dela, tão meticulosa em seus movimentos, esvoaçando por aqueles quartos, e ao fazer isso chegou a compreender um pouco de sua resistência a ir a Veneza quando ela morreu, ou a ir a Roma para o seu funeral. Ele teria sido obrigado a se afastar dela, teria sido obrigado a encenar sua separação. De um relacionamento que fora experimental e cheio de possibilidades, ele seria obrigado a encarar o caráter definitivo da sua ausência. Ela não tinha mais função para ele.

Esse sentimento de ter sido brusca e violentamente rejeitado de algum modo aproximou-o dela. Agora a perspectiva de ver os quartos dela em Veneza, de examinar seus papéis, de permanecer na atmosfera que ela havia criado, começava a intrigá-lo. Ele sentia falta da sua companhia e se perguntava, à medida que se aproximava o dia de sua partida para a Itália, se sempre sentira aquela falta ou se só se permitia senti-la plenamente agora, quando isso não tinha conseqüência alguma.

Em Gênova, enquanto aguardava pela irmã de Constance, Clara Benedict, ele escreveu a Kay Bronson e pediu-lhe que reservasse para ele os mesmos cômodos que Constance ocupara no verão anterior na Casa Biondetti, nas mesmas condições. Gostaria também que o *padrone* cozinhasse para ele, como havia feito para a srta. Woolson, pois lembrava o quanto sua amiga ficara satisfeita com a comida. Não ficou surpreso quando recebeu a notícia de que os aposentos estavam disponíveis. De algum modo, com Constance guiando-o, ele tivera o tempo todo a certeza de que eles assim estariam. Fazia agora dois meses que ela morrera.

O cônsul norte-americano foi com eles romper o lacre que as autoridades haviam colocado no apartamento dela na época da sua morte. Tito, que a tinha servido como gondoleiro, ficou embaixo esperando por eles. A sra. Benedict e sua filha permaneceram em silêncio enquanto a porta para a casa da morte era destrancada. Pareciam a Henry estar hesitantes quanto a entrar ou não. Ele postou-se atrás delas, tentando acreditar que o espírito dela não estava naqueles cômodos abandonados, mas apenas seus papéis, seus pertences, suas sobras, suas coleções, pois ela fora uma colecionadora de objetos. Sentia ainda mais nitidamente agora que ela havia planejado e antevisto tudo. Em seu amor aos detalhes, ela teria sido capaz de prever a chegada do cônsul para romper o lacre, o barco aguardando embaixo, e também teria sido capaz de imaginar os outros três esperando para entrar no seu quarto — sua irmã Clara Benedict, sua sobrinha Clare e seu amigo Henry James.

Aquilo, ele pensou, era o último romance dela. Todos eles desempenhavam os papéis que lhes tinham sido designados. Notou quando as duas americanas ficaram paradas no quarto, com medo de se aproximar da janela que dava para a pequena sacada de onde ela se jogara. Constance teria sido capaz de evocar seus rostos apavorados e teria sabido também que Henry James examinaria as mulheres, observando-as com uma fria simpatia. Ela teria sorrido consigo mesma diante da habilidade dele em manter seus próprios sentimentos à distância, tomando o cuidado de não dizer nada. Assim, a cena que se desenrolava naquele quarto, cada respiração deles, a própria expressão de seus rostos, cada palavra dita e não dita por eles, tudo isso pertencia a Constance. Era algo concebido por ela com perverso interesse durante o tempo em que ela soube que iria morrer, acreditava Henry. Eles eram seus personagens; ela escrevera o roteiro para eles. E ela sabia que Henry iria reconhecer a arte dela naquelas cenas. O próprio reconhecimento dele fazia parte de seu sonho. Não importava para onde olhasse ou o que pensasse, ele sentia a perspicácia dos planos de Constance e uma espécie de riso triste ao pensar como fora fácil para ela manipular a irmã e a sobrinha, e como fora delicioso dirigir as ações de seu amigo, o romancista, que, ao que parecia, tinha desejado se ver livre dela.

As Benedict não sabiam o que fazer; empregavam Tito para levá-las de uma parte a outra da cidade; logo passaram a falar dele com afeto. Elas buscaram consolo junto aos amigos de Constance; mas ao ouvir deles que ela fora encontrada com vida depois da queda, que ficara gemendo enquanto agonizava, ficaram inconsoláveis. Elas choravam toda vez que entravam no apartamento dela, de tal modo que Henry sentiu que, se Constance pudesse testemunhar aquilo, ou se tivesse incluído aquilo em sua antevisão, ela se arrependeria do que tinha feito. Ela não teria sido tão dura.

A irmã e a sobrinha permaneciam impotentes em face das tarefas práticas. No início elas não queriam tocar nos papéis de Constance e pareciam contentes em deixar tudo como estava. Pareciam não acreditar que ela estivesse morta; e mexer em suas coisas, elas achavam, seria uma maneira de entregar ao esquecimento a mulher que as havia possuído.

Depois de vários dias, nos quais tudo foi pesar e confusão, mitigados pela ajuda do círculo de amigos de Constance, com muitos almoços, jantares e reuniões para distrair e consolar a irmã e a sobrinha, Henry tomou a iniciativa de encontrar-se com elas no apartamento, do qual ele agora tinha uma chave. Constance tinha mantido uma grande quantidade de papéis, entre trabalhos incompletos e não publicados, cartas, fragmentos, notas. Ele não tocara em nada em suas primeiras visitas ao apartamento, mas fizera um mapa mental do terreno. Sabia que se houvesse uma batalha entre ele e as Benedict em torno de o que deveria ser mantido e o que deveria ser destruído, ele seria o derrotado. Enquanto esperava por elas, decidiu evitar até mesmo a mais leve desavença.

Quando ouviu a chave delas girar na fechadura, sentiu um arrepio. Suas vozes pareciam intromissões. Era a primeira vez que ele ouvia uma conversa corriqueira entre elas que não girasse em torno do suicídio de Constance e da tristeza que sentiam. Assim que entraram no quarto e se depararam com ele em pé junto à janela, elas ficaram sérias e silenciosas.

"Eu gostaria de lhe perguntar se seus aposentos são confortáveis", disse a sra. Benedict.

"O apartamento é aprazível", disse ele, "e sua atmosfera está, evidentemente, repleta da presença da senhorita Woolson."

"Acho que eu não suportaria dormir lá", disse Clare. "E nem aqui, claro."

"Este apartamento é muito frio", disse a sra. Benedict. "É o mais frio dos lugares."

Ela suspirou e ele sentiu que a qualquer momento ela começaria a chorar de novo. Tanto ele como Clare a observavam, entretanto, quando ela pareceu reconquistar suas forças. Havia, ele via agora, uma dureza no caráter dela que rivalizava com a da sua falecida irmã. Naquele momento, quando ela se esforçava para falar, era como se ele visse Constance diante de si.

"Temos que tomar providências", disse ela. "Não fomos capazes de encontrar um testamento, ele pode estar soterrado entre os papéis dela. E precisamos começar a cuidar das questões práticas."

"Constance era uma escritora de importância", disse Henry, "uma figura muito singular nas letras americanas. Portanto, seus papéis devem ser tratados com cuidado. Pode haver manuscritos não publicados, um conto ou dois que ela não tinha terminado ou não tinha enviado a um editor. Acredito que essas coisas devem ser cuidadosamente preservadas."

"Ela ficaria muito feliz", disse a sra. Benedict, "se o senhor pudesse cuidar dos papéis dela para nós. Nenhuma de nós está em condições de fazê-lo, acho, ou de ter a concentração que a tarefa requer. Acho que este quarto é o lugar mais triste em que já estive."

Foi ordenado que as lareiras fossem acesas a cada manhã no escritório e no quarto de Constance e mantidas acesas por um criado até o início da noite. As Benedict iam e vinham na gôndola de Tito, mantida ocupada pela colônia americana, e a cada visita Henry lhes mostrava algo, um conto não publicado, um grupo de poemas, uma carta interessante. Elas concordavam que mesmo os fragmentos deveriam ser preservados, talvez levados de volta à América e conservados com cuidado, em memória dela.

Ele próprio só queria uma lembrança da amiga. Tendo examinado sua coleção geral de objetos com tristeza e indecisão, acabou escolhendo um pequeno quadro. Era uma vista da paisagem selvagem e indômita da América que ela amara. Quando ele mostrou o quadro à irmã e à sobrinha dela, elas lhe disseram que podia ficar com ele.

Ele permanecia junto à escrivaninha dela da manhã até o anoitecer. Cada vez que as Benedict deixavam o apartamento ele ia até a janela e as via subir a bordo da gôndola, observando sua crescente animação, e então retornava à escrivaninha, pegava papéis que tinha salvado e levava alguns deles à lareira do quarto e outros à lareira do escritório. Destinava-os às chamas e ficava em pé vendo-os queimar. E quando eles não eram mais que cinzas, assegurava-se de que não podiam ser notados entre os tições.

Não queria que as estranhas, enigmáticas e amargas observações de sua irmã Alice para a srta. Woolson fizessem parte de alguma pasta de papéis que viesse a ser aberta à leitura de terceiros. Nem ele próprio desejava lê-las todas. Ao examinar os papéis e identificar a caligrafia da irmã, ele colocava a carta de lado de modo frio e metódico, tomando o cuidado de soterrá-la sob outros papéis para que não fosse vista pelas Benedict se por acaso elas chegassem inesperadamente. Encontrava também algumas cartas escritas por ele próprio, e tão logo via a caligrafia colocava-as de lado. Não tinha o menor interesse em relê-las. Queria que fossem destruídas. Não conseguiu encontrar nenhum diário e nenhum testamento.

Entre os papéis dela, contudo, encontrou uma carta recente do seu médico discutindo suas várias enfermidades e sua melancolia. Leu-a até deparar com seu próprio nome. Colocou a carta cuidadosamente na pilha a ser queimada, sem ler mais nenhuma palavra. Todos os manuscritos literários dela, incluindo rascunhos, ele separou para as Benedict levarem para casa.

Na maioria das noites ele jantava com as Benedict, garantindo sempre que alguém mais estivesse presente para que a conversa pudesse versar sobre um leque maior de assuntos, não ficando restrita ao motivo da presença delas em Veneza. Ele preferia que as reuniões fossem grandes, de modo a tornar mais difícil para elas discutir com ele de novo a tarefa que ele estava cumprindo e as providências que elas estavam tomando. Aos poucos, ficou claro que elas estavam ficando fartas de Veneza; os dias vazios, o tempo chuvoso, a luminosidade cinzenta e a monotonia da companhia começaram a convencê-las de que deviam se preparar para partir. Além disso, ele notou que a presença delas, a cada dia que passava, diminuía de interesse para os amigos de Constance e para a colônia mais ampla, cuja simpatia, no começo, fora intensa, mas cujos convites se tornavam menos insistentes agora que as Benedict já estavam em Veneza havia um mês.

Naquelas noites, ele gostava de levantar da mesa cedo, pois todos compreendiam que estava envolvido num trabalho árduo e portanto não estava sujeito às regras normais. As Benedict deixavam Tito à disposição dele se a distância até seus aposentos fosse grande demais. Embora os andares inferiores da Casa Biondetti acomodassem alguns americanos, incluindo Lily Norton, ele ficou surpreso ao constatar como era fácil chegar a seu apartamento no último andar sem precisar vê-los. Toda noite ele encontrava a lareira acesa e uma lâmpada junto à sua cama, além de outra que ficava sobre uma mesa próxima a uma poltrona. Os cômodos não eram opulentos, mas sob aquela iluminação eles se tingiam de uma esplêndida coloração, e pelo fato de o apartamento não ser nem da escala de um palácio nem das dependências ocupadas por criados, e pelo fato de o senhorio, que gostava da srta. Woolson, empreender todos os esforços, Henry considerava sua morada confortável e aconchegante. A cama alta e macia oferecia-lhe, no início, um sono profundo e sem sonhos, do qual ele despertava a cada manhã renovado e pronto para o trabalho do dia.

Ansiava pela chegada da noite. Desejava voltar para seus aposentos na Casa Biondetti não porque estivesse cansado, ou entediado com a companhia, mas porque os cômodos em si lhe ofereciam uma emissão de calor que durava a noite toda.

Tito estava sempre esperando. Como todo mundo que trabalhara para Constance, ele gostava dela e queria cuidar de sua irmã e sua sobrinha. Mantinha-se respeitoso e calado ao transportar Henry a sua moradia, mas deixava claro que, uma vez que não o conhecera antes, e uma vez que Henry não era membro da família, para ele Henry era quase um intruso. Henry sabia que, se quisesse obter o relato mais preciso do estado de espírito de Constance durante os últimos meses de sua vida, deveria buscá-lo em Tito, que muito provavelmente possuía tal conhecimento. Ao se aproximar do gondoleiro, porém, percebeu que era muito pouco provável que ele algum dia viesse a compartilhá-lo.

Só uma vez, na presença de Henry, Tito falou sobre ela. Uma noite, enquanto esperavam por Clare, a sra. Benedict pediu a Henry que cumprimentasse Tito por sua destreza, especialmente nas curvas e nos canais estreitos. Quando Henry traduziu os comentários dela, Tito fez uma reverência solene e em seguida disse que a srta. Woolson o procurara não pela destreza que ela mencionava, que todos os gondoleiros possuíam, mas porque ele conhecia a laguna, o mar aberto, e era capaz de navegar com segurança por lá. A srta. Woolson sempre preferia afastar-se da cidade, rumo à laguna, disse ele. Muitos americanos, disse, amam o Canal Grande e querem percorrê-lo para cima e para baixo o dia todo. Mas não a srta. Woolson. Ela gostava do Canal Grande porque ele conduzia às águas abertas e solitárias, onde não se encontrava ninguém. Mesmo no inverno, ela amara o mar aberto, disse ele. Mesmo no tempo ruim. Tão longe quanto fosse possível ir. Seus lugares favoritos estavam lá, disse ele.

Henry quis perguntar-lhe se ela fizera tais excursões até os últimos dias, mas sabia, pelo modo como Tito terminou seu discurso, que nenhuma informação nova sairia dele a não ser que a sra. Benedict fizesse alguma pergunta. Assim que Henry traduziu tudo para ela, contudo, ela sorriu distraidamente para o gondoleiro e perguntou a Henry o que sua filha podia estar fazendo para deixá-los esperando tanto tempo.

Depois de um tempo ele começou a caminhar à noite; os pensamentos angustiados que surgiam perturbavam-no, e pela manhã persistia um resíduo do desassossego noturno. Depois de certo tempo, porém, sua caminhada passou a ser apenas um interlúdio em seu sono, um outro aspecto do profundo repouso da noite, mais do que uma perturbação; não sentia medo algum, e nenhum pensamento aflitivo invadia sua mente, mas sim uma sensação de duradoura ternura. Naquele período, ele não sentia de modo algum a presença de Constance. Sentia, em vez disso, uma presença divina e sem nome. À medida que o tempo passava e quando acordava no meio da noite, o calor irradiado quando entrava naqueles cômodos ia adquirindo uma intensidade mais particular. Pegava-se ansiando o dia todo por aquilo, e perguntando-se se, ao voltar para Londres, aquele bem-estar e aquela benevolência o acompanhariam.

Não era um fantasma, nem nada que fosse inquieto e assustador, mas sim uma figura pairando suavemente, os movimentos etéreos da aura protetora de sua mãe visitando-o agora durante a noite, pura e sutil em sua ternura feminina, branda e protetora, conduzindo-o de volta ao sono naqueles cômodos que haviam sido até tão pouco tempo habitados por sua amiga, cuja morte ainda o enchia de culpa e cujo espírito triste e impassível assistia diariamente à determinação dele quando se sentava diante da escrivaninha e discretamente punha de lado cartas do seu médico e da amiga de Alice srta. Loring e, quando o caminho estava livre, atirava-as ao fogo.

Depois de muita negociação com o cônsul norte-americano a respeito do espólio de sua parente, e de muito rebuliço e tergiversação, as Benedict inspecionaram o empacotamento dos papéis dela e a embalagem de seus quadros e suvenires, que elas deixaram aos cuidados do cônsul até que as questões legais tivessem sido resolvidas de um modo que ele julgasse satisfatório. O mês de abril tinha sido chuvoso e muito frio, e ambas as mulheres tinham se resfriado e ficado confinadas a seus aposentos. Quando elas emergiram novamente, Veneza tinha mudado; os dias eram mais longos, o vento amainara, e muitos dos conhecidos delas também tinham, por uma razão ou outra, deixado a cidade. Assim, seu jantar de despedida foi desconexo e pouco concorrido, com Henry ansioso por se levantar da mesa antes das nove, como de costume, e apertar-lhes as mãos, e beijá-las se precisassem ser beijadas, e olhar-lhes nos olhos, prometendo que, já que ele ainda tinha uma chave do apartamento de Constance na Casa Semitecolo, supervisionaria a remoção final de seus bens e a devolução da chave ao senhorio.

Na manhã em que as Benedict deixaram a cidade, Henry

descobriu que elas não haviam tomado nenhuma providência quanto ao destino das roupas de Constance. Elas deviam saber, ele imaginava, que o guarda-roupa e os toucadores dela estavam cheios, pois os tinham vasculhado à procura do seu testamento. Perguntava-se se elas teriam discutido a questão, ou se o assunto lhes provocava tanta tristeza que não conseguiam se ocupar dela e se sentiam constrangidas até mesmo em mencioná-la. De todo modo, elas haviam, ao que parecia, deixado a ele o encargo de lidar com o guarda-roupa e os bens pessoais de Constance. Ele aguardou vários dias, para o caso de um dos amigos venezianos delas fazer contato com o objetivo de providenciar a remoção das roupas. Como ninguém apareceu, ele se convenceu de que as Benedict tinham se aproveitado do seu apoio e ido embora deixando para trás guarda-roupas cheios de vestidos e armários cheios de sapatos, roupas de baixo e outros itens, aparentemente não remexidos.

Ele não queria mais discussões sobre o espólio de Constance, e portanto não desejava entrar em contato com nenhum dos amigos dela, que iriam, ele sabia, espalhar rapidamente a notícia de que suas roupas tinham sido deixadas no apartamento, concedendo assim a liberdade para visitarem e bisbilhotarem à vontade, pedindo a chave quando quisessem e invadindo a privacidade que ele havia preservado para ela no período que se seguira à sua morte. Quando ele a imaginara planejando cada cena na qual ele e as familiares dela atuariam, aquele aspecto do seu legado não lhe passou pela cabeça. Jogar fora ou doar suas roupas não havia feito parte, ele tinha certeza, do sonho dela para depois da morte. Se ele tinha sentido o profundo desgosto dela ao queimar as cartas, agora sentia uma obtusa tristeza e o severo peso da sua ausência ao contemplar o esvaziamento do seu guarda-roupa.

Não confiava em ninguém, a não ser em Tito, que, julgava

ele, estava pronto a transportar, sob sua supervisão, o que restara dos bens terrenos de sua amiga. Tito, ele acreditava, saberia o que fazer com eles. Mas quando Henry mostrou-lhe o volume de roupas guardadas, de sapatos e de roupas íntimas, Tito limitou-se a encolher os ombros e abanar a cabeça. Repetiu esses gestos quando Henry sugeriu que talvez algum convento pudesse estar interessado em roupas velhas. Não nas roupas dos mortos, Tito lhe disse; ninguém vai querer as roupas dos mortos.

Por um instante, Henry se arrependeu de não haver entregado a chave ao senhorio e deixado a cidade, mas sabia que, nesse caso, não demoraria a receber cartas a respeito das roupas, perguntando o que seria feito delas, cartas não apenas do próprio senhorio, mas também de membros da colônia.

Tito, enquanto isso, permanecia de pé naquele que havia sido o quarto de Constance, olhando para Henry com ferocidade.

"O que podemos fazer com elas?", perguntou-lhe Henry.

Seu encolher de ombros, dessa vez, foi quase desdenhoso. Henry suportou seu olhar e insistiu com firmeza que as roupas tinham que ser removidas.

"Não podemos deixá-las aqui", disse.

Tito não respondeu. Henry sabia que seu barco estava à espera, sabia que eles teriam de carregar juntos aquelas roupas e colocá-las na gôndola.

"Você pode queimá-las?", perguntou Henry.

Tito abanou a cabeça. Estava examinando intensamente o guarda-roupa, como se vigiasse o seu conteúdo. Henry sentiu que, se fizesse menção de esvaziar o guarda-roupa, Tito avançaria sobre ele para impedir-lhe de mexer nas roupas de sua patroa. Suspirou e manteve os olhos baixos, com a esperança de que o impasse a que haviam chegado levasse Tito a falar ou a dar uma sugestão. Como o silêncio perdurou, Henry abriu as janelas, foi para a sacada e olhou para o edifício do outro lado da rua e para o chão onde Constance havia caído.

Ao se voltar e deparar com o olhar de Tito, viu que este queria dizer alguma coisa. Fez-lhe um gesto de encorajamento. Tudo aquilo, disse Tito, deveria ser levado para a América. Henry fez um sinal de aquiescência e então disse que agora era tarde demais.

Tito encolheu de novo os ombros.

Henry abriu uma das gavetas do armário e em seguida outra. Quando se virou, Tito o observava com um interesse que se aproximava do alarme. Henry endireitou o corpo e encarou-o.

Perguntou-lhe se conhecia o lugar na laguna para onde transportava Constance regularmente. Aquele sobre o qual havia falado a Henry. Onde não havia nada.

Tito fez que sim. Esperou Henry falar de novo, mas Henry apenas o encarou enquanto meditava sobre o que acabara de ser dito. Tito parecia preocupado. Várias vezes fez menção de falar, mas em vez disso suspirou. Finalmente, como se houvesse alguém na sala ao lado, ele apontou furtivamente para as roupas e em seguida em direção à porta, e por fim em direção à distante laguna. Eles poderiam, declarou sem palavras, recolher as roupas ali e mergulhá-las na água. Henry moveu a cabeça concordando, mas nenhum deles se mexeu até que Tito levantou a mão direita e abriu os dedos.

Cinco horas, sussurrou. Aqui.

Às cinco Tito estava esperando diante da porta. Nenhum deles falou enquanto entravam no apartamento. Henry se perguntara se Tito traria um companheiro e se era lícito confiar que os dois levariam as roupas de Constance e as mergulhariam na laguna sem mais perguntas ou hesitações. Mas Tito veio sozinho. Conseguiu sugerir que o trabalho de transportar os haveres do apartamento para a gôndola deveria ser feito imediatamente, e com rapidez, por eles dois.

Tito apanhou a primeira pilha de vestidos, casacos e saias

e indicou a Henry que apanhasse a segunda e o seguisse. Tão logo levantou os vestidos nos braços Henry captou um aroma poderoso, que evocava fortemente a lembrança de sua mãe e de sua tia Kate. Era um aroma tão ligado a elas, a suas vidas atarefadas, sempre às voltas com seus toucadores e guarda-roupas, seus preparativos para viagens, os atos de dobrar, proteger e colocar as vestimentas nas malas, que elas sempre faziam por conta própria, não importava onde estivessem. E então, ao cruzar o quarto carregando a pilha de roupas, captou outro cheiro, que pertencia unicamente a Constance, algum perfume dela, algo que ela usara durante todos aqueles anos desde que a conhecera, e que agora se misturava com o outro cheiro enquanto ele carregava os vestidos escada abaixo e depositava-os na gôndola estacionada.

Fazendo suas viagens do quarto ao barco com movimentos rápidos e cautelosos, como se estivessem fazendo algo ilegal, eles aos poucos esvaziaram os guarda-roupas. Carregaram os sapatos e meias dela e em seguida, tomando o cuidado de nem olhar um para o outro, suas roupas íntimas brancas, que eles esconderam sob os vestidos e casacos na gôndola, de modo a impedir que fossem vistas. Estavam ambos sem fôlego quando subiram pela última vez para verificar se tudo tinha sido esvaziado. O aroma a tinha trazido para tão perto dele que ele não se surpreenderia se, naquele momento, a tivesse encontrado em pé no quarto vazio. Sentiu-se quase à vontade para conversar com ela, e, olhando em volta do quarto mais uma vez, depois que Tito havia descido para a gôndola, sentiu que ela estava lá, uma presença absoluta, seu velho e prático eu feliz pelo fato de a tarefa ter sido cumprida e de nada dela ter ficado; o quarto não parecia a ele tão cheio de pó e de ar quanto parecia repleto da sensação de que, se ele quisesse permanecer por mais tempo, ela estaria disposta a ficar encarando-o.

Quando a luz começava a esmaecer sobre a cidade, e um rubor encarnado se misturava com as cores belas e opacas dos palácios do Canal Grande, e a água refletia o céu tingido de manchas vermelhas e róseas, eles partiram rumo à laguna. Estavam relaxados agora, embora nenhum dos dois abrisse a boca ou tomasse conhecimento da existência do outro. Henry absorvia as luzes e os edifícios, olhando para trás em direção à Salute, com um estranho contentamento. Estava cansado, mas também curioso por saber aonde, exatamente, Tito o levaria.

Era, pensou, como encontrá-la de novo, longe dos amigos, da família e do burburinho social, em locais calmos. Assim eles tinham se conhecido. Ninguém nunca saberia que ele viera até ali; era pouco provável que Tito alguma vez revelasse voluntariamente essa informação a algum dos amigos deles. A única pessoa que os observava era a própria Constance, quando Tito dirigia o barco para além do Lido, rumo a águas em que Henry nunca havia se aventurado antes. Em pouco tempo eles avançaram a ponto de ter como companhia apenas as aves marinhas e o sol poente.

A princípio Henry acreditou que Tito estivesse procurando um lugar preciso, mas logo percebeu que, ao deslocar-se ao acaso para lá e para cá, ele estava adiando a ação que eles agora tinham que realizar. Quando olharam um para o outro, e Tito deu a entender que Henry deveria dar início à lúgubre tarefa, Henry abanou a cabeça. Era como se eles estivessem carregando o corpo dela, pensou, como se fossem levantá-lo e jogá-lo para fora do barco, deixando-o afundar nas águas. Tito continuou a circundar uma área pequena, e ao ver que Henry não se mexia, sorriu com uma expressão de leve censura e exasperação e depôs a vara do barco, até que a gôndola começou a balançar suavemente nas águas calmas. Antes de pegar o primeiro vestido, Tito fez o sinal da cruz e só então colocou a roupa sobre a superfície da água, como se esta fosse uma cama, como se a proprietária do vestido estivesse se preparando para um passeio e logo fosse entrar no quarto. Os dois homens ficaram olhando enquanto a cor do tecido foi escurecendo e o vestido começou a afundar. Tito estendeu então um segundo vestido e depois um terceiro sobre as águas, com carinho todas as vezes, e continuou trabalhando com uma série de gestos serenos, abanando a cabeça enquanto eles flutuavam para longe um depois do outro. Tito movia os lábios de quando em quando, numa oração. Henry observava sem se mexer.

A gôndola balançava tão suavemente que Henry não sabia se estava se movendo em alguma direção ou se permanecia no mesmo lugar. Enquanto as roupas íntimas afundavam, ele imaginava a remessa se depositando bem debaixo deles, submergindo lentamente até o fundo do mar.

Foi só quando Tito recolheu e levantou a vara do barco que ambos avistaram ao mesmo tempo uma forma escura na água, a menos de dez metros de distância, e Tito deu um grito.

Na obscuridade crescente, parecia que uma foca ou algum objeto escuro e arredondado tivesse subido das profundezas para a superfície da água. Tito segurou a vara com as duas mãos, como que para se defender. E então Henry viu do que se tratava. Alguns dos vestidos tinham voltado à superfície, flutuando como balões negros, evidências do estranho funeral marinho que eles tinham acabado de executar, as mangas e cinturas infladas pela água. Quando eles fizeram a curva para voltar, Henry notou que o cinza havia tingido Veneza. Logo uma névoa desceria sobre a laguna. Tito já havia movido a gôndola em direção ao material flutuante; Henry ficou observando enquanto ele remexia aquilo com a vara, empurrando o vestido inflado para dentro d'água e mantendo-o ali embaixo por um tempo, e depois dirigindo sua atenção para outro vestido que havia reemergido parcialmente, empurrando-o para baixo também, trabalhando com ferocidade e determinação. Ele não parava de empurrar, cutucar, afundar cada vestido e em seguida passar para outro. Por fim, esquadrinhou as águas para se assegurar de que nenhum outro havia reaparecido, mas todos pareciam ter permanecido sob a superfície da água escura. Então um deles elevou-se subitamente a alguns passos de distância.

"Deixe estar!", gritou Henry.

Mas Tito avançou em direção ao vestido, e fazendo de novo o sinal da cruz, encontrou seu centro com a vara e o empurrou para baixo, balançando a cabeça afirmativamente para Henry enquanto o mantinha seguro, como a dizer que o trabalho deles estava feito; foi duro, mas estava feito. E então ele levantou a vara e tomou sua posição na proa da gôndola. Era hora de voltar. Começou a mover o barco devagar e com perícia através da laguna em direção à cidade que já estava quase no escuro.

10. Maio de 1899

À medida que Roma ficava mais moderna, escreveu a Paul Bourget, ele próprio ficava cada vez mais antigo. Fugira de Veneza, das lembranças e dos ecos que haviam se estabelecido em sua atmosfera, e a princípio recusara todos os convites romanos e ofertas de abrigo. Hospedou-se, em vez disso, num hotel próximo à Piazza di Spagna e viu-se de volta a seus primeiros dias na cidade, caminhando devagar como se o calor do alto verão tivesse chegado em maio. De início não escalou a Escadaria de Espanha, nem fez uma peregrinação a qualquer lugar que ficasse a mais de um par de ruas de seu hotel. Tentava não evocar lembranças de modo deliberado, nem tampouco comparar a cidade de quase trinta anos antes com a cidade de agora. Não deixava que a nostalgia fácil colorisse a opaca doçura daqueles dias. Não estava disposto a se ver numa aparência mais jovem e impressionável e a sentir desse modo a tristeza de saber que nenhuma nova descoberta seria feita, que nenhuma nova excitação seria sentida, que só as antigas seriam revisitadas. Permitia-se amar aquelas ruas como se fossem um poema que ele tivesse decorado em outros tempos, e os anos em que vira pela primeira vez aquelas cores e pedras, e examinara aqueles rostos, pareciam-lhe uma parte rica e valiosa daquilo que ele era agora. Seu olhar não ficava mais surpreso e encantado, como outrora, mas tampouco estava exaurido.

Para ele bastava sentar-se do lado de fora de um café sob um grande toldo e observar o reboco de uma parede que parecia sair da sombra, a cor ocre tornando-se subitamente vívida e brilhante à luz do sol, seu próprio espírito parecendo iluminar-se com a idéia de que uma coisa tão simples como aquela era capaz de esvaziar sua mente da sombra de Veneza que continuava a pairar sobre ele. Era mais fácil ser velho aqui, pensou; nenhuma cor era simples, nada era novo, até a luz do sol parecia cair e deixar-se ficar como se o tempo a houvesse glorificado.

Em Veneza ele evitara as ruas entre os Frari e a Salute, mantendo-se tanto quanto possível no outro lado do Canal Grande, quando acontecia de encontrar-se na rua em que Constance havia saltado para a morte. Em uma das noites que antecederam sua partida da cidade, ele pensara estar perto da ponte de Rialto enquanto voltava despreocupadamente para o Palazzo Barbaro, sem se dar conta do perigo que corria. Percebeu mais tarde que deveria ter simplesmente dado meia-volta e refeito o mesmo trajeto, para então reencontrar confortavelmente o caminho para a ponte. Em vez disso, cada esquina que ele virava conduzia ou a um beco sem saída ou a uma passagem que dava na água ou, de modo ainda mais sinistro, a uma curva à direita que só poderia levá-lo para mais perto da terrível rua pela qual esperava nunca mais passar. Sentia que ali, no silêncio da noite, estava sendo conduzido, como se alguém o guiasse e ele estivesse enfraquecido demais pela culpa para resistir. Ele havia amado aquela Veneza que fechava cedo e se tornava quieta e vazia; havia gostado muitas vezes de ser o caminhante solitário, aquele que podia facilmente pegar o caminho errado, deixando ao acaso e ao instinto, tanto quanto à argúcia e ao conhecimento, a tarefa de guiá-lo, mas agora sabia que não apenas estava perdido como também se aproximara do lugar em que ela havia morrido. Ficou imóvel. Diante dele havia um beco sem saída pelo qual ele já tentara passar, acreditando que o levaria até a água, mas não levava. À sua direita havia uma rua comprida e estreita. Só podia voltar, e ao fazer isso sentiu um impulso de falar com ela em voz alta, com uma sensação de que o espírito dela, tão inquieto, independente e corajoso, habitaria aquelas ruas até o fim dos tempos. Ela não escolhera uma vida fácil, pensou, e agora, o que quer que permanecesse dela ainda estaria desarraigado e sem descanso.

"Constance", sussurrou. "Cheguei o mais perto que pude, o mais perto que tive coragem."

Imaginou o mar encrespado laguna afora e o nada que havia ali, mar aberto na escuridão. Imaginou o vento uivando no vazio e no caos das águas, no lugar onde não havia luz nem amor, e a viu lá, pairando sobre o mar, igualando-se a ele. Pôde então voltar-se, caminhar lentamente pelo caminho por onde viera, passo a passo, concentrando-se para não cometer nenhum erro até chegar a um lugar que pudesse reconhecer, o palácio onde era hóspede, seus livros, seus papéis, sua cama aconchegante. Naquela noite ele soube que deixaria Veneza o mais rápido possível e iria para o sul para nunca mais voltar.

O tempo em Roma estava perfeito; o próprio ar irradiava cores adoráveis quando suas caminhadas diárias começavam, intrepidamente, pelo Corso e se estendiam até a São João Laterano e a Villa Borghese, onde o capim recém-crescido chegava até o joelho. Tudo estava radiante de luz e calor. A cidade sorria para ele e ele aprendia por sua vez a não fechar a cara quando mais e mais turistas cruzavam-lhe o caminho e convites mais insistentes chegavam ao seu hotel. Ao visitar Roma pela primeira vez, pensou, estava na faixa dos vinte anos e era livre para fazer o que quisesse, conhecer novos amigos, perambular à vontade, fazer uma excursão à Campagna a partir da Porta del Popolo ao longo da velha estrada do correio para Florença no inverno ameno, o campo se desdobrando em colinas matizadas de púrpura, azul e um marrom exuberante. Ele havia ficado parecido com a própria cidade eterna: estava entalhado pela história, tinha responsabilidades e camadas de memória, era observado e examinado, com grande procura. E agora ele teria que se mostrar em público. Assim como as ruas da velha cidade estavam mais limpas e bem iluminadas, ele também ostentaria um rosto altivo, encobriria antigas feridas, apagaria antigas cicatrizes e apareceria na hora certa, tentando não desapontar aqueles que o examinavam, sem, no entanto, revelar muita coisa de sua própria história secreta.

Os Waldo Story e os Maud Howe Elliott, cada família pensando que ele passara seus primeiros dias em Roma preso no cativeiro da outra, agora tentavam atraí-lo com suavidade e firmeza para a sua própria cela romana particular. Os Waldo Story habitavam o amplo apartamento de William Wetmore Story na Piazza Barberini e desejavam que Henry escrevesse uma biografia do velho escultor de talento mediano e grande seriedade; Maud Howe Elliott e seu marido artista só queriam que ele fosse um visitante corriqueiro e não anunciado no Palazzo Accoramboni, que se misturasse com os convidados deles e apreciasse a vista do seu terraço de cobertura tanto quanto eles próprios a admiravam.

Nenhuma das facções vivia em Roma pelo prazer que a cidade oferecia àqueles que quisessem ser solitários e, uma vez que nenhuma das facções era capaz de imaginar que existissem prazeres aos quais elas próprias não se entregavam, a necessidade que ele tinha de solidão parecia-lhes a ambas uma desculpa quase escandalosa, que não merecia nem ser discutida. Depois de quatro ou cinco dias ele cedeu e se viu aceitando a hospitalidade das duas famílias em noites alternadas. Na Inglaterra ele observara com interesse o modo como um herdeiro, a partir da morte do pai, assumia a casa grande, como se o seu conteúdo e a sua comodidade tivessem sido criados só para ele. Agora ele observava a nova geração adaptar a cidade aos seus usos próprios, o jovem Waldo Story dedicando as mesmas horas que o pai ao cinzel e ao martelo, agradando ainda menos ao gosto do público e estragando graciosamente blocos ainda maiores de puro mármore branco, e Maud Howe Elliott, a filha de Julia Ward Howe, seguindo os passos de sua tia, a sra. Luther Terry, que oferecera igualmente hospitalidade a artistas e nativos da Nova Inglaterra duas décadas antes no Palácio Odescalchi.

Eles não eram nem romanos nem americanos, mas seus modos eram perfeitos e seus hábitos, bem formados. Colecionavam com habilidade e gentileza velhos amigos e visitantes ilustres e agradáveis, do mesmo modo que colecionavam com bom gosto as antiguidades que ornavam seus palácios. O marido de Maud, John Elliott, era pintor e, assim como seus compatriotas, tinha talento, mas carecia de ambição e ardor verdadeiros. Tanto ele como Waldo Story e seus amigos eram boêmios no ambiente de seus ateliês, mas na presença dos criados sabiam dar ordens. Em Roma, dispondo-se de uma renda particular, era mais respeitável ser um diletante do que em Boston, onde essas coisas não eram vistas com bons olhos. Para eles, Henry não era apenas um conterrâneo da Nova Inglaterra que também falava italiano e fizera da Europa sua casa, mas um artista que havia registrado e dado alguma significação à aura peculiar deles, ao estranho dilema e drama de sua presença na Europa. Tinham reverência suficiente pelo passado para incluir os anos 1870 em sua área de interesses, e uma vez que ele conhecera Roma naquela década, poderia tornar-se parte do precioso e selecionado universo no qual eles tinham sido introduzidos pelos pais.

Assim, ele se viu numa noite cálida de maio, no último ano do século XIX, em pé com um animado grupo num terraço florido na cobertura do Palazzo Accoramboni, com vista para a praça de São Pedro. Eles apreciavam os últimos raios de sol e admiravam as cúpulas e telhados romanos e, para além deles, a Campagna com seus aquedutos cingidos pelas colinas Albine e Sabine. Não precisava dizer nada, mas simplesmente assentir com a cabeça enquanto seus companheiros apontavam para o Castel Sant'Angelo e para as massas escuras de árvores que marcavam o Pincio e a Villa Borghese. Falavam com uma espécie de espanto e excitação. Eram predominantemente jovens e suas roupas leves de verão combinavam muito bem com as rosas em botão, os amores-perfeitos e alfazemas que seus anfitriões tinham cultivado com um entusiasmo típico do Novo Mundo para que crescessem em abundância em seu terraço. Os homens podiam ser facilmente identificados como americanos pela qualidade de seus bigodes e pela expressão amigável e inocente de seus rostos; as várias mulheres só poderiam ter vindo da Nova Inglaterra, deixando isso claro, ele pensava, ao deixar os homens falarem sem parar, enquanto elas próprias limitavam suas falas a curtas, vivazes e inteligentes interrupções, ou comentários um pouco menos agradáveis quando os homens silenciavam. Aquele, ele pensou consigo mesmo, era um grupo no qual sua irmã Alice teria se sentido muito inquieta e desconfortável, mas que todas as amigas dela teriam adorado.

O grupo de que ele fazia parte apreciava a cena, permitindo-se repentinamente ficar em silêncio se assim preferissem e tratando um ao outro com familiaridade. Ele sabia que alguns deles ostentavam orgulhosos nomes americanos e, em decorrência disso, tinham um senso profundo de seu próprio status, que se estendia quase naturalmente àqueles que com eles viajavam. Eles não precisavam apresentar suas credenciais fazendo perguntas ao autor famoso; conseguiam sugerir que ali, naquela cobertura de um dos mais esplêndidos apartamentos da cidade, eles eram modestamente iguais a qualquer coisa que lhes aparecesse no caminho e, ao mesmo tempo, estranhamente impermeáveis a ela. Ele ficou aliviado por ninguém do grupo ter achado conveniente perguntar-lhe se estava próximo de concluir um novo romance, ou se estava fazendo pesquisa para algum livro, ou qual a sua opinião sobre George Eliot. Davam-lhe ouvidos brevemente quando ele indicava um monumento local, com o mesmo espírito com que escutavam uns aos outros.

Notou que seu grupo estava sendo observado por um jovem parado a certa distância, que apreciava ostensivamente o mesmo cenário. Logo, observou que ele próprio estava, de quando em quando, sendo observado por aquela figura que se distinguia bastante dos jovens que faziam parte do grupo. Não tinha nem um pouco da postura desembaraçada deles, da mistura de confiança e tato que eles ostentavam. Seu olhar era demasiado ansioso; sua pose, demasiado incômoda. Era, Henry notou, singularmente bonito, mas era como se sua beleza loura e desajeitada o colocasse em guarda e o tornasse autoconsciente. A aura tensa que criara em torno de si o protegia de todos os que se juntavam ao grupo crescente que se reunira para contemplar o pôr-do-sol; ninguém se aproximava dele ou lhe dirigia a palavra. Henry estava concentrado mirando a distância, juntando-se à admiração geral diante da gloriosa luz do crepúsculo. Contudo, quando se virou, o jovem o encarava abertamente, de um modo que fez Henry determinar-se a evitá-lo durante o restante da noite. Ele de fato parecia alguém capaz de perguntar sobre o trabalho em andamento, ou os planos futuros, e dava a impressão de ter opiniões decididas sobre o caso George Eliot, mas havia também algo estranhamente meigo no rosto do rapaz, que contrastava com a intensidade e a falta de tato de seu olhar, o que fez Henry sentir ainda mais necessidade de manter-se afastado. Que ele era artista era algo que nem precisava ser dito. Ao descer as escadas da cobertura para o apartamento abaixo, Henry não quis saber nada mais que isso e decidiu manter os olhos afastados do jovem até o final da noite. Sentiu-se muito aliviado, mais tarde, quando se viu na rua, sem ter trocado palavras com ele.

Alguns dias depois, porém, aconteceu na casa dos Elliott uma reunião mais íntima durante a qual o jovem foi apresentado a ele como sendo o escultor Hendrik Andersen. Andersen desfizera-se da pose e do olhar da reunião anterior, substituindo-os, como se tivesse trocado de trabalho, por uma cortesia quase irônica, e em seguida, quando se sentaram para comer, por um silêncio interessado, ouvindo atentamente a todos os que falavam, assentindo com educação, mas sem acrescentar nada. Foi só quando se levantou para se despedir que algo da sua intensidade anterior reapareceu. Tão logo ficou de pé, ele examinou cada pessoa, com uma expressão quase hostil, e então virou-se bruscamente para sair. Na soleira da porta deteve-se outra vez, respondendo ao olhar de Henry com uma ligeira reverência.

Seus amigos romanos, ele se deu conta, não se cansavam da companhia uns dos outros; conseguiam, na maioria das noites que antecediam sua dispersão no verão, realizar algum evento, por menor que fosse, no qual pudessem receber a visita dos amigos. Ele era convidado para todos, e deixou que tais ocasiões sociais se tornassem parte de sua rotina na cidade. Tinha o cuidado, quando se juntava a eles, de não se estender muito sobre sua primeira estada na cidade, de não comentar com muita freqüência quanta coisa, ou quão pouca coisa, mudara desde então ou como as coisas tinham acontecido naquelas ruas, naquelas mesmas salas, quando morou em Roma nos anos 1870, mesmo quando achava que esses assuntos pudessem ser do interesse da geração mais jovem, tanto de residentes como de visitantes. Não queria ser visto como um fóssil, mas além disso queria manter o passado para si próprio, como um bem pessoal e precioso.

Quando Maud Elliott o alertou para um jantar especial que estava preparando, porém, ele compreendeu pelo seu tom que ela, o marido e os Waldo Story davam muita importância ao passado, à cidade da época em que seus pais estavam na flor da idade. Ela daria um jantar em honra de sua tia Annie, em outros tempos srta. Annie Crawford, filha do escultor Thomas Crawford e durante muitos anos baronesa von Rabe, agora viúva. Fazia muito tempo que Henry não a via, mas sabia por intermédio de outras pessoas que sua presença formidável e empedernida, seu mau humor, sua sólida inteligência e sua ofuscante perspicácia não tinham diminuído em nada com o tempo. Ele notou que os Elliott estavam dedicando uma grande quantidade de energia para preparar a noite em questão, na qual a refeição seria servida no terraço sob a pérgula; eles estavam planejando brindes e discursos e comportavam-se como se reunir a idosa tia e seu velho amigo viesse a ser um dos destaques da estação romana.

A baronesa examinou os presentes com severidade, com seu cabelo ralo penteado de modo elaborado e sua pele de fruta em compota. Quando um dos jovens perguntou-lhe sobre as transformações que havia testemunhado em Roma, ela apertou os lábios, como se tivesse sido abordada por um cobrador de trem, e falou em voz alta.

"Não ligo para as mudanças. Não é um dos meus assuntos. Sempre fui do ponto de vista de que dar atenção às mudanças é um erro. Só noto o que está diretamente diante de mim."

"E o que a senhora nota?", perguntou com malícia um dos jovens.

"Noto o escultor Andersen", disse a baronesa, movendo a cabeça na direção de Hendrik Andersen, que estava sentado nervosamente na beirada de uma chaise longue, "e devo dizer que notá-lo, apesar da minha idade avançada e da minha formação nobre, só me dá satisfação."

Andersen ficou sentado observando-a, como um animal raro e amestrado, enquanto todos os olhos se voltavam para ele.

"E eu noto a senhora também, baronesa, com igual prazer", disse ele.

"Não seja tolo", replicou ela, e encarou o escultor até fazê-lo enrubescer.

Quando Maud Elliott, ao fim do jantar, pediu-lhe que se pronunciasse, Henry já estava farto da velha dama irritadiça que se servia de vinho mais do que seria necessário e se sentia no direito de fazer comentários sobre muitos assuntos e inúmeras pessoas com uma franqueza que ia se transformando em aspereza à medida que a noite avançava. Ele se deleitou, ao começar seu discurso, com a idéia de que ela não poderia interrompê-lo. Falou, como planejara, sobre a Roma para onde ele viera um quarto de século antes, não porque quisesse, segundo disse, entregar-se à nostalgia ou chamar a atenção para as mudanças, mas porque, naqueles encontros com velhos amigos e alguns novos rostos, como a temporada de verão estava prestes a começar, era tempo de acender uma vela e andar pela casa para fazer um balanço, e era isso que, no contexto romano, ele se propunha fazer sumariamente. Ninguém que tenha amado Roma do modo como Roma pode ser amada na juventude, disse, desejará deixar de amá-la. Não eram apenas as cores e os hábitos que eram novos para ele quando estivera na cidade na casa dos vinte anos de idade, mas também as sombras de certas antigas presenças nos estúdios dos artistas americanos, notavelmente de seu compatriota Nathaniel Hawthorne, que uma década antes encontrara tanta inspiração na cidade e oferecera tanto em troca. Tinha sido naquela cidade, nas casas rivais dos Terry e dos Story, que ele conhecera a atriz Fanny Kemble, que encontrara Matthew Arnold, que imaginara pela primeira vez alguns dos personagens que povoariam seus próprios livros, figuras para as quais Roma era o terreno para a sua fabricação e a sua eliminação, um lugar de exílio mas também de refúgio, um lugar de beleza e, no pequeno mundo da vida anglo-americana, um lugar de imensa intriga. Só os nomes dos palácios já bastariam, disse, para evocar um senso de nobreza, de dedicação à arte, e certamente de hospitalidade. Para um moço de Newport, disse, o apartamento dos Story no Palazzo Barberini, ou o dos Terry, localizado no Palazzo Odescalchi, ou mesmo o Caffé Spillmann na Via Condotti, eram locais de glória, guardados com carinho por muito tempo na memória, e ele desejava erguer um brinde não apenas à baronesa, a quem ele conhecera naqueles anos em que a beldade americana florescia em Roma, mas à velha cidade em si, que ele nunca deixara de amar e que esperava nunca deixar de visitar.

Quando se sentou, notou que o escultor Andersen, que o estivera observando, tinha lágrimas nos olhos, e continuou notando-o enquanto ele ouvia pacientemente a baronesa von Rabe discutir os méritos de seu irmão, o romancista Marion Crawford, e os da sra. Humphrey Ward.

"Eles têm, claro", disse ela, "um talento muito grande, e são populares junto ao público leitor dos dois lados do Atlântico. E abordam maravilhosamente os temas italianos, talvez porque compreendam a Itália e tenham personagens tão refinados. Eu e muitos outros tivemos prazer lendo suas obras. Eles permanecerão, eu creio."

A baronesa, ao concluir, olhou para Henry como se o desafiasse a contradizê-la. Era evidente que ele a desagradara, e ela parecia não ter certeza se já tinha sido suficientemente desagradável. Sentou-se ao lado dela e percebeu que ela julgava que ainda não tinha.

"Li vários artigos de seu irmão William, e em seguida um livro inteiro dele", disse ela. "Ele me foi dado por um velho amigo que conheceu todos vocês em Boston, e num bilhete ele me disse que o estilo de seu irmão era o próprio modelo de clareza, sem uma única palavra desperdiçada, sem nenhum contra-senso, cada frase começando e terminando exatamente no lugar certo."

Ele ouvia como se a baronesa estivesse descrevendo um prato enorme e delicioso que ela devorara, assentindo o tempo todo com a cabeça. Ninguém mais estava prestando atenção a eles, exceto Andersen, que sorriu para Henry quando este olhou para ele; sua expressão parecia deixar claro que ele compreendia o que estava acontecendo. Henry, diziam os olhos de Andersen, tinha toda a sua simpatia. A baronesa ainda não havia terminado.

"Eu me lembro de quando você era jovem e todas as moças o seguiam; aliás, elas brigavam entre si para passear com você. Aquela senhora Sumner, a jovem senhorita Boott, a jovem senhorita Lowe. Todas as jovens damas, e outras não tão jovens. Todas nós gostávamos de você, e suponho que você também gostasse de nós, mas estava ocupado demais coletando material para chegar a gostar muito de alguém. Você era encantador, claro, mas era como um jovem banqueiro recolhendo nossas economias. Ou como um sacerdote ouvindo nossos pecados. Lembrome de ouvir minha tia nos prevenir para não lhe dizermos nada."

Ela se inclinou para ele como se quisesse conspirar.

"E acho que é isso que você continua fazendo. Não creio que você tenha se aposentado. Gostaria, contudo, que escrevesse mais claramente e tenho certeza de que o jovem escultor, que o está observando, tenho certeza que ele também gostaria."

Henry sorriu para ela e fez-lhe uma reverência.

"Como a senhora sabe, faço o que posso para agradá-la."

Quando outros convidados começaram a distrair a baronesa e absorver sua atenção, Henry aproximou-se de Andersen.

"Achei magnífico o seu discurso", disse o escultor. Henry ficou surpreso com o modo como soou seu acento americano.

"E eu não sei o que a velha senhora estava lhe dizendo, mas creio que o senhor é um ouvinte muito paciente."

"Ela falava", disse Henry calmamente, "sobre o que prometeu que não falaria — os velhos tempos."

"Adorei o que o senhor disse sobre Roma. Fez com que todos desejássemos estar aqui naquela época."

Andersen estivera apoiado na parede, mas agora erguia-se ereto em toda a sua estatura. A expressão de seu rosto era quase solene e, embora detivesse uma visão de toda a sala, dirigia sua atenção apenas para Henry. Depois de alguns instantes, ele moveu a boca como se fosse falar, mas evidentemente pensou melhor e permaneceu calado. Na vaga luz do apartamento, ele mostrava alternadamente vulnerabilidade, uma beleza extraordinária e algo inexpressiva e uma introspecção estranhamente meditativa. Engoliu em seco com nervosismo antes de sussurrar.

"É evidente que o senhor ama Roma e que foi feliz aqui."

Era quase uma pergunta e ele observou Henry, à espera de uma resposta; Henry apenas assentiu com a cabeça, consciente da combinação entre a força do arcabouço e uma certa fraqueza, ou tristeza, dos olhos do escultor.

"O senhor tem um lugar, quero dizer, um monumento ou

uma pintura em Roma que goste de visitar regularmente?", perguntou-lhe o escultor.

"Tenho ido quase todos os dias ao cemitério protestante, que julgo ser uma obra de arte em si, um monumento importante, mas talvez você queira dizer..."

"Não", interrompeu-o Andersen, "o que eu queria dizer é isso mesmo. Fiz-lhe essa pergunta porque, qualquer que seja o lugar, eu gostaria de acompanhá-lo até lá. Mesmo que seja seu costume ir sozinho, eu lhe pediria que fizesse uma exceção."

Henry podia ver um ardor atravessando a timidez com certa firmeza e determinação. Tinha esperado um tom completamente diferente, intenso talvez, mas irônico também, e muito mais leve e mundano. Aquilo o comoveu por sua sinceridade, sua absoluta falta de reserva.

"Gostaria de fazer isso logo", disse Andersen.

"Amanhã às onze, então", disse Henry simplesmente. "Podemos nos encontrar em meu hotel e partir juntos. Você nunca esteve antes no cemitério?"

"Estive lá, senhor, mas gostaria de ir de novo, e vou esperar com ansiedade o dia de amanhã."

Andersen fitou-o por um momento, depois de anotar o nome do hotel, e não sorriu, em seguida fez uma reverência e abriu caminho habilmente pelo salão.

Na manhã seguinte Andersen, Henry percebeu, estava nervoso e tímido. Não disse nada quando Henry apareceu, apenas ofereceu sua reverência habitual. Henry não era capaz de dizer até onde ele tinha consciência de sua própria graça, uma graça que, quando ele sorria, dava lugar a uma espantosa beleza clarividente. Enquanto eles se dirigiam de carruagem alugada ao velho cemitério murado próximo à pirâmide, a expressão de Andersen conseguia ser perscrutadora e ternamente hesitante ao mesmo tempo. Embora falasse como um americano, ele não tinha a calma e os modos confiantes de um americano. Henry perguntava-se se aquela aparente indiferença quanto ao seu próprio encanto, sua falta de ímpeto e sua intensa presença provinham simplesmente de sua origem escandinava. No entanto, quando Andersen desceu da carruagem, virou-se e esperou por ele no portão de entrada, havia em seus movimentos uma agressividade que pertencia a alguém mais confiante do que ele dava a impressão de ser quando sorria, falava ou deixava seu rosto em repouso.

Para Henry o cemitério, mais que qualquer monumento, obra de arte, edifício famoso ou rua da cidade, era o lugar onde a arte e a natureza haviam se amalgamado, e agora, na sombra oferecida pelos ciprestes negros, grossos e nodosos, nos caminhos gastos e nas flores e arbustos bem cuidados, era um lugar de conforto, de grande e cálida paz. Enquanto caminhavam diretamente rumo à pirâmide propriamente dita e ao túmulo do poeta Keats, parecia-lhe que a timidez e a reticência de Andersen lançara sobre ambos um encanto que não poderia ser quebrado facilmente naquele que era o mais solene dos lugares.

Não tinha certeza se Andersen conhecia a história dos últimos dias de Keats na cidade, ou mesmo se sabia que aquela lápide, onde não estava escrito o nome do poeta, marcava seu derradeiro local de descanso. Henry sentia intensamente a presença do escultor; gostava de estar ao seu lado, do silêncio rompido pelo canto de um pássaro, tendo apenas gatos por companhia, gostava de sentir os mortos, incluindo o trágico poeta jovem que repousava profundamente, protegido pela terra calorosa e fértil. E também de todo o ar em volta, do céu claro e dos espaços isolados do cemitério, proclamando que com o repouso vinha o fim do sofrimento; e esse repouso parecia-lhe agora, numa manhã de maio em Roma, inundado de amor ou de algo muito próximo disso.

Eles caminharam em silêncio e ao acaso pelo cemitério. Andersen mantinha as mãos atrás das costas, lia cada uma das inscrições e então permanecia como que rezando. Henry era seu guia apenas no sentido de que se movimentava quando Henry se movimentava e ficava imóvel quando Henry parava.

"Os nomes nunca cessam de me interessar", disse Henry. "Os tristes nomes dos ingleses que morreram em Roma."

Deu um suspiro.

Andersen abanou brevemente a cabeça e virou-se para examinar o magérrimo gato marrom que o seguia hesitante, com o rabo para cima. Henry também se voltou, quando o gato ronronou preguiçosamente, estreitou os olhos e então colou-se à parte, detrás das pernas de Henry, lançando todo o peso de seu corpo esquelético contra ele, esfregando-se todo, e em seguida afastando-se com indiferença até encontrar um local ao sol e acomodar-se nele.

"O gato sabe o que quer", disse Andersen. Seu riso foi sonoro e repentino, quase um guincho, e fez Henry desejar afastar-se. Em vez disso, virou-se, sorriu e seguiu pelas alamedas até chegarem ao túmulo de Shelley, junto ao muro dos fundos do cemitério, onde o canto dos pássaros era mais vibrante.

Agora que o silêncio entre eles fora restaurado, ele sentia que a tristeza sobre a qual ele havia falado não significava nada em comparação com o ato de completamento que os espíritos em torno deles tinham experimentado. Ali naquele cemitério, que eles começavam a percorrer a pé mais uma vez, o estado de não-saber e de não-sentir que pertencia aos mortos parecia-lhe mais próximo da inequívoca felicidade do que ele jamais imaginara possível.

Andersen deve ter imaginado, pensou Henry, que sua permanência mais demorada diante de certos túmulos e não de outros era, com exceção dos túmulos dos poetas, totalmente aleatória. Ele pareceu confuso quando Henry tomou decididamente o rumo, sem que houvesse um caminho direto para isso, do túmulo de Constance Fenimore Woolson, cujo nome, Henry acreditava, não devia significar nada para seu companheiro. Aquele local tinha sido o destino final de cada uma de suas visitas anteriores; agora ele quase lamentava ter ido ali mais uma vez, sabendo que teria que dizer alguma coisa sobre o túmulo e certificar-se de ter sido compreendido. Sentiu-se aliviado por um momento quando Andersen voltou sua atenção para o anjo esculpido em pedra sobre a sepultura de William Wetmore Story, cinzelado pelo próprio Story, e foi em sua direção para examiná-lo mais de perto. Andersen tocou as asas brancas e o rosto, retrocedeu alguns passos para contemplá-los, com o rosto subitamente compenetrado. Enquanto seu amigo rodeava o anjo uma segunda vez, Henry viu à direita o túmulo de John Addington Symonds e pensou, como fazia a cada visita àquele solo sagrado, no quanto os Wetmore Story, Symonds e Constance haviam amado a Itália, e que eles tinham em comum o fato de ter vivido em lugares maravilhosos acreditando que a luz, a vista e os salões majestosos valiam todos os anos de exílio e a perda de seus países natais. Constance, pensou, teria se permitido encontrar os outros esporadicamente; a riqueza, a ambição social e a arte delicada dos Wetmore Story a acolheriam tanto quanto acolhiam as obsessões sexuais e a prosa rebuscada de Symonds. A lápide gravada com o nome dela era um modelo de decoro comparado com a esmerada sepultura dos Story. Durante a noite, ele sorriu consigo mesmo, ela certamente desejaria ficar sozinha. Sua América não era a deles, sua Itália era mais modesta e sua arte menos ambiciosa. Mas ela saberia como escrever a respeito deles.

Levantou os olhos e viu que Andersen o observava.

"Constance foi uma grande amiga", disse. "Eu conheci os Story, claro, e tive contato com o pobre Symonds, mas Constance foi uma grande amiga."

Andersen baixou os olhos para a lápide e deve ter visto, pensou Henry, que Constance era um dos mortos recentes. Fez menção de falar, mas claramente pensou melhor e se conteve. Henry suspirou e deu meia-volta, dando-se conta de que não deveria ter levado alguém a quem conhecia tão pouco a um lugar tão íntimo. Mas, talvez mais importante do que isso, sentiu que não deveria ter falado justamente naquele momento, pois pronunciar o nome dela fez seus olhos se encherem de lágrimas. Virou-se para ir embora e tentou readquirir o controle, mas se viu amparado pelo escultor, seus ombros encaixados no peito de Andersen, e as mãos de Andersen buscando encontrar as suas e segurá-las o mais firme que podia. Ficou surpreso com a força de Andersen, com o tamanho de suas mãos. Imediatamente certificou-se de que não havia ninguém à vista antes de permitir que o abraço perdurasse, sentindo o corpo rigoroso e quente do outro homem a apertá-lo brevemente, querendo desesperadamente permitir-se ser abraçado por mais tempo, mas sabendo que aquele abraço era todo o conforto que iria receber. Reteve a respiração pelo maior tempo possível e manteve os olhos fechados, e então Andersen o soltou e eles caminharam em silêncio de volta para o portão do cemitério.

No carro de aluguel, enquanto eles se dirigiam ao ateliê de Andersen na Via Margutta, ele se perguntava como iria contar a Andersen a respeito do modo como havia vivido até então. Como artista, ele admitia, Andersen talvez soubesse ou pelo menos entrevisse a possibilidade de que cada livro que ele escrevera, cada cena que descrevera ou personagem que criara, tornara-se um aspecto de si próprio, entrara em seu espírito e ficara lá, como os próprios anos acumulados. Seu relacionamento com Constance seria difícil de explicar; Andersen talvez fosse jovem demais para saber como a lembrança e o remorso podem se misturar, como um grande pesar pode ser guardado no íntimo, e como nada parece ter uma forma e um significado até que se torne passado e perdido, e, mesmo então, quanta coisa, sob o peso da pura determinação, pode ser esquecida e deixada de lado para só retornar à noite sob a forma de dor lancinante.

Andersen sugeriu que antes de visitar seu local de trabalho eles almoçassem no pequeno restaurante que ficava sob o seu ateliê. Tão logo entrou naquele ambiente pequeno e, para ele, familiar, sendo recebido com gestos amistosos pelo proprietário e sua esposa, tornou-se falante e animado. Henry ficou surpreso não apenas com o quanto o escultor sabia sobre ele, mas pelo modo desenvolto como agora ele repetia as informações. Admirou-se também do modo autoconsciente como Andersen lhe falou sobre seu próprio talento e da fluência com que ele citava aqueles que o admiravam.

Ouviu Andersen enquanto o almoço era servido; o rosto do escultor parecia mudar tanto quanto sua personalidade se transformara. Seus olhos tinham perdido a doçura e a simpatia e sua expressão tornava-se mais concentrada à medida que ele reagia a cada coisa que ele próprio dizia, numa torrente de exposição e contestação. Seus silêncios anteriores, Henry percebeu, tinham feito parte de um grande retraimento que agora se soltava. Henry saboreava a visão dele do outro lado da mesa, seu jovem rosto movendo-se em enlevada animação, tão inquieto e ambicioso, tão pronto para a vida, tão cru.

Henry tinha imaginado que a arte de Andersen era refinada, cinzelada elegantemente, feita de modo lento e esmerado, mas agora que o escultor se levantava do almoço, com as faces afogueadas, veio subitamente a Henry a idéia de que sua arte podia muito bem ser caracterizada também pela falta de disciplina. Não tinha parâmetros para julgá-lo. Embora os Story e os Elliott incluíssem Andersen em suas reuniões, não haviam falado sobre ele em particular. Ao subir para o ateliê de Andersen, Henry lembrou-se da primeira vez que viera àquela cidade, quando visitara os ateliês de tantos artistas que haviam fracassado ou florescido ao longo dos anos. Agora, tantos anos depois, ali estava ele de novo, guiado por um jovem escultor que estava pleno de inocência proteiforme, que era tão tateante em alguns aspectos e tão altivo em outros, tão cheio de contradições e tão enigmático. Observou Andersen subindo as escadas à sua frente, examinou a mão forte e branca que segurava o corrimão, a maravilhosa agilidade e desenvoltura de seus movimentos, e devaneou que poderia ficar em Roma por um tempo um pouco mais longo do que planejara, e vir todos os dias ao ateliê de seu novo jovem amigo.

Havia uma atmosfera de trabalho frenético no amplo ateliê, grande parte dele deixado pela metade por um artista apaixonado pela tradição clássica, pelo corpo clássico, uma atmosfera de trabalho feito para a exibição pública e triunfante. Ele se perguntava se aquele era meramente o modo como o trabalho de Andersen começava, cheio de uma desproporção retórica e estrondosa, e se depois o escultor se dedicaria, com sutileza e um olhar atento ao detalhe expressivo, à tarefa de refiná-lo. Ao passar de uma obra a outra, ele expressava sua opinião de que o amigo tinha um grande talento, e expressava também sua admiração diante de tantos corpos e torsos, perguntando a si mesmo se Andersen agora planejava trabalhar nos rostos, ou se optaria por deixá-los incompletos e anódinos. Foi conduzido à obra que mais dava a impressão de estar em andamento, uma grande estátua de um homem e uma mulher nus de mãos dadas. Manifestou em voz alta sua admiração pela escala e pela ambição da obra, enquanto Andersen postava-se orgulhosamente ao lado dela, como se posasse para uma fotografia.

No decorrer do dia, Henry aprendeu muito sobre Hendrik Andersen. Um tanto do que aprendeu assombrou-o, especialmente a notícia de que a família Andersen, ao chegar à América, estabeleceu-se em Newport, numa casa a poucas ruas de onde os James tinham morado, e de que o escultor ainda via Newport como seu lar americano. Quando Andersen começou a falar sobre seu irmão mais velho e sobre o ônus de ser o segundo filho, Henry informou-o de que ele próprio, também, passara a juventude à sombra de seu irmão William. Andersen parecia já saber disso, e especulou em voz alta se isso o teria aproximado de Henry; fez várias perguntas sobre Henry e William e muitas vezes, antes mesmo de Henry terminar de responder, comparou as respostas com suas próprias experiências com seu irmão Andreas. À medida que a conversa prosseguia, Henry foi descobrindo que Andersen sabia um bocado sobre a família James. Ele mencionou que seu próprio pai tinha a mesma queda pelo álcool que o pai de Henry mostrara em sua juventude, um assunto que nunca era discutido na família James, mas que deve ter sido alardeado em Newport com intensidade suficiente para chegar aos ouvidos de Hendrik Andersen.

"Somos irmãos", riu Hendrik, "porque temos irmãos mais velhos e pais bêbados."

Henry examinou-o com interesse, observando as cores lívidas de suas faces, sua fala nervosa e o modo como ele passava de um assunto para outro, não dando atenção à resposta ou à ausência dela. À sugestão de Henry de que estava na hora de se despedir, o escultor reagiu insistindo para que ficasse, tentando convencer Henry a caminhar com ele pela cidade antiga e buscar um lugar onde talvez pudessem tomar um refresco. Antes de saírem, Andersen guiou-o pelo ateliê novamente. Ao ver os corpos esculpidos mais uma vez, Henry se perguntou se Andersen não estava interessado em criar uma imagem única, individual. Os corpos feitos em mármore e pedra tinham uma presença carnal, as nádegas, barrigas e quadris genéricos esculpidos com enorme zelo e fervor. Expressou mais uma vez sua admiração e sua esperança de retornar ao ateliê para ver cada obra concluída.

Via Hendrik Andersen quase diariamente, encontrando-o sozinho ou em companhia de outros, e, à medida que aprendia mais coisas sobre ele, ficava cada vez mais impressionado com a proximidade do escultor, em sua formação e temperamento, com o herói epônimo de seu próprio romance *Roderick Hudson*, que publicara mais de vinte anos antes. Enquanto a colônia americana em Roma conhecia-o como o autor de *Daisy Miller*, os mais sérios no seio dela, incluindo Maud Elliott e seu marido, tinham lido também *O retrato de uma senhora*. Sabiam a diferença entre o primeiro, uma narrativa popular, leve no tom e no impacto, e o último, mais sutil e ousado em sua construção e em sua textura. Nenhum deles, porém, até onde ele sabia, chegara a ler *Roderick Hudson*, embora o livro retratasse um jovem escultor americano empobrecido em Roma, com todo o talento e as indiscrições de Andersen, com sua natureza apaixonada e impetuosa. Tanto Hudson como Andersen deixavam claro a todos que os conheciam suas ambições e seus sonhos. Ambos eram adorados por uma mãe preocupada que ficara em casa e ambos, uma vez instalados em Roma, recebiam a atenção de um homem mais velho, um visitante solitário, que apreciava a beleza, interessava-se pelo comportamento humano e mantinha a paixão firmemente refreada. Do modo como Henry via Andersen e tentava dar-lhe um sentido, era como se um de seus personagens tivesse ganhado vida, pronto para desconcertá-lo, confundi-lo e receber sua simpatia, forçando-o a suspender o julgamento, recusando-se sutilmente a deixá-lo controlar o que agora poderia se desencadear. A exemplo de Roderick Hudson, Andersen tinha sido acolhido por gente de dinheiro que acreditava nele, e em decorrência disso nunca comprometera sua arte nem flertara com o comércio. Sua obra era uma série de gestos amplos e enérgicos, proporcionais a seus sonhos. Os sistemas lentos e ardilosos utilizados para escrever um romance, a construção do personagem e do enredo por meio da ação, da descrição e da sugestão eram coisas que não lhe interessavam, do mesmo modo que ele não buscava, mediante observação cuidadosa e esforço sereno, esculpir um rosto vivo. Se fosse um poeta, escreveria épicos homéricos, e agora, como escultor, falava a Henry sobre seus planos para grandes monumentos.

Henry escutava com interesse a maior parte do tempo, tendo prolongado sua permanência na cidade, e conseguia pensar sobre o encanto e as fraquezas de Andersen em igual medida quando estava sozinho, e esse pensamento tingia de dourado aquelas horas e aquela solidão. Perguntava-se o que iria ser de Andersen. Ao pretender, como seu Mallet em *Roderick Hudson*, ajudá-lo e aconselhá-lo, avaliar quem ele era e quem poderia chegar a ser, ele conseguia, ou pelo menos esperava conseguir, disfarçar desejos que não era capaz de nutrir com muita facilidade e sossego.

A idéia de que ele havia publicado certos livros que ninguém de então tinha lido, e que ninguém via razão alguma para mencionar, aumentava o sentimento de que ele pertencia de algum modo ao passado, assim como Andersen e seus camaradas apostavam no futuro. Foi esse sentimento que, no fim das contas, acabou fazendo com que se preparasse, com o coração pesado, para voltar para casa, mas ele também sentiu, logo que tomou sua decisão, uma ternura por Andersen e o desejo de vê-lo na Inglaterra. Essa ternura nascia também de uma impressão que crescia nele a cada vez que via Andersen — e era comum naquelas semanas vê-lo duas vezes por dia —, a impressão de que tanto os silêncios como a intensa conversação do escultor brotavam de uma necessidade desesperada de aprovação e de uma solidão que a criação de esculturas monumentais não podia fazer coisa alguma para amenizar. Sabia também que seu próprio envolvimento com Andersen, o modo como ouvia e examinava as palavras e movimentos do escultor, tinha interessado enormemente a Andersen, mas que este, por sua vez, mal observara Henry, pois optara por acreditar que ele não estava necessitado de uma observação atenta. Ele nunca, por exemplo, mencionara a cena no cemitério protestante, parecendo presumir que a solidão do romancista era um aspecto essencial de sua arte. O que ele absorvia de Henry era o interesse deste por ele; abrira-se a um escrutínio metódico, como uma igreja abre suas portas para os fiéis. Estava ao mesmo tempo intrigado e fascinado consigo mesmo. Seu talento prodigioso e suas ambições grandiosas, suas origens, seus medos e suas atribulações cotidianas emergiam como temas de conversa, inocentes, desarmados, desordenados e cativantes. Ele falava, mas não ouvia; ficava em silêncio, Henry percebeu, porque conhecia o efeito de seus silêncios sobre os outros. E estava profunda e instintivamente consciente, Henry viu, do modo como essas mudanças nele próprio — a doçura que seus olhos adquiriam, por exemplo, ou a força imponente que assumiam em outras circunstâncias — atraíam os outros para ele, como acontecia agora com Henry. E então, quando as pessoas se aproximavam, Andersen não sabia o que fazer, só sabia que não queria perdê-las. Queria atenção plena, a reverência e talvez o amor dessas pessoas, e quando estava seguro de ter tudo isso passava a sentir por elas uma suave indiferença.

Toda vez que a conquista de fama como escultor entrava em questão, contudo, ele parecia um animal selvagem em busca de comida; era impiedoso, e importava-se mais que tudo com a caótica zona de caça representada por seu ateliê, trabalhando em suas figuras enormes, exibindo-as, alisando seus quadris, suas costas, seus torsos, mas nunca lhes concedendo um rosto, não tendo interesse algum no que um rosto poderia esconder ou revelar, assim como seu próprio rosto alcançava a maior parte do tempo uma maravilhosa ausência de expressão, uma beleza pura e impassível que aumentava o interesse de Henry em encará-lo e ficar em sua companhia, e tornava mais intrigantes, demorados e exasperantes seus esforços em imaginar seu rosto quando estava longe dele.

Perguntava-se, enquanto se preparava para deixar a cidade, se não teria enfatizado demais o aborrecimento e a tacanhez de sua vida na Lamb House. Andersen assentira com a cabeça quando ele explicou sua necessidade de uma vida daquele tipo e seu desejo de retornar a ela, mas Andersen, ele sabia, não tinha saído de Newport e vindo para Roma em busca de aborrecimento e tacanhez. Era vivamente admirado em seu círculo de um modo que não cabia na vida cotidiana em Newport ou em Rye. Esse, ele sentia, seria o desafio para o escultor nos anos vindouros — a possibilidade do fracasso, do esquecimento e da solidão. A idéia de como ele poderia enfrentar tal desafio ocupava a imaginação de Henry. Ele imaginava o rosto de Andersen ficando perturbado pela lenta concentração do trabalho, seus olhos mais introspectivos, sua conversação mais hesitante e sutil, e sua escultura diminuindo de tamanho, tornando-se mais complexa e delicada, mais elaborada e meditada. E nos anos em que essa transformação tivesse lugar, ele acreditava, finalmente talvez não importasse a Andersen quem o admirava ou onde ele vivia.

Numa das noites que antecederam a partida de Henry houve uma reunião na casa dos Elliott de vinte pessoas ou mais, todas elas conhecidas de Henry. Ele teve o cuidado de chegar e partir sozinho e de participar de conversas gerais com os presentes, enquanto mantinha um olho distante em Andersen. Acabou encontrando um tempo a sós com ele, mas foram interrompidos pela chegada de Maud Elliott, que começou a fazer insinuações sobre a amizade entre eles. Ela vinha de uma família de notáveis insinuadores, ele pensou; sua mãe, sua tia e seu tio, o romancista, geralmente tinham êxito em romper o silêncio sobre tais assuntos e não costumavam guardar muitos pensamentos para si. A sobrancelha levantada e o comentário picante estavam no sangue da família, ele pensou, enquanto Maud Elliott afastava Andersen perguntando-lhe se ele já tivera alguma vez um amigo tão atencioso quanto o sr. James. Agora que encurralara Henry num canto, ela deixava claro que ele seria seu até que ela o dispensasse.

"Estou certa de que a mãe dele o quer de volta em Newport, na verdade eu sei disso, mas pretendemos mantê-lo aqui. Todos o querem. É isso que é tão adorável nele. Tenho a impressão de que você foi um visitante diário em seu ateliê."

"Sim", disse Henry, "admiro muito o esforço dele."

"E também o que poderíamos chamar de seu gênio, talvez? Você certamente sabia a respeito dele antes de vir a Roma. Acho que sua fama se espalhou."

"Não. Eu só vim a conhecê-lo na sua casa."

"Mas tinha ouvido falar dele? Ele certamente ouvira falar de você."

"Não, eu não tinha ouvido falar dele."

"Oh, pensei que você tivesse informações sobre ele por meio de lord Gower, que tanto o admirou quando visitou Roma."

"Lord Gower permanece desconhecido para mim até hoje", disse Henry.

"Bem, ele escreve sobre vários assuntos e é um colecionador entusiástico. Tão entusiástico, na verdade, que adorou nosso jovem escultor, encontrou-o todos os dias e quis mantê-lo consigo."

A voz dela tornou-se confidencial e conspirativa.

"Disseram-me que ele quis adotá-lo e fazer dele seu herdeiro. Ele é tremendamente rico. Mas Andersen não o quis, ou não quis ser adotado, ou ambas as coisas, de modo que não vai herdar o dinheiro todo de lord Gower. Ele mesmo não tem um tostão. Como uma de suas heroínas, ele é até mais interessante, talvez, por ter rejeitado um lorde. Mas penso que, no final das contas, se ele não tomar cuidado, teremos que compará-lo com Daisy Miller. Ele flerta, não é verdade? Em todo caso, não consigo vê-lo voltando para a Nova Inglaterra."

"Talvez uma temporada lá fizesse bem a todos nós", disse Henry, e sorriu.

"O senhor Andersen diz", prosseguiu Maud Elliott, "que você o convidou para ir a Rye."

"Talvez, já que você tem sido tão amável", respondeu Henry, "eu estenda o convite também a você."

No dia seguinte ele visitou o ateliê de Andersen e descobriu que uma nova obra de grandes proporções estava em andamento, um conjunto de figuras nuas masculinas e femininas, ornadas com flores, representando a primavera. Andersen, recém-saído do trabalho da manhã, estava no auge da felicidade sob tais condições, certo de que a obra em breve conseguiria um patrocinador. Quando Henry caminhava pelo ateliê, seu olhar foi atraído por um pequeno busto que não havia notado antes, mais sereno e modesto em seu estilo que as obras à sua volta. Era, segundo lhe contou Andersen, um busto do jovem conde Bevilacqua, e tinha despertado muita admiração. Havia, percebeu Henry, algo de cru e desajeitado na peça, mas também, talvez devido à qualidade da pedra e ao seu tamanho, ela poderia passar por um peça arqueológica, algo enterrado sob uma das ruas por onde eles caminhavam. Imediatamente, ele desejou levá-la consigo e pagar generosamente por ela como uma recordação daquelas semanas que passara com seu novo amigo. Logo que Andersen compreendeu que ele não apenas admirava a peça, mas planejava comprá-la, inflamou-se visivelmente de orgulho e ambição. Vender seu trabalho, deixar sua marca no mundo, compreendeu Henry, parecia significar para ele mais do que todas as amizades. Lançou-se pelo ateliê cheio de excitação e abraçou Henry calorosamente assim que combinaram um preço, apertando-o com forte emoção. Prometeu que iria à Inglaterra tão logo pudesse. Falou sobre como a peça seria acondicionada e enviada, e quanto tempo demoraria para chegar. O que mais chamou a atenção de Henry foi sua incapacidade de esconder seu puro deleite.

Jantaram juntos naquela noite no restaurante local de Andersen para celebrar a aquisição de Henry. Andersen, ele percebeu, vestira-se quase formalmente para a ocasião e, tão logo eles se sentaram e uma vela foi acesa em sua mesa, adotou um tom que era novidade. Sua expressão tornou-se interessada e profundamente entretida quando passou a fazer perguntas e ouvir com atenção as respostas sobre como Henry vivia, por que estava na Inglaterra e por que viajava cada vez menos à medida que os anos passavam. Henry se sentiu quase divertido pela seriedade de seu comportamento, pois ele punha em suas indagações a mesma energia juvenil que colocara antes em seus silêncios e monólogos. Foi só quando Andersen tentou extrair de Henry coisas sobre seu pai e sua mãe que Henry parou de se divertir e desejou reconduzir a conversa para assuntos menos íntimos. Quando o escultor começou a insultar seu próprio pai, depois de uma leve provocação de Henry, este ficou quase satisfeito, embora considerasse o tom do escultor pessoal demais, petulante demais, disposto demais a discutir livremente o que Henry julgava serem assuntos profundamente privados. Quando deixaram o restaurante, ficou feliz por Andersen tê-lo acompanhado até seu hotel, já que a noite estava amena e as ruas da antiga Roma mostravam-se sedutoras como nunca. Aquela seria a última noite deles a sós um com o outro, pois ambos haviam concordado em comparecer a uma reunião mais ampla no apartamento dos Story na última noite de Henry na cidade, que seria a próxima.

Espantou-se ao constatar que ele próprio não tinha mudado nos vinte e cinco ou trinta anos transcorridos desde a última vez que caminhara assim por Roma à noite. Nunca discutira seus pais ou suas ambições com ninguém; sua conversa em todos aqueles anos tinha sido sutilmente equilibrada e controlada; ele encarava seu trabalho desde aquela época com firmeza e cuidado. Andersen não era assim, e agora lhe ocorria que seu amigo tampouco iria mudar. Permaneceria por toda a vida inocente e confuso, gracioso e franco. Quando ficaram em silêncio, Henry quis virar-se para Andersen e dizer que ele deveria colher da vida tudo o que ela lhe oferecesse, que ainda era jovem e deveria desejar tudo e viver tão intensamente quanto possível. Quando chegaram aos pés da Escadaria de Espanha, esteve inclinado por um segundo a indicar-lhe a janela do quarto onde o poeta Keats tinha morrido, mas sabia que tal invocação da morte e do sofrimento iria romper o encanto do momento. Quando Andersen, na porta do hotel, deu um passo para trás depois de abraçá-lo, ele não pôde deixar de observar intensamente o seu sorriso, tentando retê-lo na memória, sabendo o quanto teria que recordá-lo quando retornasse à Inglaterra.

Ao chegar a Rye, recebido por um alegre Burgess Noakes, acompanhado de seu carrinho de mão, ele viu a cidade como que pelos olhos de Andersen. Pensou em como ela pareceria pequena e de cores esmaecidas. Os espaços na Lamb House pareciam corredores ou ante-salas comparados com os aposentos dos apartamentos romanos, e mesmo o jardim, do qual ele falara com tanto orgulho a seu novo amigo, parecia reduzido, apertado. Observou Burgess a desfazer as malas enquanto retomava posse de sua própria casa, perguntando-se como ela pareceria a Hendrik Andersen.

Não escreveu a Andersen antes da chegada do pequeno busto, embora tivesse redigido mentalmente muitas cartas a ele, contando-lhe o quanto permanecia vivo em seus pensamentos, e como as tardes inglesas podiam ser agradáveis, agora que tanto ele como a temperatura tinham se assentado, e como seu próprio jardim murado particular poderia ser magnífico, agora que ele se acostumara de novo com suas proporções. Sabia que nada disso iria interessar muito a Andersen, mas tinha dificuldade em encontrar um tom e um assunto que fossem ao mesmo tempo calorosos e comedidos.

Quando o busto foi desempacotado, porém, e construiu-se para ele um amplo pedestal no canto da sala junto à cornija da lareira, onde ficou instalado tranqüila e alegremente, Henry pôde escrever a Andersen expressando seu deleite com a obra e louvando seu encanto, ciente de que esse louvor iria interessar ao amigo. Era capaz até de imaginar Andersen absorvendo com avidez cada palavra. De sua própria parte, dava-lhe prazer falar à distância com o amigo a respeito de sua obra sendo cuidadosamente desembalada, erguida e instalada, tanto quanto lhe dava prazer tê-la o tempo todo diante de si como uma admirável e bem-amada companheira. Dizer a Andersen que sua escultura era tão viva e humana, tão simpática e sociável, acrescentando que aquela afeição duraria a vida toda, era mais fácil do que dizer a Andersen que ele próprio ocupava o dia inteiro os pensamentos de Henry, que algumas vezes, durante o trabalho, ele fazia uma pausa para especular sobre qual seria a causa do estranho ardor de felicidade e de cálida expectativa que o dominava, e chegava à conclusão de que era a reverberação de seu período em Roma e de sua esperança de que Andersen viesse visitá-lo em Rye.

Em pouco tempo, Andersen escreveu de volta e, com sua caligrafia desajeitada e sua má ortografia, anunciou que iria, de fato, visitá-lo. Apesar da brevidade da carta e do estilo epistolar rudimentar, sua voz estava presente nas frases, apressada, sem disciplina, séria, nervosa, sincera. Henry manteve a carta junto de si, sem querer se separar dela, até se forçar a deixá-la de lado. Mas não conseguia deixar de examinar seu jardim, situando o corpo amplo de Andersen numa cadeira sob a velha amoreira de copa larga, imaginando a ambos sob a lânguida luz do sol. Na sala de jantar, ao fazer sua refeição sozinho, ele colocava Andersen à sua frente e permitia que os dois se demorassem no vinho antes de subir para a sala de visitas. Não tinha importância que a conversa de Andersen pudesse ser dispersa ou jactanciosa. Desejava que ele viesse antes que o verão chegasse ao fim, para compartilhar com ele as longas noites claras, mantendo todas as outras companhias à distância, para poder desfrutar seu amigo e para que Andersen pudesse ver a vida numa escala menor.

Seria fácil, decidiu, reformar o pequeno estúdio que fazia parte de sua propriedade e dava para a Watchbell Street. Ao escrever a Andersen e combinar a data de sua chegada, ele começou a imaginar que o amigo, depois de ver o modo esplêndido como Henry conseguia trabalhar no jardim-de-inverno nos meses de verão, chegaria à conclusão de que o estúdio podia facilmente se tornar o local de seu próprio trabalho durante uma parte do ano. Encontrou uma chave do estúdio, examinou os contornos do ambiente e viu como, com uma estreita troca de idéias entre Andersen e o arquiteto Warren, as obras poderiam transformar o estúdio num local modesto e elegante para um escultor passar seus dias. Imaginou sua própria felicidade solitária quando se entregasse a uma nova obra sabendo que não longe dali o escultor Andersen também estaria trabalhando na pedra. Sabia que seu pensamento estava indo rápido demais e que o quadro de sua atividade conjunta com Andersen que fizera para si mesmo pertencia ao reino do improvável, mas essa visão também lhe permitia viver seus dias de modo doce, assim como fazer outros planos com uma disposição mais alegre.

À medida que a chegada de Andersen se aproximava, apesar de ele ter prometido ficar apenas três dias, pois estava em rota entre Roma e Nova York, Henry constantemente antecipava com temor sua partida e se preparava para o momento em que o encontraria na estação de trem, ao mesmo tempo que imaginava os melhores meios de entretê-lo durante sua estada em Rye. Aquilo devia ser, pensou, o que os outros sentiam, o que seu pai devia ter sentido logo depois de conhecer sua mãe, ou o que William sentiu quando esperava que Alice se tornasse sua esposa. Perguntava-se se aquele estado de confusão encantada o atingia mais profundamente agora por causa da sua idade, por causa da curta estada de Andersen, e por causa da impossibilidade de suas idéias. Ao caminhar por Rye, ou conduzir sua bicicleta pelos campos, observava as pessoas ao acaso, especulando se elas alguma vez teriam experimentado algo como aquela terna ânsia, aquele aperto arrebatado do eu em antecipação à chegada de outra pessoa.

A decisão de Andersen de ficar um breve período era, apesar dos seus devaneios, não apenas uma sentença decepcionante, mas também uma maneira de fazê-lo experimentar de novo, agora de modo mais agudo, o sentimento de condenação que vinha com o desejo e o afeto. Como que para repelir a dor que a nova frustração pudesse trazer, ele passou em revista o período vivido em Paris com Paul Joukowsky, mais de vinte anos antes. Tinha atravessado aquela noite tantas vezes, em pensamento. Ela vivia com ele, em todo o seu caráter dramático e definitivo. Lembrou-se de ter rodado, rodado, presumindo que iria logo embora, varando a noite enevoada de volta ao austero santuário de seu apartamento parisiense. Em vez disso, chegara mais perto. Mantivera-se em pé na calçada enquanto a noite caía e a névoa se convertia em chuva, e só o fato de pensar naquilo agora causava-lhe medo, mas também excitação, diante do que poderia ter ocorrido. Tinha esperado lá, mirando fixamente a janela de Paul, delineada à luz da lâmpada, contendo-se desesperadamente para não atravessar a rua e fazer-se visível. Ficara lá por horas, e sua longa vigília terminara em derrota. No decorrer dos anos, ela viera assombrá-lo nos momentos mais improváveis, como agora.

Burgess Noakes estava, àquela altura, habituado às visitas, especialmente nos meses de verão, e o restante dos criados, desde a partida dos Smith, estava em permanente prontidão para receber o pequeno afluxo de velhos amigos e parentes que vinha se hospedar na Lamb House. Burgess Noakes não era curioso por natureza; aceitava as coisas como elas se apresentavam. Agora, contudo, pouco antes da chegada de Hendrik Andersen, ele começou a aparecer diante de Henry, encabulado e levemente tartamudo, para fazer várias perguntas sobre os hábitos e preferências do sr. Andersen.

No dia em que Andersen seria recebido na estação, Henry notou que Burgess Noakes ficou andando de um lado para outro da sala do café-da-manhã e, depois, postou-se ociosamente à porta de seu estúdio. Observou que Noakes estava vestido de modo mais aprumado que o habitual, ostentava um novo penteado e parecia mais vivaz em seus movimentos. Sorriu diante da idéia de que seus próprios sonhos e esperanças vagos e inquietos haviam se tornado palpáveis na sua casa. Às sete horas, Noakes esperava por ele na porta da frente numa postura semimilitar, com seu carrinho de mão a postos como um canhão prestes a disparar.

Andersen começou a falar logo que desceu do vagão. Queria mostrar várias pessoas com quem dividira um compartimento e, quando o trem partiu, despediu-se deles com muitos acenos. Burgess Noakes, depois de assumir o controle da bagagem de Andersen e depositá-la no carrinho de mão, manteve o olhar fixo em Henry, observando-o placidamente, e nem por um momento, até onde Henry pôde perceber, lançou um olhar ao visitante, assim como o evitou quando chegaram à Lamb House, como se ele pudesse morder.

Andersen movia-se pela casa lançando olhares desatentos, como se o que estivesse vendo lhe fosse familiar. Nem mesmo o busto do conde Bevilacqua no canto da sala de jantar mereceu mais do que uma inspeção superficial. A viagem o havia agitado de tal maneira que ele não queria, insistiu, ir para o seu quarto trocar de roupa, nem tampouco desejava algum lanche ou refresco, nem mesmo um assento no jardim ou em qualquer outro lugar. Era como se ele estivesse ligado a uma corrente elétrica e todos os interruptores tivessem sido acionados. Ele era todo zumbido e luzes fulgurantes ao falar a Henry sobre seu trabalho, sobre as pessoas com quem trataria disso em Nova York, sobre o que elas poderiam dizer a respeito e sobre o que elas já haviam dito. Os nomes de marchands, colecionadores e urbanistas misturavam-se aos de milionários e damas da sociedade. Paris, Nova York, Roma e Londres eram todas mencionadas como lugares onde havia muita admiração por ele e avidez por suas obras.

Desde que voltara da Itália, Henry estivera profundamente imerso numa reflexão diária sobre diversos projetos, sabendo que pelo menos dois deles iriam exigir um esforço imenso. O trabalho inicial seria delicado e incerto como um bafejar no vidro; ele tinha a esperança de poder ver uma imagem na superfície antes que a umidade condensada se dissipasse. E a partir daí o trabalho envolvido seria mais rigoroso do que qualquer coisa que ele já tivesse feito. Enquanto ouvia Andersen, tinha um sentimento irônico de satisfação por saber a respeito da dificuldade e da desonra do fracasso. Na esperança de que seu amigo se acalmasse, permaneceria mudo agora, sem tentar interrompê-lo ou competir com ele, mas em vez disso sentindo-se feliz por ele ter chegado, ainda que Andersen não parecesse ter se dado conta disso ainda.

Na manhã seguinte, ao descobrir que Andersen não havia se levantado, Henry foi ao jardim-de-inverno depois do café-da-manhã e começou o trabalho do dia. O escocês não pareceu notar suas hesitações, sua necessidade de ouvir a repetição de orações inteiras, nem tampouco mostrou qualquer sinal ou fez qualquer comentário quando Henry passou a ditar fluentemente e depressa, tão depressa quanto a máquina pudesse acompanhar, de modo que nada pudesse distrair Henry, nem mesmo a possibilidade de que seu hóspede ainda estivesse na cama, ou fazendo sua higiene, ou pronto a aparecer a qualquer momento. Ele percebera isso antes, quando tivera outros hóspedes. Percebera que era fácil desaparecer em seu local de trabalho e descobrir uma estranha e poderosa concentração, feroz em sua atenção a cada frase, como um modo de trancá-los do lado de fora, ou apreciando a idéia de que logo os veria, ou ambas as coisas. Trabalhava com vigor e seriedade reforçados como um modo de mostrar-se capaz a si próprio. Assim, trabalhou toda a manhã até perceber que havia exaurido o escocês e até ter certeza de que iria encontrar Andersen em algum lugar da casa ou do jardim, esperando por ele.

Em Roma ele observara que as roupas de Andersen sempre combinavam com a de seus companheiros de lá, não parecendo nem informais demais nem narcisistas demais. Agora, porém, quando Andersen se levantou de uma poltrona num canto da sala de visitas do andar superior para cumprimentá-lo, Henry notou seu terno preto, sua camisa branca e sua gravata-borboleta do mesmo azul-claro de seus olhos. Andersen dava a impressão de alguém que tinha passado grande parte da manhã se arrumando para aquele encontro.

Enquanto eles almoçavam, ficou evidente que as condições meteorológicas eram incertas e que, portanto, um eventual passeio a pé ou de bicicleta teria de ser adiado. Ele especulou por um momento sobre o que Andersen fazia em dias chuvosos em Roma, até se lembrar de que os dias chuvosos eram raros por lá e que, em todo caso, independentemente da meteorologia, Andersen ia para o seu ateliê. Quando Henry mencionou os dias chuvosos em Newport, Andersen falou sobre a lembrança desagradável que tinha deles, sobre a sensação de estar preso numa casa pequena, esperando o dia todo que o tempo abrisse e sabendo freqüentemente, à medida que a tarde avançava, que ele permaneceria úmido e logo viria também o escuro. Mesmo agora, disse ele, aquela lembrança causava-lhe calafrios. Ele riu.

Antes do fim do almoço, a chuva começara a bater nas janelas da Lamb House em grandes cortinas de água, fazendo a sala de jantar parecer escura e o jardim, inóspito. Henry percebeu que o estado de espírito de Andersen afundava visivelmente. Se estivesse sozinho, Henry teria uma tarde muito produtiva de leitura e permitiria que um único volume o conduzisse até a hora do jantar e além, mas Andersen, até onde ele podia perceber, não lia, e de todo modo era inimaginável que ele tivesse viajado tanto para se enterrar durante toda uma tarde num livro.

Na noite anterior, Henry mencionara o estúdio vazio em Watchbell Street e descobriu durante o almoço que Andersen estava ansioso para vê-lo, se eles arranjassem guarda-chuvas e enfrentassem o mau tempo. Henry desejou intimamente que a distância fosse maior, para que uma excursão até lá fosse demorada e exigisse preparativos. Mas o estúdio ficava a apenas alguns passos da porta da frente, e logo que Burgess Noakes apareceu com os guarda-chuvas, examinando Andersen agora como se estivesse prestes a desenhar um retrato dele, os três puseram-se energicamente a caminho do edifício abandonado, cuja chave estava na mão de Henry.

Ele não sabia, mas se deu conta de que deveria ter imaginado, que o teto do velho estúdio tinha goteiras em dois ou três pontos. Assim que abriram a porta, os três ficaram parados à porta enquanto a água gotejava copiosamente no chão de cimento. A luz no estúdio era escassa e desalentadora, e no canto se havia acumulado um bocado de sucata e algumas bicicletas velhas, e tudo isso, aliado ao ruído da chuva, de alguma forma reforçava a absoluta melancolia do ambiente. Nenhum deles parecia inclinado a se aventurar muito estúdio adentro, portanto ficaram junto à entrada, em silêncio. Henry falara sobre aquilo como um possível ateliê para um escultor, que seria especialmente apropriado nos meses de verão, quando o calor de Roma tornava insuportável aquela cidade, e poderia ser usado no inverno para armazenar obras, na expectativa de mostrá-las às galerias de Londres. Agora, parecia uma choupana com goteiras, usada para guardar bicicletas, e Henry sabia que seu amigo, ocupado com planos para seu futuro sucesso nas vastas metrópoles do mundo, possuía uma ampla e ambiciosa imaginação sem nenhuma compaixão por tais ambientes sombrios e miseráveis. Mesmo Burgess Noakes, no jeito alucinado como seus olhos dardejavam do teto ao chão, acompanhando uma goteira, e daí para seu patrão, e deste para o hóspede, parecia fazer parte de uma conspiração para garantir que Hendrik Andersen nunca mais pusesse os pés em Rye.

Henry e Andersen passaram a tarde numa conversação erradia e, quando a chuva finalmente parou, o passeio dos dois a pé pelas ruas de Rye e pelo campo também teve um ar erradio. O pensamento de Andersen estava em sua viagem e em sua temporada em Nova York, e Henry sentia que, se o amigo pudesse escapulir para Londres sem causar uma quebra maior do decoro que existia entre eles, ele o faria imediatamente.

Enquanto estavam sentados na sala de visitas antes do jantar, Andersen começou a falar sobre suas ambições. Quando disse que o que realmente tinha em mente era projetar uma metrópole mundial, Henry se viu perguntando, levemente exasperado, se ele planejava fazê-la em miniatura. No calor da sua exposição, Andersen não parece ter cogitado a possibilidade de que a pergunta tivesse sido feita de modo sarcástico ou mesmo malicioso. Explicou que não, que tinha em mente uma metrópole mundial de verdade, um lugar com prédios e monumentos imponentes, que incluiria o melhor da arquitetura e da estatuária de cada civilização. Seria uma proeza de harmonia e entendimento humano, um lugar onde a humanidade pudesse se reunir simbolicamente, onde todos os episódios da civilização fossem representados, onde príncipes, potentados, artistas e filósofos pudessem se juntar, onde o melhor de todo o empenho humano estivesse à mostra.

Enquanto Andersen falava, com sua voz cheia de excitação, os últimos raios de sol batiam nos velhos tijolos do muro do jardim; Henry considerou imensamente confortantes a textura gasta deles, sua cor avermelhada em processo de descascamento, o verde brilhante das trepadeiras ao fim de um dia de chuva. Ele acenava com a cabeça regularmente para Andersen, em assentimento. Quando eles passaram para a sala de jantar, ele se colocou de frente para as portas de vidro de maneira a poder apreciar a luz do crepúsculo dando lugar às sombras sob as árvores. Andersen agora falava sobre o apoio de que iria precisar para o seu projeto e sobre o apoio de que já dispunha. Seria muito fácil para ele continuar pela vida toda, disse, fazendo peças avulsas de escultura como as que Henry e outras pessoas tanto admiravam, mas ele desejava agora, antes que ficasse muito velho, embarcar num projeto integrado que levasse anos para ser completado e que tivesse importância para a humanidade.

"A humanidade", Henry ouviu sua própria voz dizendo, "é algo muito grande."

"Sim", disse Andersen, "e é feita de várias divisões falsas e falsos conflitos. As conquistas da humanidade jamais foram reunidas num lugar que é uma cidade viva e não um museu, num lugar onde a beleza e o entendimento humano podem vicejar."

O pensamento de Henry estava ocupado em parte pelo trabalho da manhã. Encontrara um personagem fictício que lhe interessava, um jornalista sério, sensível, inteligente e talentoso, a quem se oferecia um projeto parecido com o projeto que os Story lhe haviam oferecido em Roma: escrever a biografia do pai deles, deixando a sua disposição toda a documentação existente. Naquela manhã ele descrevera tal figura chegando à Lamb House depois da morte de um escritor muito parecido com ele mesmo, postando-se no mesmo escritório em que ele então ditava seu texto e tomando posse dos papéis e cartas que havia ali. Mas o jornalista, tal como o imaginava, também era o mais próximo possível dele próprio, e a partir daí ele se pôs a dramatizar seu próprio eu assombrando o ambiente que abandonaria ao morrer. Agora mesmo, por um segundo, ele teve uma visão da figura do jornalista caminhando pelas estreitas e mal iluminadas ruas de Veneza, evitando alguma coisa, mas deixou-a de lado, sem saber como poderia usá-la. Ninguém que lesse a história, pensou, adivinharia que ele estava jogando com elementos tão vitais, mascarando e desmascarando a si próprio.

Seria lida como uma simples história de fantasma, mas para ele, do modo como a havia trabalhado, evocando sua própria morte e criando um personagem que lhe parecia cada vez mais real à medida que o dia se esvaía, a narrativa tinha uma estranha força. Ela lhe dava uma idéia para o prosseguimento do trabalho, mas uma parte dele ainda estremecia simplesmente pelo fato de havê-la criado. Comparada à metrópole que Andersen estava inventando, ela era ao mesmo tempo nada e tudo. Em seus detalhes e em seus diálogos, em seu desenrolar lento e em seu mistério, ela resistia à abstração, à insipidez e à tolice dos conceitos amplos. Erguia-se sozinha, pequena e desprotegida, simplesmente presente; ocuparia um espaço diminuto numa formidável e monumental biblioteca numa metrópole onde ler em solidão não faria parte do sonho magnífico de seu amigo.

"Mais do que tudo", disse Andersen, "precisamos espalhar a notícia do projeto."

"Com certeza", respondeu Henry.

"Eu queria saber, já que você conhece minha obra, se pensou em contribuir com um artigo sobre ela para algum jornal", indagou Andersen.

"Receio que eu seja um mero contador de histórias", disse Henry.

"Você já escreveu artigos, não?"

"Sim, mas agora eu labuto no humilde ofício da ficção. É tudo que sei, lamento."

"Mas você conhece pessoalmente editores influentes, não?"

"A maioria dos editores com quem trabalhei estão mortos e enterrados, ou então gozando como podem a sua aposentadoria", disse Henry.

"Mas você poderia escrever sobre minhas obras e meus planos se algum jornal se interessasse, não poderia?"

Henry hesitou.

"Poderia, suponho", continuou Andersen, "encontrar alguém em Nova York que estivesse interessado."

"Talvez devamos deixar a crítica de arte aos críticos de arte", disse Henry.

"Mas e se um editor quisesse uma descrição da minha obra?"

"Farei o que puder por você", disse Henry, e sorriu. Levantou-se da mesa. Já estava escuro do lado de fora.

Na manhã seguinte, depois de terminar seu café, ele se sentou no jardim por alguns instantes à espera de McAlpine. O céu já estava sem nuvens; ele levou sua cadeira até o canto do jardim onde o sol batia àquela hora. Andersen ainda dormia, até onde ele sabia, mas dissera, em todo caso, que desejava tomar o café-da-manhã em seu quarto. Quando o escocês chegou, eles passaram para o jardim-de-inverno e puseram-se a trabalhar imediatamente. Ele examinara as páginas datilografadas do dia anterior antes de ir para a cama e fizera suas correções; agora, em uma hora ele completaria um conto e, enquanto o sol se movesse silenciosamente ao longo do jardim, e o dia esquentasse, ele daria início a um novo conto, ainda menor que o anterior, com o efeito quase provocadoramente minúsculo e desprovido de solenidade. Ditava com sua mistura habitual de certeza e hesitação, parando por um momento e avançando rapidamente de novo, indo então até a janela, como se fosse encontrar a palavra ou frase que buscava no jardim, entre os arbustos, as trepadeiras ou o mato crescido de final de verão, e retornando de novo com decisão para o interior da sala fresca com a frase certa na cabeça e as orações subseqüentes, até a conclusão do parágrafo.

Quando eles sentaram para almoçar o dia estava sufocante. Andersen vestia um terno branco e tinha um chapéu de palha a postos, como se estivesse prestes a sair de barco. Discutiram como poderiam aproveitar a tarde, e quando Andersen soube quão perto eles estavam do mar e como era fácil ir até a praia de bicicleta, insistiu que seu maior desejo era banhar-se na água salgada e caminhar descalço pela areia. Seu entusiasmo foi um agradável alívio, pois impediu-o de mencionar durante o almoço seus planos para conquistar fama como escultor. Terminado o almoço, eles vestiram roupas mais apropriadas, e em seguida caminharam até as duas bicicletas bem lubrificadas que Burgess Noakes trouxera do galpão atrás da cozinha. Eles desceram devagar a ladeira pavimentada por pedras e depois partiram para Winchelsea, recebendo no rosto a fresca e salgada brisa do mar. Andersen, com seu traje de banho e uma toalha amarrados ao bagageiro, mostrava um ótimo humor enquanto pedalava vigorosamente ao longo da estrada plana e depois, morro abaixo em Udimore, em direção ao mar.

Quando eles deixaram as bicicletas e caminharam pela trilha de areia entre as dunas, Henry notou o ofuscamento produzido pelo calor, que tornava tudo vago e o horizonte apenas visível. O moderado esforço e a proximidade do mar pareciam ter modificado o humor de Andersen, deixando-o calado. Quando eles finalmente chegaram na beira da água, ele parou e olhou para o mar, apertando os olhos contra a luz, colocando afetuosamente seu braço, por um momento, em torno de Henry.

“Eu tinha esquecido como era isso”, disse. “Não sei bem onde estou. Eu poderia nadar até Bergen, poderia nadar até Newport. Se meu irmão estivesse aqui agora...”

Parou e abanou a cabeça, maravilhado.

“Sabe”, disse, “se eu fechar meus olhos e abri-los em seguida, posso imaginar uma faixa de areia e uma luz como esta e de repente estou na Noruega e tenho cinco ou seis anos de idade, mas Newport pode ser assim também num dia de verão. É o ar, a brisa marinha. Eu poderia estar em casa agora.”

Caminharam ao longo da linha que a água do mar formava na areia. As ondas estavam calmas e a praia, quase deserta. Henry ficou em pé olhando para o mar enquanto Andersen colocava seu traje de banho e, depois de deixar suas roupas com Henry, tornava-se uma versão movente de uma de suas próprias esculturas, com seu torso esplendidamente liso e branco, seus braços e pernas musculosos.

“Deve estar fria”, disse. “Posso dizer só de olhar.”

Henry observou-o entrar hesitante na água, pulando para evitar cada onda antes de mergulhar de uma vez e sair nadando, com braçadas firmes e vigorosas. De quando em quando ele desaparecia sob as ondas, deixando-se flutuar até a praia, acenando para Henry, que permanecia de pé, totalmente vestido, desfrutando o calor do sol.

Depois que Andersen se enxugou e vestiu de volta suas roupas, eles caminharam por milhas ao longo da praia, não encontrando quase ninguém. Ambos paravam regularmente, sem nenhum motivo, para contemplar o mar, examinando o horizonte longínquo ou um barco à distância. Andersen ouviu calado quando Henry explicou como a terra havia reconquistado espaço, ensejando a formação de cidades em lugares que um dia haviam sido enseadas.

“Se aqui fosse Newport”, disse Andersen, “seríamos capazes de caminhar até o molhe e observar os pescadores descarregando os peixes ou se preparando para a pescaria noturna."

Andersen começou então a falar sobre a Newport que ele viu pela primeira vez quando criança, chegando da Noruega com os pais, dois irmãos e uma irmã. Fora então que ouvira falar da família James, disse. Sabia onde eles tinham morado e que o filho se tornara um escritor, pois todo mundo lhe contou isso. Os Andersen, disse ele, tinham tudo, menos dinheiro; seu irmão, quando ainda não passava de uma criança, era um pintor evidentemente talentoso, assim como ele próprio era um talento precoce e seu irmão mais novo, um músico promissor. A velha Newport, as velhas senhoras e as famílias meio europeizadas acreditavam no talento, disse ele, mais do que no dinheiro, mas isso era porque eles tinham dinheiro em abundância, ou haviam herdado o bastante para nunca precisar pensar nele. Os Andersen, disse ele, poderiam dar a impressão de ser também assim quando visitavam os outros ou iam à igreja, mas em casa não tinham dinheiro algum, portanto só pensavam nele.

"Eles nos compravam tinta a óleo e cavaletes", disse ele, "e faziam de conta que não notavam nossas roupas remendadas. Discutiam a grande arte conosco nos finais de tarde, e podíamos sentir o cheiro de seus jantares quentes sendo feitos, sabendo que teríamos de ir para nossa casa, onde nos esperavam refeições frias e soturnas."

"Roma", disse Henry, "deve ter sido um alívio."

"Quem dera Roma tivesse praias e água salgada", disse Andersen.

"E quem dera Newport tivesse o Coliseu", replicou Henry, "e os Andersen tivessem uma fortuna."

"E os irmãos James tivessem remendos em suas calças", riu Andersen, e socou Henry de leve e com intimidade na barriga antes de colocar o braço à sua volta.

Pedalaram de volta para casa à luz do crepúsculo, desmontando brevemente quando chegaram a Udimore e de novo quando se aproximaram da Lamb House. Combinaram de encontrar-se no jardim para tomar uma bebida depois de vestir-se para a noite.

Enquanto Henry esperava Andersen descer do quarto, a escala do jardim, em suas proporções modestas e comedidas, à luz oblíqua que vinha do sol poente, pareceu-lhe mais natural, mais próxima da escala da paisagem por onde eles tinham se movimentado, e estranhamente mais próxima do alcance dos sentimentos deles, pensou Henry, do que a amplidão e as formidáveis vistas de Roma. Agora que a chuva tinha ido embora e que Andersen parecia ter sossegado, pensou, talvez fosse mais fácil para eles ficar à vontade juntos, deleitar-se um com o outro.

Quando Andersen desceu, seu cabelo estava lavado e ainda úmido nas pontas e sua pele clara tinha ficado vermelha com o sol tomado durante o dia. Ele sorriu, pôs-se à vontade, bebericou seu drinque e examinou lentamente o jardim, como se não o tivesse visto antes. Henry lhe indicara antes o jardim-de-inverno como o local onde trabalhava no verão, mas ainda não o convidara a entrar no ambiente. Quando o fez, agora, eles caminharam devagar, com os drinques nas mãos, atravessando o jardim.

"Aqui é onde todo o seu trabalho é feito", disse Andersen, quando Henry fechou a porta às costas deles.

"Aqui é onde as histórias são contadas", disse Henry.

À esquerda da entrada havia uma parede coberta de livros, e, quando Andersen acabou de apreciar a vista e maravilhar-se com a luz, caminhou até ela para examinar os livros, parecendo de início não se dar conta de que ostentavam o nome de seu anfitrião. Pegou um ou dois na prateleira e só então, aos poucos, começou a lhe ocorrer que aquela alta e larga estante continha os romances e contos de Henry James em todas as suas edições de ambos os lados do Atlântico. Ficou agitado e excitado ao apanhar vários volumes e verificar suas lombadas e páginas de rosto.

"Você escreveu uma biblioteca inteira", disse. "Vou ter que ler todos eles."

Virou-se e olhou para Henry.

"Você sempre soube que iria escrever todos esses livros?"

"Eu sei a próxima frase", disse Henry, "e muitas vezes o próximo conto, e tomo notas para os romances."

"Mas você não os planejou todos alguma vez? Não disse 'é isso o que farei da minha vida'?"

No momento em que ele fez a segunda pergunta, Henry voltara-lhe as costas e olhava na direção da janela, sem ter idéia de por que seus olhos haviam se enchido de lágrimas.

Conversaram por um momento depois do jantar e em seguida Henry foi dormir, enquanto Andersen ficou no andar de baixo lendo uma de suas coletâneas, insistindo que queria terminar pelo menos um número substancial de contos antes de partir de Rye, no dia seguinte. Depois de um tempo, Henry ouviu o rangido das escadas e começou a imaginar a figura alta de Andersen, livro na mão, chegando ao andar superior; concebeu-o abrindo sua porta e entrando em seu quarto. Pouco depois, ouviu-o atravessar o piso para ir ao banheiro e em seguida voltar para o quarto e fechar a porta.

Enquanto as tábuas do assoalho rangiam sob os pés de Andersen, Henry imaginava o amigo se despindo, tirando o paletó e a gravata. Depois, só ouviu o silêncio, como se talvez Andersen tivesse sentado na cama para tirar os sapatos e as meias. Henry ficou à espera, de ouvidos atentos. Depois de um intervalo, vieram novos rangidos, como se, conjeturou Henry, ele estivesse tirando a camisa; pensou nele em pé, de peito nu no meio do quarto, procurando e encontrando em seguida sua roupa de dormir. Henry não sabia o que Andersen faria agora. Perguntava-se se ele não tiraria as calças e a roupa de baixo e ficaria nu examinando a si próprio no espelho, observando o modo como o sol marcara seu pescoço, constatando como era forte, fitando o azul de seus próprios olhos, sem emitir um único som.

E então ele ouviu um novo rangido, como se Andersen tivesse repentinamente mudado de posição. Henry imaginou o quarto, as cortinas verde-escuro e o papel de parede verde-claro, os tapetes no chão e a ampla cama antiga que lady Wolseley obrigara-o a comprar, e as lâmpadas sobre mesinhas nos dois lados da cama, que Burgess Noakes teria acendido depois de apagar a luz principal de cada quarto. Henry, deitado de costas, com o livro que estivera lendo abandonado ao seu lado, sua própria lâmpada ainda acesa, fechou os olhos e visualizou seu hóspede, nu à luz da lâmpada, seu corpo forte e perfeito, sua pele macia e suave ao toque, as tábuas rangendo sob ele como se, tendo-se examinado mais uma vez no espelho, ele vestisse sua roupa de dormir e cruzasse o quarto para apanhar seu livro, talvez, e voltar para a cama. Então fez-se o silêncio. Henry só ouvia a própria respiração. Esperou sem se mexer. Andersen, pensou, deve estar na cama. Especulou se ele estaria deitado no escuro ou se tinha recomeçado a ler. Ouviu o som de uma tosse ou de um pigarro, nada mais. Apanhou o livro, encontrou o ponto em que tinha parado e retomou a leitura, esforçando-se ao máximo para se concentrar nas palavras, virando a página no silêncio que descera agora sobre a Lamb House.

De manhã, sob um céu claro, eles saíram para uma caminhada pela cidade enquanto Burgess Noakes fazia as malas de Andersen e o escocês passava a limpo alguns contos que estavam prontos para ser enviados a revistas. Depois do almoço, com a bagagem esperando no saguão de entrada e o trem previsto para partir dentro de uma hora, Henry e Andersen ocupavam-se em impedir as vespas de se regalarem com as sobremesas que eles tinham levado consigo numa bandeja para o jardim.

Henry não sabia como Andersen iria se recordar de sua visita a Rye, ou o quanto tinham sido genuínos seu lamento pela brevidade de sua estada e a promessa de voltar logo para permanecer mais tempo na Lamb House. Notou nele uma grande inquietação, algo que lhe interessava, mas que não invejava. Sabia que em Nova York, e mais tarde em Roma, Andersen atrairia amigos e admiradores com sua boa aparência e seu encanto perturbador. Henry sentia-se estranhamente protetor e possessivo com relação a ele. Imaginava a mãe de Andersen em Newport, o esforço que fizera para encontrar um lugar para seus filhos no mundo, e como aquele em especial, aquele jovem de ouro, sem malícia, volátil, vulnerável e certamente um missivista muito irregular, devia preocupá-la, como ela devia querê-lo em casa, assim como Henry o queria ali. Andersen, pensou Henry, estava pronto para tudo, exceto para a volta ao lar, qualquer que fosse a forma que esta pudesse assumir. A idéia do conflito entre, por um lado, os modos dourados e as ambições do filho, cultivados tão desveladamente em sua temporada romana, e, por outro, as necessidades, saudades e aflições da mãe, fascinava Henry agora como uma possível obra dramática.

Andersen, ele via, não estava interessado em drama; estava apaixonado pelo futuro. Ele era o que parecia ser — um rapaz esperando alegremente pelo trem. Mostrava-se afetuoso e grato, mas, acima de tudo, antegozava sua viagem.

Andersen apertou a mão de Henry e em seguida o abraçou, enquanto sua bagagem era colocada dentro do vagão.

"Você tem sido tão bom para mim", disse. "É muito importante que você acredite em mim."

Abraçou Henry mais uma vez antes de se virar e embarcar no trem, entregando desajeitadamente a Burgess Noakes uma pequena gratificação ao passar por ele. Henry e Noakes ficaram em pé na plataforma, Noakes permanecendo imóvel enquanto Henry acenava e o trem deixava Rye em direção a Londres.

11. Outubro de 1899

Andersen, ele próprio tão cheio de projetos, perguntara-lhe casualmente, em sua última manhã em Rye, quais eram os seus planos — para onde, por exemplo, pretendia viajar, ou o que pensava em escrever, ou mesmo se tinha algum visitante previsto para chegar na Lamb House e ocupar o espaço que ele estava prestes a deixar vago. Henry hesitara e em seguida sorrira e dissera acreditar que passaria os meses seguintes trabalhando em contos, e talvez tivesse sorte o bastante para obtér inspiração ao longo do ano para um novo romance.

Mais tarde, quando Andersen estava longe, Henry se arrependeu de não lhe ter contado que estava, de fato, esperando visitas: seu irmão William, sua cunhada Alice e sua sobrinha Peggy. Lamentou também não ter contado a Andersen sobre sua aparição no palco ao final da sessão de estréia de *Guy Domville*. Tinha sido mais fácil apresentar um eu em plena posse do orgulho e da confiança. Perguntava-se se teria sido diferente caso seu amigo ficasse por dois ou três dias a mais, mas achava que não. Os fracassos passados não interessavam a Andersen, que seguia fascinado pelos triunfos futuros. Henry sabia que o rapaz ficaria desconcertado com seu envolvimento em algo tão horrendo e desastroso como *Guy Domville* e estava feliz por haver preservado sua própria concha protetora durante a estada de Andersen em Rye.

Ele ficou espantado com a presteza com que Andersen atacava o próprio pai, ou discutia displicentemente sua relação próxima e problemática com o irmão mais velho. Uma vez que Henry não falara, em troca, sobre as muitas excentricidades de Henry James pai, ou sobre a disposição constante de William em feri-lo, por acreditar que seu pai e seu irmão tinham prioridade sobre sua lealdade, não podia evitar que Andersen pensasse que ele não tinha nada a dizer sobre tais assuntos.

Andersen fizera várias referências, durante seus encontros em Roma, e novamente em Rye, à fortuna da família James, tendo ouvido falar sobre ela em Newport. Ficara surpreso, Henry sabia, com a modéstia de seu hotel em Roma e com a relativa exigüidade da Lamb House. Presumira que a labuta de Henry resultava mais de seu desejo de publicar regularmente do que da necessidade de uma renda. Antes da sua chegada, o tema do dinheiro estivera no primeiro plano das preocupações de Henry, e se entrelaçara com a postura senhorial de William quanto aos negócios da família, com a necessidade de William de oferecer conselho quando não era chamado.

A Lamb House, cujo proprietário morrera, tinha sido posta à venda um pouco antes pela viúva, ao preço de duas mil libras. A perspectiva de possuir o lugar encheu Henry de um anseio de agir rapidamente para não perder a oportunidade, e de uma profunda satisfação com a idéia de que poderia trancar a porta à chave sem que ninguém tivesse o direito de entrar em seus domínios. O dinheiro teria que ser levantado depressa, contudo, e ele não tinha dinheiro à mão. Cobria suas despesas por meio da escrita e dava muita atenção à renda que ganhava pelos contos e pela publicação dos romances em capítulos nas revistas. Sua herança, seu capital e os dividendos que o acompanhavam eram controlados por William. Consistiam principalmente dos aluguéis de certos prédios na cidade de Syracuse, que ele vira uma vez e esperava nunca mais precisar ver de novo, e que William administrava de modo prudente e capaz, até onde ele podia perceber. Mas ele não achava, mesmo ao escrever a William, que iria precisar tocar no dinheiro do capital, ou pedir emprestado usando as propriedades de Syracuse como garantia. O dinheiro, ele acreditava, poderia ser levantado de modo mais simples junto a seu próprio banco e restituído com os rendimentos de seu trabalho.

Já que William se preparava para ir à Europa, escrevera-lhe para dizer que seu apartamento em Kensington, que fora sublocado por um breve período, agora estaria livre, e ele esperava que William e sua família se instalassem lá por um tempo antes de ir à Lamb House. Fizera a oferta com a melhor das intenções, mas William deixou claro que desejava armar seus próprios esquemas. William James e Alice, segundo Henry foi informado, viajariam primeiro para a Alemanha, onde iriam a Nauheim para fazer um tratamento de saúde, e depois para a Inglaterra. Ele parecia estar declinando a oferta do apartamento.

Henry escreveu-lhe em Nauheim sobre seu interesse em adquirir a Lamb House. Mais tarde, percebeu que se justificara em demasia, como se fosse um filho inseguro escrevendo para os pais, ou mesmo um irmão caçula esbanjador escrevendo a seu irmão mais velho e mais sensato.

Ele não pedira conselho a William, nem dinheiro. Olhando em retrospecto, ele se perguntava por que havia escrito para ele afinal de contas, por que não tinha ido em frente e comprado a Lamb House sem consultar qualquer pessoa que não fosse o gerente de seu banco. Descrevera sua nova oportunidade irrefletidamente, sob grande empolgação, e então sofrera as conseqüências. William escrevera-lhe duas cartas em rápida sucessão; o tom da primeira era exortativo e intimidador: William era perito em compra e venda de imóveis, em taxas de juros, e na necessidade de dureza e astúcia nas negociações. Então, tendo encontrado alguém em Nauheim que vira uma vez a casa e tendo discutido livremente todo o assunto com essa pessoa, William escreveu uma segunda vez para dizer que julgava exorbitante o preço pedido e aconselhar Henry a consultar algum amigo entendido e ponderado em matéria de negócios, antes de se comprometer com qualquer coisa.

Ao receber a segunda carta, Henry teve a intenção de escrever-lhe sucintamente de volta para dizer que tinha o assunto sob controle e não precisava de nenhum conselho adicional. Na verdade, agradeceria se William não discutisse a compra da Lamb House ao preço mencionado, ou a qualquer preço, com ninguém, nem mesmo com ele, quando se encontrassem.

Começou a carta diversas vezes e, apesar de sua intenção original de ser breve e frio, deixando claro que compraria a Lamb House simplesmente porque assim o desejava, acabou por se ver explicando o valor da casa e o preço razoável pedido por ela. Insistiu que ainda não estava completamente caduco. Acrescentou um anexo à carta quando chegou uma nova mensagem de sua cunhada, na qual ela oferecia, com a aprovação de William, um empréstimo de dinheiro sacado de sua própria reserva, para que ele comprasse a Lamb House. Enfatizou altivamente para William e Alice que não iria precisar, na verdade, pedir emprestado nem um tostão, e fez questão de frisar que, embora estivesse grato a Alice, William deveria compreender que a decisão de comprar a casa imediatamente não dependia da sua opinião nem seria influenciada por ela.

Henry lembrou que nunca deixara de confiar nas compras do irmão, nem lhe mandara conselhos, assim como não os pedira. Acrescentou que sua alegria com a perspectiva de comprar a casa tinha murchado diante dos alertas de seu irmão, mas iria, com certeza, florescer de novo. Era para ele uma alegria muito rara desejar alguma coisa como ele desejava a Lamb House, escreveu, e esperava que seu irmão compreendesse isso.

Terminou a carta tarde da noite e, sem a reler, selou o envelope e deixou-o no saguão para ser postado de manhã cedo. Sua cunhada Alice, ele estava seguro disso, havia feito sua oferta com bondade sincera, e o conselho de William não fora malintencionado, mas ambos sofriam de uma necessidade, tão arraigada que estava além da compreensão deles, de fazê-lo agir segundo suas orientações. E eles achariam mais fácil passar um tempo sob o teto dele se este tivesse sido adquirido nos termos sugeridos por eles.

Quando William escreveu de novo pedindo desculpas por ter, segundo suas próprias palavras, aborrecido o irmão, ofereceu dinheiro do fundo de amortização de Syracuse, que poderia ser sacado em caso de necessidade. Isso só serviu para aumentar o ressentimento de Henry, que estava latente desde a recusa peremptória de William em aceitar a oferta do apartamento em Kensington, além da mágoa gerada por sua decisão de ir à Alemanha antes de vir à Inglaterra. William tinha imenso orgulho de si mesmo como homem prático, chefe de família, um homem que não escrevia ficção, e sim dava aulas, um americano simples nos hábitos e nos argumentos, representante da rude masculinidade em contraste com o estilo frágil do irmão; sua recusa em ficar no apartamento de Henry parecia totalmente desprovida de bom senso.

O que Henry não levou em conta durante essa correspondência foi a razão pela qual seu irmão foi a Nauheim. Embora

William houvesse escrito dizendo que tinha problemas de coração e Henry houvesse feito referências solidárias a isso, não lhe parecia que a saúde do irmão pudesse estar correndo sérios riscos. Quando, porém, foi buscar seu irmão na estação no início de outubro, depois de sete anos sem vê-lo, ficou chocado com o quanto William se debilitara, embora tenha tentado disfarçar qualquer sinal de que essa tenha sido a sua primeira impressão.

William desceu do trem com o ar de quem acabara de acordar de um sono profundo. Não viu Henry e ficou parado esperando sua mulher pisar na plataforma antes de procurá-lo em meio à pequena multidão. Enquanto Burgess Noakes apressava-se a tomar posse de suas bagagens, William viu Henry e caminhou em sua direção, desfazendo-se imediatamente da postura de idoso e tornando-se entusiástico em seus movimentos. Seu rosto estava mais magro, Henry notou. Depois de se abraçarem e se juntarem a Alice, eles caminharam uns passos para trás para supervisionar a colocação da bagagem no carrinho de mão. William insistia em carregar uma das maletas, enquanto Alice argumentava que ele não devia fazê-lo, e Henry dizia que ainda havia lugar no carrinho e que Burgess Noakes era um atleta campeão, muito mais forte do que parecia. Burgess apanhou a maleta, colocou-a no carrinho e foi em frente.

William então estacou, olhou para Henry e sorriu novamente. Tinha, e era como se Henry visse isso pela primeira vez, um rosto extraordinário. Sua expressão era franca e perspicaz, seus olhos vagavam de um lado para outro como se ele precisasse absorver os muitos aspectos da cena diante de si antes de tomar uma decisão. Sua grande e cintilante inteligência manifestava-se como um encanto. Seu olhar era ao mesmo tempo provocador e divertido; em seus olhos e nas linhas de seu rosto havia sinais dos discernimentos compassivos e distinções complexas que ele estava evidentemente habituado a fazer com grande confiança, sagacidade e clareza de raciocínio. Ele não parecia um americano, menos ainda um membro da família James. Havia desenvolvido uma fisionomia inteiramente sua. Alice, Henry julgava, era mais fácil de situar, bonita e bem vestida, com uma bondade que não mascarava nem diminuía sua inteligência, demonstrando apenas que sua simpatia estaria sempre em primeiro plano. Antes de chegarem à metade do caminho ladeira acima, ele achou que eles haviam chegado como faria um casal de pais, o pai levemente atrapalhado e retraído, a mãe toda sorrisos. Estava feliz por ter-lhes escrito de modo tão veemente sobre sua compra da Lamb House, pois assim ela estaria agora fora do alcance das críticas deles, como ele próprio esperava estar, durante a permanência do casal.

Era evidente que Alice decidira gostar de Rye desde o início, e que ela tomava cuidado para que seus comentários não soassem efusivamente entusiásticos e gratuitos. Ela comentou que a cidade parecia maravilhosamente antiga, e que a Lamb House era tão retirada que dava a impressão de uma casa de campo em plena cidade. William concordou com isso quando os dois chegaram diante da casa. O jardim, explicou Henry, não estava em seu melhor momento; eles deviam vê-lo no verão; além disso, o tempo que vinha fazendo não ajudava muito. Logo que entraram na casa ele mostrou a William o estúdio que poderia usar, e em seguida acompanhou os hóspedes ao seu quarto, detendo-se diante daquele em que a filha deles dormiria quando chegasse. Depois levou-os para ver a sala de jantar, a sala de estar do andar térreo, o jardim-de-inverno, que logo entraria em seu período de hibernação, e a cozinha. Apresentou-os à criadagem e conduziu-os de novo ao andar de cima para mostrar-lhes seu próprio quarto, deixando para o fim o espaço maior, a sala de visitas, supondo que William e Alice, tão habituados às dimensões disponíveis em Cambridge e Boston, julgariam pequenos os outros cômodos.

Mostrou-lhes a casa como se eles fossem compradores em potencial; e eles procuraram fazer comentários positivos e aprovadores. Durante o jantar daquela noite, passou pela sua cabeça que, mesmo se os Smith reaparecessem, bêbados e negligentes, Alice teria alguma coisa agradável a dizer sobre a qualidade do serviço em Lamb House e William moveria a cabeça em sinal de concordância viril.

Depois do almoço do dia seguinte, quando os pratos já tinham sido retirados da mesa, Alice James fechou a porta da sala de jantar e perguntou a Henry se ela e William podiam falar com ele, sem interrupções, sobre um assunto de certa importância. Henry encontrou Burgess Noakes no corredor e pediu-lhe que cuidasse para que eles não fossem perturbados por ninguém na sala de jantar. Quando retornou, Alice estava sentada com as mãos cruzadas sobre a mesa e William estava em pé junto à janela. A expressão dos dois era séria. Se um advogado aparecesse naquele momento para ler um testamento longo e complicado, Henry não teria ficado surpreso.

"Harry", disse Alice, "nós fomos ver um outro médium, a senhora Fredericks. Estivemos com ela diversas vezes. Primeiro fui sozinha; e estou absolutamente segura de que ela não sabia quem eu era e ignorava tudo sobre mim."

"E então eu fui junto", disse William, "e ao todo tivemos quatro sessões com ela."

"Pensamos em escrever a você", disse Alice, "depois da primeira sessão com ela, mas como as sessões prosseguiram decidimos esperar até nossa vinda à Inglaterra. Harry, sua mãe entrou em contato conosco."

"Ela falava por meio da senhora Piper", interrompeu William, "nós sabemos disso, mas havia algo mais pessoal em sua mensagem desta vez."

"Ela está em paz? Minha mãe está em paz?", perguntou Henry.

"Harry, ela está em paz, ela está simplesmente zelando por todos nós", disse William, "através da misteriosa névoa entre o estado dela e o nosso, no vasto esplendor branco que fica do outro lado."

"Ela quer que você saiba que ela está em paz", disse Alice.

"Ela disse alguma coisa sobre minha irmã?", perguntou Henry.

"Não, nada sobre Alice", respondeu William.

"E sobre Wilky ou meu pai?", ele perguntou.

"Em nenhuma das sessões ela se referiu aos mortos", disse William.

"O que ela disse então? A quem ela se referiu?", perguntou Henry.

"Ela quer que você saiba que não está sozinho, Harry", disse Alice.

Ela olhou para ele com gravidade, enquanto ele assimilava em silêncio o que ouvira.

"A consciência dela não foi extinta, então", disse ele.

"Ela está em paz, Harry", disse Alice. "Ela quer que você saiba disso."

William caminhou pela sala e sentou-se à mesa. Henry podia ver agora mais claramente que ele perdera carne em torno da mandíbula; seus olhos estavam tristes, mas pareciam brilhar enquanto ele falava.

"Nossa médium descreveu esta casa. Havia coisas sobre as quais ela não tinha como saber. Ontem, quando caminhamos por estes cômodos tudo se confirmou para nós."

"Harry", disse Alice, "ela descreveu a estátua sobre o console da lareira."

Os três olharam para a estátua do jovem conde feita por Andersen.

"E há algo ainda mais estranho na sala da frente", prosseguiu Alice, "é uma pintura de uma paisagem deserta."

Henry levantou subitamente e caminhou pela sala.

"Não sei se vocês perceberam quando eu a examinava ontem", disse Alice. "Harry, eu fiz isso porque ela descreveu a tela em detalhes. Disse que tinha um significado especial para você, mas ontem, quando lhe perguntei a respeito, você não disse nada."

"Ela pertenceu", disse Henry, "a Constance Fenimore Woolson. É o único objeto dela nesta casa. Trouxe-a de Veneza."

"A senhora Fredericks descreveu estes cômodos", disse Alice, "as janelas, as cores, mas esses dois objetos — a estátua e a pintura — ela disse que eram especiais. Temos que acreditar nela, Harry, temos que acreditar."

Henry foi até a porta e a abriu. Ficou parado um tempo na entrada até que o aparecimento de Burgess Noakes o fez recuar de novo para o interior da sala de jantar. William e Alice estavam sentados à mesa olhando para ele.

"Preciso de um tempo sozinho", sussurrou.

Os dois se levantaram.

"Não foi nossa intenção...", começou Alice.

"Nada", disse Henry. "Não é nada. Dêem-me um dia ou dois para pensar. Isso é um grande choque e prometo que voltarei ao assunto quando estiver pronto para aceitar a idéia de que a voz de minha mãe está falando conosco."

À tarde, caminhou milhas e, ao retornar, foi diretamente para o jardim-de-inverno, em silêncio, mas não conseguiu nem ler nem escrever. Sentia frio. Queria acima de tudo que William e Alice fossem embora agora, depois de ter transmitido a mensagem. No jantar, porém, tão logo se sentou, sentiu uma imensa ternura por eles. Descobriu que seu irmão e sua cunhada, de comum acordo, tinham guardado até então muitas anedotas sobre amigos comuns. Viu William ser engraçado, ponderado e profundamente informativo ao falar a respeito da ascensão de Oliver Wendell Holmes e das vidas de John Gray e Sargy Perry, que envelheceram antes da hora, segundo ele, e de William Dean Howells, a quem ele ainda admirava. William contou histórias, encaminhando-as para a pura malícia antes de redimi-las com um comentário tão bem formulado que proporcionava ao irmão um prazer genuíno e desinteressado.

Aquela noite, depois de se recolher, ele desejou que sua irmã Alice estivesse na casa com eles; ele teria se deliciado com a interpretação ácida que ela faria daquele casal formidável e sua intimidade de palavras sussurradas, um par que estava aparentemente oferecendo um amplo sorriso quando, na verdade, agia como uma grande fortaleza construída para repelir todos os intrusos. Quisera saber como introduzir na conversa o assunto da irmã, do desprezo dela por médiuns e da sua opinião de que as sessões espíritas eram pura bobagem. O diário dela, ele sabia, não poupara seu irmão e sua cunhada. Suas incursões no oculto eram, para Alice, a forma mais vulgar de idolatria. Ela deixara isso claro para eles, mas ninguém nunca lhes dissera que ela zombara deles impiedosamente quando eles lhe pediram uma mecha dos seus cabelos para usar numa sessão, e ela, em vez disso, enviou cabelos que pertenciam a uma amiga morta. Ela se divertira às gargalhadas diante da solenidade com que eles relatavam tais sessões, mas agora ele reconhecia que, apesar da passagem dos anos, William e sua esposa ainda não podiam ser informados sobre a travessura dela, dado o elaborado e profundamente sério sistema de proteção que haviam montado em torno de si, e a firmeza de sua crença. Ele próprio não sabia ao certo em que acreditava. Era mais fácil, achava, limitar-se a ouvir e a fazer o mínimo possível de comentários.

* * *

William considerou apropriado seu pequeno estúdio no andar de baixo e descobriu um local abrigado no jardim que recebia sol de manhã e no qual ele podia sentar para ler. William e Alice saíam para caminhadas pelos arredores, levando o cão Maximilian com eles, e logo ficaram conhecidos em vários estabelecimentos de Rye, onde tomavam café à tarde e compravam doces para levar à Lamb House. William caminhava devagar, mas conseguia sugerir que era a reflexão profunda que tornava seus movimentos tão vagarosos. De início Henry não deu muita importância ao fato de Alice nunca o perder de vista. Se William estava no jardim, ela estava na janela contemplando o jardim; se ele estava em seu estúdio temporário, ela estava do outro lado do corredor com a porta aberta. Quando ele se preparava para passear a pé, Alice imediatamente apanhava seu próprio casaco, mesmo que Henry fosse acompanhá-lo, ou que ele indicasse delicadamente que preferia sair sozinho. Depois de um tempo, porém, aquela vigilância da parte dela, aquela perseguição atenta ao marido, pareceu a Henry quase perversa, e ele notou a irritação de William com aquilo. Uma vez que Alice era conhecida por seu tato, uma vez que ela não tinha reputação de perversa nem de irritante, essa demonstração de solicitude, evidente e ininterrupta, não combinava com ela. Henry, logo que percebeu a situação, ansiou pelo seu fim.

De repente, numa tarde, quando eles já estavam com ele havia dez ou onze dias, ele compreendeu por que sua cunhada vigiava William com tanta atenção. Ele próprio estava na sala de visitas do andar superior depois do café-da-manhã; estivera lendo, quando por acaso foi até a janela, como fazia freqüentemente naqueles dias quando o irmão estava sentado no jardim. William estava claramente sentindo dores e Alice estava com ele, em pé ao seu lado, enquanto ele apertava as mãos contra o peito e fechava os olhos numa espécie de agonia. Henry não conseguia ver o rosto dela, mas podia perceber por seus movimentos que ela não sabia se William devia sair dali ou ficar imóvel. Henry recuou quando sua cunhada virou o corpo preparando-se para segurar William em seus braços. Ele então desceu as escadas o mais rápido que pôde em direção ao jardim.

Henry soube nos dias que se seguiram que o coração de William estava com problemas, que sua razão para ir a Nauheim não era evitar a hospitalidade do irmão. William estava doente. Alice o estivera vigiando para o caso de ele ter um ataque súbito do coração, pois lhe haviam dito que um ataque desse tipo poderia ser fatal. William ainda não tinha sessenta anos.

No dia seguinte, no trem para Londres, onde iria ver os melhores especialistas em coração da Inglaterra, William insistiu em ler e fazer anotações, recusou-se a ter um cobertor sobre os joelhos e prometeu a ambos que, se eles olhassem para ele mais uma vez com pena ou angústia, ou mostrassem um interesse maior que o normal, ele morreria na frente deles imediatamente e deixaria seu dinheiro para um abrigo de cães e gatos.

"E devo alertá-los de que as assombrações não serão normais. Não será preciso nenhum médium. Vou me lançar sobre vocês diretamente."

Alice não sorriu, mas olhou fixamente para fora da janela, com o rosto impassível. Henry se perguntava se a história de sua irmã com a mecha de cabelo poderia aliviar a viagem, mas se deu conta de que ela poderia ter precisamente o efeito contrário. Embora William pudesse brincar com tais assuntos, ele o fazia de uma perspectiva séria. A aura que seu irmão e sua cunhada criaram, na qual tal história não podia ser contada, parecia ter se fortalecido com a doença de William.

O dr. Bezly Thorne, o mais recomendado entre os médicos

da Harley Street que lidavam com corações frágeis, era, na opinião de William, jovem demais para entender de tais assuntos, mas logo ele foi persuadido por Henry e Alice de que aquele novo médico não estava contaminado pelos medicamentos obsoletos e conhecia muito bem os novos.

"Antipatizo com os jovens, com todos eles", retrucou William, "médicos ou não, entendidos ou não, do fundo do meu coração."

"Do seu coração, claro", disse Alice, secamente.

"Sim, eu sei, minha querida, mas da parte que está plenamente intacta."

O dr. Thorne pediu para ver o paciente a sós, e quando reapareceu alguns minutos depois, saindo do quarto onde William repousava no apartamento de Henry em Kensington, comentou que Alice e Henry agora encontrariam o professor James bastante amansado, disposto a descansar, a seguir uma rigorosa dieta sem amido, e disposto, por conselho do médico, a estar doente de verdade, a estar grave e precariamente doente, pois só assim ele poderia melhorar.

"Minhas instruções são claras", disse o dr. Thorne, "ele vai viver. Eu lhe disse isso. E para que isso aconteça ele deve agir precisamente como foi orientado, e deve permanecer em Londres até eu dizer que pode se locomover. Se ele quiser, pode ler, mas não escrever."

Eles concordaram em permanecer no apartamento de Henry em Kensington e, nos dias seguintes, enquanto William iniciava sua dieta, e Alice aguardava a chegada da filha deles, Peggy, Henry e Alice tiveram muito tempo para conversar.

O mau estado de saúde de William não atenuou a decisão de Henry de manter sua própria situação impermeável às críticas. Sua cunhada, cujo olfato para o que era adequado a uma discussão era, na visão dele, refinado ao extremo, manteve-se então restrita aos temas gerais, raramente mencionando até mesmo os atributos de seus próprios filhos, a menos que Henry fizesse alguma pergunta a respeito. Uma noite, contudo, quando Peggy, que chegara da França, tinha ido para a cama e William estava dormindo, Alice levantou o assunto de sua própria cunhada, morta sete anos antes. Ela o fez com cuidado, num tom sério e respeitoso. Falou da antipatia de Alice por ela e lembrou a Henry que, na época de seu casamento com William, Alice tinha ficado de cama.

Henry ficou pouco à vontade. A memória de sua irmã era, no decorrer dos anos, cada vez mais cara a ele; o sofrimento dela era algo para o qual ele estava preparado para falar apenas com pesar e muita compaixão. Se tinha havido uma batalha entre as duas Alices, aquela que estava falando agora tinha sido obviamente vitoriosa, e ele se deu conta, enquanto ela falava, de que o espólio de guerra incluía o direito a discutir livremente a vencida. Sua cunhada, ele percebeu, interpretava mal a relação dele com a irmã, imaginava que Alice James, em sua chegada à Inglaterra, tivesse colocado o mesmo problema para Henry e que a natureza peculiar dela pudesse ser discutida por eles como se Henry e a cunhada a encarassem da mesma maneira. O tom de Alice era o de quem dava isso por certo.

"Alice James", disse ela, "poderia ter encontrado alguma coisa melhor para fazer com sua sagacidade do que dirigi-la para seu próprio interior."

Henry sentiu a tentação de se levantar e pedir para sair. Tinha suposto que seu silêncio teria sido suficiente para fazer sua cunhada calar sobre o assunto.

"E", prosseguiu Alice, "ela sempre conseguiu encontrar alguma boa alma que cuidasse dela e lhe desse ouvidos. Sua pobre tia Kate não era receptiva o bastante, e foi por isso que ela veio para a Inglaterra."

Ficou claro para Henry que sua cunhada devia estar consciente do seu desconforto, e que era isso que a encorajava a prosseguir. A idéia era tão improvável que ele passou a observá-la com interesse, mal acreditando em sua própria impressão. Agora, como que para confirmar a verdade de sua hipótese, em vez de desejar terminar a conversa, mudar de assunto ou sair da sala, ele queria que Alice continuasse falando a seu bel-prazer, enquanto ele permanecia tão frio e pouco receptivo quanto possível.

"Acho que Alice e a senhorita Loring foram feitas uma para a outra", continuou sua cunhada. "A senhorita Loring era uma mulher forte em busca de uma amiga frágil para cuidar. Sabe, toda vez que as via juntas eu imaginava que elas formavam o par mais feliz deste mundo de Deus."

O rosto de Alice tinha ficado radiante e seus olhos começaram a cintilar quando ela falava. Não era mais a ajuizada e sensível esposa de William James, mas alguém com uma mente própria que cedia à necessidade de expressá-la. Parecia que, se suas opiniões sobre o mundo pudessem causar ofensa ou raiar o escândalo, tanto melhor. Henry nunca vira antes sinais daquilo na cunhada. Perguntava-se agora se ela era assim quando estava a sós com William. Perguntava-se também por que ele próprio se interessava tanto por aquilo, por que contemplá-la falando dava-lhe um estranho prazer.

"Eu sempre disse a William que Alice e a senhorita Loring deviam ter boas razões para vir à Europa, afastando-se de todos os seus parentes e amigos."

Henry a encarava incrédulo.

"Você sabe, Henry, a criada doméstica podia falar, e a própria tia Kate podia nem sempre bater na porta do quarto antes de entrar, e acho que na Inglaterra a senhorita Loring e Alice podiam encontrar o tipo de felicidade a dois que não é mencionada na Bíblia."

Enquanto sua cunhada brilhava de satisfação, Henry deu-se conta de por que a estava ouvindo tão atentamente. Calculou rapidamente que Alice não podia ter conhecido Minny Temple, mas podia ter ouvido falar dela. A capacidade de dizer o que não se dizia na companhia de cavalheiros, sem perder a compostura e a maravilhosa e original curiosidade diante do mundo como ele era e como poderia ser, era o que distinguia Minny de suas irmãs e amigas. A mente de Minny tinha a mesma capacidade de correr adiante e então acertar o alvo com uma pergunta ou um comentário que fariam certos membros do grupo desejarem sair da sala, mas ficarem retidos pela maneira graciosa com que ela se expressava. Alice, trinta anos depois da morte de Minny, apresentava-se com a mesma verve e a mesma coragem.

"As mulheres, você sabe, não estão acima de qualquer suspeita nesse terreno, bem como em todos os outros", concluiu ela.

Henry agora se perguntava se ela discutia seus próprios assuntos particulares da mesma maneira. Retrocedeu mentalmente às perguntas penetrantes que ela fizera sobre a visita de Hendrik Andersen, da qual ela ouvira falar em Boston, e a presença de Burgess Noakes na Lamb House, que ela havia comentado. De fato, ele a notara observando Burgess, e agora se perguntava se ela estava buscando material para especulações posteriores acerca da vida pessoal dos membros da família de seu marido e de seus criados. Viu-se fazendo um esforço para resistir à tentação de sorrir à imagem de sua tia Kate abrindo a porta diante da srta. Loring e de Alice. Então sua cunhada se levantou e disse que levaria o bule de chá de volta à cozinha e em seguida veria se William ainda dormia. Henry anunciou que se recolheria para dormir. Calmamente, eles deram boa-noite um para o outro.

Henry retornou à Lamb House e William, Alice e Peggy permaneceram em Londres até o dr. Thorne mandar seu paciente a Malvern para um tratamento que, de acordo com William, o fez piorar rapidamente. Como Londres era fria e inóspita e o Atlântico tumultuoso demais para ser atravessado por um homem em seu frágil estado de saúde, William, a esposa e a filha voltaram a Rye como seu segundo lar, e pareciam tão felizes e gratos quando Henry foi buscá-los na estação que ele ansiou por tê-los na Lamb House para as festas de fim de ano.

Apesar das ordens do médico, William trabalhava pela manhã, descansava à tarde e passava a noite fazendo pouco de sua doença. Fazia também muitas piadas sobre seu médico e membros da sua família, e comentários vigorosos e interessantes a respeito da natureza do dilema humano. Sua filha, Henry podia perceber, adorava-o e, de quando em quando, para deleite do pai, rivalizava com ele em seus esforços para zombar de si próprio e de suas agruras.

Quando lady Wolseley mandou uma nota para dizer que estava nas proximidades, Henry imaginou que um almoço para ela na Lamb House com sua família poderia interessar a William sem extenuá-lo, além de propiciar a Alice e Peggy a observação de um raro espécime da mulher inglesa. Teve o cuidado de não falar demais sobre ela antes da hora, para não intimidar Alice e Peggy, mas quando elas souberam que lady Wolseley era casada com o comandante supremo das forças de Sua Majestade e que era uma lady que, por assim dizer, merecia o título, Alice insistiu em assumir a cozinha, fazendo-o com muita eficiência e graça. Tanto ela como a filha experimentaram vários vestidos e casacos em preparação para a chegada da duquesa, como Peggy chamava lady Wolseley nos dias que antecederam sua visita. Alice acompanhou Burgess Noakes ao alfaiate local para mandar fazer-lhe um terno e um uniforme em tempo recorde, de maneira a deixá-lo também vestido adequadamente para a visita de "sua majestade", como William encorajava sua filha a chamar lady Wolseley, mas não, advertia, na frente dela.

Quando Alice e Peggy notaram que Henry removera uma obra de tapeçaria desbotada da parede no alto das escadas um dia antes da visita, e a substituíra por uma vista de Rye, elas o provocaram ligeiramente acusando-o de querer exibir o melhor de si e tirar do campo de visão as coisas gastas, por causa da duquesa. Ele não lhes disse que tinha comprado a tapeçaria numa loja de antiguidades de Londres na ausência de lady Wolseley e contra a vontade desta, e que agora estava com medo de aparecer diante dela com sua teimosa e talvez tola aquisição.

Lady Wolseley estava usando um vestido de seda escarlate que pareceu imensamente dramático quando seu longo capote negro foi removido. Suas faces estavam coradas pelo ruge, e mesmo seu cabelo, ele achou, tinha sido avermelhado, ficando assim mais vivo e brilhante do que ele jamais havia visto. Os modos dela também eram resplandecentes, e nada do que William, Alice ou Peggy diziam deixava de provocar uma reação efusiva. Era como se uma tempestade de raios e trovões da espécie mais alegre tivesse chegado de carruagem à Lamb House com tempo de sobra para o almoço e estivesse se descarregando alegremente na sala de visitas.

"Todos nós sabemos, minha querida", disse ela diretamente a Peggy, cujo vestido azul-claro e cuja fita azul no cabelo pareciam quase sem cor em contraste com a chama ardente da oradora, "que o seu país tem a mais ampla democracia do mundo conhecido e legou muitas dádivas à civilização em sua curta história, mas o presente mais valioso de todos, pode ter certeza, é o seu tio. Ele é a mais maravilhosa floração do seu jovem país, e note que ele nem nega isso, pois é algo tido por todos como verdade."

Henry estava olhando para William, que sorria cordialmente para lady Wolseley, oferecendo a ela o suave peso de sua ironia.

Durante o almoço, a visitante fez muitas perguntas sobre Harvard e Cambridge, sobre a diferença entre psicologia e filosofia, sobre como era a vida das mocinhas no ambiente maravilhosamente intelectual dos Estados Unidos. Ela se aplicava em ouvir as respostas com muita atenção, de tal modo que suas perguntas seguintes mostravam um interesse genuíno no que estava sendo dito. William, Henry notou, estava quase flertando com ela, enquanto sua filha fitava lady Wolseley com a boca demasiado aberta. Alice fixava seus olhos impassivelmente na visitante, com a calma e alegre consciência, Henry acreditava, de que, tendo ouvido lady Wolseley, ela agora seria capaz de escrever para a mãe a respeito da visita e discuti-la com o marido por muitos dias.

Quando a refeição terminou, William expressou sua desaprovação quanto à intensidade da vida social em Londres, insistindo que, em comparação, a vida tranqüila deles em Cambridge era a felicidade. Ele mal podia suportar a simples idéia de tanta atividade, disse.

"Oh, sim, é verdade. Você está totalmente certo", disse lady Wolseley. "Cambridge deve ser a felicidade."

Henry notou a sobrinha e pensou que logo ela teria que pedir licença para sair da sala, pois estava à beira de ter um ataque de riso nervoso.

"E o teatro em Londres é tão ridículo, tão vulgar", prosseguiu lady Wolseley. "Não é possível tolerá-lo. Na verdade, quando o pobre Henry veio ficar conosco na Irlanda, sua maravilhosa peça tinha acabado de ser insultada pelo público. Meu marido, como vocês sabem, comanda o exército. Pensei que aquela era uma noite onde havia uma justificativa perfeita para que seus soldados disparassem contra a multidão. Talvez seja uma sorte o fato de ele deter o comando e não eu."

Peggy pediu licença para deixar a mesa.

"Sim, a Inglaterra é medonha. Mas claro que a Irlanda, por outro lado, mudou muito", prosseguiu lady Wolseley, "desde que saímos de lá. É, segundo me disseram, a parte mais pacífica de todo o império."

"Eu me pergunto por quanto tempo ela continuará assim", disse William.

"Oh, para sempre, me disseram", replicou lady Wolseley.

William levantou os olhos de modo cômico, como se um de seus alunos tivesse falado fora de hora.

"Encontrei em Londres lady Gregory, Henry, sua velha amiga", disse lady Wolseley. "As propriedades dela ficam bem no interior. Ela diz que não há ultraje social de nenhuma espécie na Irlanda. E mais: ela própria começou a aprender celta, e diz que ele é cheio de belas palavras e frases. É muito antigo, diz ela, mais antigo que o grego e o turco."

"Acho que o idioma é chamado de gaélico", disse William.

"Não, é celta", replicou lady Wolseley. "Lady Gregory me garantiu que se chama celta, e eu quisera ter aprendido sobre ele quando estava na Irlanda. Eu o teria aprendido por conta própria e dado festas em que ele seria falado."

Ela sorriu para Alice, que lhe devolveu o sorriso. William, Henry podia perceber, não estava mais disposto a flertar com lady Wolseley.

"Viajei pela Irlanda várias vezes", disse ele. "E creio que a Inglaterra tem muita satisfação a dar pela maneira como o país tem sido governado."

"Oh, concordo plenamente", disse lady Wolseley. "E meu marido falou pessoalmente com a rainha sobre o assunto antes de partir para lá, e ambos compartilharam a opinião de que, com o afastamento definitivo do senhor Parnell, todo o fenianismo iria se aquietar. E você devia ir lá agora, ou falar com lady Gregory. Acho que a Irlanda se transformou."

"A senhora já esteve nos Estados Unidos?", perguntou Alice.

"Não, querida, não. E eu adoraria ir", disse lady Wolseley. "Anseio por conhecer o oeste selvagem. Gostaria de ir até lá."

Falava com tristeza, como se o fato de não ter estado lá fosse o desgosto de sua vida. Em seguida sorriu afetuosamente para Peggy, quando a jovem retornou à sala.

"Henry, estou tão contente que você tenha comprado esta mesa de jantar", disse lady Wolseley.

"Lady Wolseley foi de grande ajuda quando eu estava mobiliando a Lamb House", disse Henry.

"Querido, precisamos adquirir mais tapetes", disse lady Wolseley. "Você não pode entrar no ano novo sem alguns tapetes extras. Disseram-me que chegou a Londres uma nova remessa maravilhosa. Preciso voltar ao andar de cima e dar uma nova olhada na sala de visitas para que possamos decidir sobre as cores que precisamos."

"Sim", disse Henry. "Vamos voltar à sala de visitas."

Quando eles entraram no corredor, Henry viu-se frente a frente com Hammond, que ele vira pela última vez na Irlanda, quando fora hóspede dos Wolseley. O rosto de Hammond havia mudado, seus olhos pareciam maiores e mais brandos. Ele sorriu timidamente para Henry e colocou-se de lado para deixá-lo passar.

"Oh, claro", disse lady Wolseley, "vocês se conhecem. Eu me lembro disso."

Henry conduziu-os escada acima até a sala de visitas, deixando Hammond no corredor.

"Sim", disse lady Wolseley, "Hammond continua conosco. Ele faz parte da escolta de lord Wolseley."

Lady Wolseley acomodou-se numa poltrona próxima à janela, enquanto Alice e Peggy sentavam-se no sofá. William ficou de pé junto à lareira, com o rosto sério.

"Sentimos muita falta da Irlanda, senhor James", lady Wolseley disse diretamente a William. "Trouxemos Hammond e dois jardineiros conosco quando voltamos para cá. E todos os nossos convidados os adoram, os jardineiros Casey e Leary cativam todo mundo. Tenho que dizer a todas as nossas visitas: 'Não dêem atenção ao encanto deles, não é intencional'. Mas é adorável o jeito como eles falam."

Henry deixou a sala discretamente antes que seu irmão tivesse tempo de responder e desceu lentamente as escadas. Hammond ainda estava de pé no corredor de entrada, como se tivesse ficado esperando por ele.

"Eu não sabia que você tinha voltado à Inglaterra", disse Henry.

"Sim, senhor, segui meu patrão e às vezes viajo com minha patroa."

Sua voz não perdera nada da sua calma, o que Henry recebeu com um cálido alívio.

"Estou contente que tenha vindo à minha casa", disse Henry. "Espero que esteja sendo bem tratado."

"O seu rapaz, senhor", disse Hammond, "providenciou para que eu me alimentasse bem."

Como Henry continuava olhando para ele, Hammond ergueu os olhos. Estava começando a enrubescer. Parecia mais jovem do que quando Henry o conhecera na Irlanda, quase cinco anos antes. Abriu o sorriso, mas não se mexeu.

"Eu gostaria de lhe mostrar o jardim e o jardim-de-inverno", disse Henry.

"É mesmo, senhor?" O tom de Hammond era meigo.

"É melhor, obviamente, no verão", disse Henry, entrando

na sala de jantar e abrindo as portas que davam para o jardim. O ar estava frio e seco. "E sua família em Londres, como vai?", perguntou Henry.

"Muito bem, senhor."

"E sua irmã, vai bem?"

"É estranho que o senhor tenha lembrado, senhor. Ela está ótima."

Eles caminharam lentamente pelo jardim, Hammond detendo-se por um instante cada vez que Henry falava, de modo a assimilar adequadamente o que era dito.

"Você deve voltar no verão, quando tudo floresce", disse Henry.

"Vou gostar de fazer isso", respondeu Hammond.

Henry girou a chave para abrir o jardim-de-inverno e eles entraram. Sentiu como se tivessem adentrado um território proibido, mas quando se virou e viu o rosto de Hammond, deu-se conta de que este não compartilhava aquela percepção. Ele estava interessado na escrivaninha, nos papéis e nos livros. Foi até a janela e contemplou a vista.

"É um ambiente muito lindo, senhor."

"É frio no inverno", disse Henry, "frio demais para ser usado."

"O senhor deve ser um homem feliz aqui no verão, senhor", disse Hammond.

Foi em direção aos livros na estante.

"Li alguns de seus livros, senhor. Um deles eu li três vezes."

"Um dos meus livros?"

"*A princesa Casamassima*, senhor. Senti como se estivesse vivendo naquele livro. Todas aquelas ruas de Londres são as ruas que conheço. E a irmã. É muito melhor que Dickens, senhor."

"Você gosta de Dickens?"

"Sim, senhor. *Hard times* e *Bleak house*."

Hammond virou-se e passou a examinar os livros de perto,

ajoelhando-se para ver os das prateleiras inferiores. Virou para Henry e falou suavemente.

"Deve me desculpar, senhor, mas alguns desses títulos eu ainda não tinha visto."

Ele relutou em aceitar algum livro de presente, e só concordou quando Henry lhe mostrou que possuía vários exemplares da mesma edição nas prateleiras. Finalmente, depois de muita discussão, permitiu que três livros fossem separados para ele, e Henry percebeu que seu embaraço e sua hesitação derivavam do fato de não querer que lady Wolseley o visse com o pacote e perguntasse o que era. Hammond escreveu seu endereço londrino com boa caligrafia num pedaço de papel e Henry prometeu enviar-lhe os livros pelo correio.

"E não vou dizer nada à senhora", disse Henry.

Hammond sorriu em agradecimento.

"Nem eu, senhor."

Enquanto caminhavam até o local do jardim onde Henry pretendia construir uma nova estufa, Henry não pôde deixar de notar que eles estavam sendo observados com despudorado interesse por lady Wolseley. Ela estava em pé com William, Alice e Peggy junto à janela da sala de visitas. Lady Wolseley indicava alguma coisa no jardim e, quando Henry captou seu olhar, ela acenou. Ao fazer uma reverência para ela, viu seu irmão observando Hammond e ele com uma espécie de interesse desconcertado. Não olhou diretamente para a cunhada e a sobrinha.

Nos dias que se seguiram, ele supôs que seu irmão, sua cunhada e sua sobrinha tivessem discutido lady Wolseley demoradamente entre eles, mas enquanto Alice e Peggy pareciam ter ficado muito animadas com a visita, o humor de William ficara sombrio. Henry não sabia se algo mais tinha sido dito por lady Wolseley depois que ele deixara a sala, acreditando que o que ouvira já era o bastante. Ao partir, enquanto Hammond ficava em pé um pouco afastado, ela deixara claro, mais até do que durante sua visita, seu interesse possessivo em Henry, bem como sua admiração por ele. Ele notou que ela não incluiu sua família no convite que lhe fizera para ir vê-la tanto no campo como em Londres. Ela não parecia achar que William James e família merecessem muita atenção, e Henry sentia que isso, tanto quanto suas opiniões sobre a questão irlandesa, devia ter irritado William profundamente.

Com a aproximação do Natal, Alice e Peggy, sentindo-se bastante sentimentais, começaram a planejar uma festa genuinamente americana, sem se dar conta do quanto os costumes de seu país coincidiam com os da Inglaterra. William lia, dormia e falava o suficiente para não dar muita atenção a seu próprio estado de profunda preocupação. Depois do almoço, num dia em que Alice e Peggy se ocupavam na cozinha, pediu a Henry que ficasse na sala de refeições, pois desejava falar com ele. Henry fechou a porta atrás de si com educação e sentou à mesa diante de William.

"Harry, eu sei que já manifestei anteriormente minhas opiniões sombrias sobre o fato de você não ter ficado na América, e já disse também quanta falta sinto de você como cronista da nossa sociedade. Penso que a América ainda espera por um romancista com olhos penetrantes como os seus e com uma compreensão tão ampla quanto a sua."

"De fato", disse Henry, e sorriu.

"Mas não acho que você tenha encontrado seu tema neste país", disse William, asperamente. Olhava para fora da janela enquanto falava, como se estivesse ensaiando um discurso ou um sermão. "Não creio que *The spoils of Poynton*, ou *The awkward age*, ou *The other house* estejam à altura do seu talento. Os ingleses não têm vida espiritual alguma, só vida material. O único tema aqui é a classe social, e esse é um assunto sobre o qual você não sabe nada. A única luta é a luta material, e dela você também não sabe nada. Você não detém o conhecimento que Dickens, ou George Eliot, ou Trollope, ou Thackeray tinham da mecânica da ganância inglesa. Não há nenhum anseio na Inglaterra, nenhum apelo pela verdade."

"Graças a Deus", disse Henry.

"Em resumo", prosseguiu William, como se Henry não tivesse falado, "acredito que a Inglaterra nunca poderá ser seu verdadeiro tema. E acredito que seu estilo tem sido prejudicado pelo esforço de dramatizar constantemente a insipidez social. Penso também que no seu texto está vindo ao primeiro plano algo de frio, de exangue, de singularmente pedante."

"Agradeço sua opinião", disse Henry.

"Harry, sou um ávido leitor seu e um admirador do seu trabalho."

"Você parece achar que eu devia ter permanecido em casa", disse Henry, e levantou a mão para impedir que William o interrompesse, "mapeando as vidas dos atormentados intelectuais de Boston. Sim, isso seria um tema supremo."

"Harry, percebo que preciso ler e reler inúmeras frases que você escreve agora para ver se encontro o que elas querem dizer. Isso é tudo, em poucas palavras. Nesta época movimentada e de leitura apressada, você vai permanecer ignorado e não lido enquanto continuar a se perder nesse estilo e nesses temas."

"Hei de lutar então", replicou Henry, "em meu trabalho futuro, para satisfazer você, mas talvez deva acrescentar que eu poderia ficar ainda mais humilhado se você gostasse do que eu faço e dessa maneira misturasse meu trabalho, no seu afeto, com coisas pelas quais já o ouvi expressar admiração. Eu prefiro ser enterrado numa sepultura desonrada a escrever tais coisas."

"Ninguém está sugerindo que você deva jazer numa sepultura desonrada", disse William, "mas tenho uma proposta concreta a lhe fazer, um romance que está implorando para ser escrito e que deixaria seus críticos perplexos, conquistaria um grande público e lhe daria imensa satisfação."

"Um romance que eu deveria escrever?"

"Sim, um romance sem gente inglesa imponente, mas lidando com a América que você conhece."

"Você fala com muita confiança."

"Sim", disse William, "pensei um pouco no assunto. Um romance que lidaria com nossa história americana em vez da frivolidade dos modos ingleses, por piores que estes sejam. Um romance sobre os Pais Puritanos, contado por você..."

Henry levantou-se e foi até a janela, forçando William a virar o corpo enquanto falava. Henry sentiu que tinha agora uma vantagem por estar perto da luz que restava do dia, enquanto seu irmão estava sentado à mesa nas trevas.

"Posso interromper você?", perguntou Henry. "Ou isso é uma preleção cujo final será anunciado pelo toque de um sino?"

William girou sua cadeira e deu a impressão de estar prestes a continuar o que começara a dizer.

"Posso pôr um fim a esta conversa", disse Henry, "declarando claramente a você que vejo o romance histórico como algo maculado por uma pobreza fatal, e se você quer um depoimento meu sobre o tema em claro idioma americano, e já que você gostaria que eu falasse às multidões, a esta época apressada como você a chama, posso lhe dizer minha opinião sobre um romance a ser escrito por mim sobre os Pais Puritanos?"

Estacou, esperando por uma resposta.

"Sim, por favor", disse William. "Não posso detê-lo."

"Ele se resumiria a uma palavra", disse Henry. "Uma simples palavra. A palavra fraude!", disse, e sorriu com brandura, quase de modo protetor, para o seu irmão.

* * *

No jantar ele se deu conta de que William não revelara a Alice que tentara bravamente passar um sermão no irmão sobre o fracasso de sua ficção. Os olhos de William, segundo o próprio, estavam irritados e Alice tentou convencê-lo a dormir mais e ler menos, enquanto William, Henry percebeu, fazia o papel do paciente teimoso e recalcitrante. William tinha começado a perambular ansiosamente pela Lamb House, de tal maneira que Henry nunca sabia ao certo em que cômodo iria encontrá-lo, ou mesmo a que hora do dia ou da noite ouviria os passos do irmão fazendo ranger as tábuas do assoalho do seu quarto ou das escadas.

Compreendeu que William estava tentando preencher a Lamb House com sua presença, usando um sistema invisível, Henry achava, de impor sua autoridade, fazendo mudanças sutis mais insistentes no horário das refeições, por exemplo, e no modo como elas eram servidas. William passou a enervar Burgess Noakes e outros criados da casa. A certa altura, até Alice forçá-lo a desistir, ele chegou a tentar alterar a disposição dos móveis na sala de visitas e a pedir a Burgess que removesse do console da lareira certos ornamentos que ele não apreciava.

Henry o evitava; quando o encontrava na sala de visitas ou em um dos cômodos do andar de baixo, arranjava um modo discreto e diplomático de se afastar. Alice ainda seguia William de perto. Embora ela raramente sentasse no mesmo cômodo, estava sempre circulando por perto, dando a impressão de estar ocupada. Peggy, por sua vez, mergulhava nos livros, transitando de romance clássico em romance clássico, se possível sem tirar os olhos deles. Quando esgotou Jane Austen, embarcou em *O retrato de uma senhora*. Henry ficou surpreso e divertido ao constatar que os pais dela se sentiram livres para expressar abertamente sua desaprovação desta última escolha, mas ficou satisfeito ao ver no dia seguinte que ela persistira na leitura do livro. Conforme explicou aos pais, ela já estava demasiado envolvida com o romance para deixá-lo pelo meio. Disse que saltaria qualquer passagem que fosse difícil demais ou inadequada para ela. Já era quase uma adulta, acrescentou orgulhosamente. Ela encarou Henry com calma, sem embaraço, quando ele lhe disse que, sobretudo quando comparada às suas primas Emmet, que se expressavam tão mal, ela era a mais perfeita mocinha que ele conhecia.

Henry lembrava-se de que William, quando viera a Londres como parte de um período sabático no ano da morte da mãe deles, também tinha ficado com ele e exalado o mesmo ressentimento estranho contra sua vida londrina, ressentimento que ele estendia aos objetos do apartamento. E Henry permitira que a desaprovação de William ditasse aonde ele ia e aonde ele não ia; permitira que William organizasse a casa a seu bel-prazer.

Relembrou que tinha ficado evidente durante aquela permanência de William que o pai deles não teria mais muito tempo de vida. Lembrou-se de um telegrama que informava que o cérebro de seu pai estava enfraquecendo, mas acrescentava, no mesmo tom de urgência, que William não deveria retornar. Era dezembro em Londres. Alice, esposa de William, estava passando um tempo com a mãe, que a ajudava a cuidar de seus dois filhos pequenos. Alice James, a outra Alice, estava cuidando do pai, junto com a tia Kate. Ambas as Alices, uma vez na vida, haviam concordado: nenhuma das duas queria que William voltasse. Ambas, por outro lado, gostariam que Henry estivesse lá. O pai deles, insistia o telegrama, poderia talvez viver por meses, e desse modo parecia fácil convencer William de que, uma vez que ele desistira de sua casa em Cambridge, sua volta implicaria habitar aposentos apertados, sem ter aulas para dar em Harvard e nenhuma outra obrigação lá. Em vez disso, ele deveria prosseguir em seu período sabático na Europa, desfrutar seu tempo livre, fazer novos contatos, escrever e ler em liberdade. O fraseado do telegrama tinha sido, Henry percebeu, imensamente hábil. Ao declarar que o cérebro do pai deles estava se debilitando, as duas Alices haviam deixado claro a William que ele não teria como, nos últimos dias de seu pai, discutir com ele um modo de fazerem finalmente convergir, lindamente, as concepções divergentes dos dois sobre a alma e o propósito da vida.

Henry viajara sozinho de navio para Nova York e, quando o barco ancorou, descobriu que o funeral tinha ocorrido naquele mesmo dia. Não pôde fazer mais nada, a não ser ouvir os relatos de como seu pai morrera de modo indolor e tranqüilo, habitar a casa que até tão recentemente era do morto e ler o testamento do pai. Nos anos que se seguiram, ele nunca se permitiu ficar meditando sobre o dia do enterro do pai e sobre a decisão delas de entregar Henry pai à terra sem que Henry estivesse lá para presenciar o enterro ou tocar o rosto do pai antes do fechamento do caixão, embora ele estivesse tão perto.

Acabou compreendendo que aquela resolução tinha sido tomada firmemente por sua irmã Alice e viu-se tão fascinado pelo modo vívido e repentino como ela assumira as rédeas da decisão, numa família onde ela nunca pudera decidir nada, que não ficou magoado por sua estranha exclusão. E nas semanas que se seguiram ao funeral ele compreendeu também a necessidade desesperada da irmã de manter William na Inglaterra, de insistir que Wilky, doente demais para viajar, ficasse em Milwaukee e que Bob voltasse para lá. Com William presente, Alice James não poderia ter sido tão deliberadamente rude e impaciente com tia Kate como era agora, uma vez que William teria se colocado entre elas, uma vez que sua presença teria atraído a atenção de todos, pondo assim por terra os esforços de Alice para submeter tia Kate. Nem tampouco ela teria se sentido tão livre para apegar-se à srta. Loring, e nem esta, com a família toda presente, teria tomado as mesmas liberdades no lar dos James antes de levar Alice para sua própria casa.

Henry, uma vez em Boston, não fez nada para incentivar William a retornar. William, sem abrir a boca e sem levantar um dedo, teria substituído o pai. Henry não poderia ter conquistado o silêncio da casa para si próprio, com apenas sua tia Kate, a quem amava, como companhia. Não poderia ter dormido na cama do pai, algo que sentia como uma espécie de dever a cumprir, nem ter tomado posse da casa com toda a sua aura de ausência que esperava para ser preenchida de coração aberto, como ele podia fazer agora que William estava tão longe.

O fato de ele, em vez de William, ter atuado como executor do testamento do pai não poderia agradar a William. E o fato de ter podido levar ao conhecimento de William os detalhes sobre os últimos dias do pai, assim como os votos e condolências amáveis de velhos amigos como Francis Child e Oliver Wendell Holmes, e de ter assumido o controle sem pedir conselhos, não poderia, ele sabia, fazer bem ao humor de William.

Cerca de uma semana depois do enterro de seu pai, chegou uma carta com a caligrafia de William endereçada a Henry James. Como Henry aguardava notícias de William, não lhe ocorreu que a carta fora escrita para seu pai e que ele não devia abri-la. Já havia lido o primeiro parágrafo quando se deu conta de seu engano, embora, como notou depois, a carta começasse com "Querido pai". Manteve a carta consigo por vários dias, sem falar dela a ninguém, e então, numa manhã de domingo, no último dia do ano, quando o tempo estava sereno, a neve profunda e a luz escassa, dirigiu-se ao cemitério onde seus pais jaziam lado a lado. Estava sozinho e, ao se aproximar do túmulo, assegurou-se de que ninguém o observava. Esperava que sua presença agora pudesse ajudar seus pais a sentir o grande bem-estar que lhes desejava, a saber o quanto ele era grato a eles e o quanto havia sofrido com sua partida da terra. Tirou a carta de William do bolso e, numa voz clara e audível, começou a lê-la para o velho fantasma para quem ela fora escrita. Mas aos poucos, à medida que vinham as lágrimas, reduziu sua voz a um suspiro e teve de parar várias vezes e pôr a mão no rosto, como se aquelas palavras, concebidas com tanta ternura, comovessem-no mais do que qualquer uma das suas próprias, ou do que quaisquer palavras sobre seu pai que ele já ouvira desde sua chegada. Forçou-se a continuar:

> Quanto ao outro lado, e à mãe, e à possível reunião de todos nós, não sou capaz de dizer nada. Mais que nunca neste momento sinto que, se isso fosse verdade, tudo estaria resolvido e justificado. E ao lhe dar adeus me invade violentamente a percepção de que a vida não é mais que um dia e não expressa essencialmente senão uma única nota. Ela é tão parecida com a arte de dar um corriqueiro boa-noite. Boa noite, meu velho e sagrado pai! Se eu não voltar a vê-lo — adeus! Um bem-aventurado adeus!

Em algum lugar nas profundezas da terra fria, sentia Henry, o espírito de seu pai permanecia vivo o bastante para fazê-lo desejar que a carta durasse, de tal modo que ele não precisasse ir embora em silêncio, deixando seus pais ali, naquele lugar que ele agora via como o mais sagrado e misericordioso. Odiou a aridez do inverno e os sons de seus próprios passos sobre o gelo enquanto se afastava.

Caminhou do cemitério até a casa onde sua cunhada estava hospedada e soube que William estava, mais uma vez, ameaçando voltar para casa. Alice mostrou-lhe seus acanhados aposentos. Em profundo desespero, ela explicou que estava exaurida pelos cuidados com o sogro em seus últimos dias, nos quais ela se juntara a Alice e tia Kate junto à cama dele. Seus filhos também estavam se tornando um fardo pesado a sugar-lhe a energia, ela disse, e acrescentou que receber um marido em estado de desconsolo naqueles escassos e minúsculos cômodos era algo que ela desejava desesperadamente evitar. Henry disse que escreveria mais uma vez a William. Quase disse a ela que a presença inútil e aflita de William seria um fardo em qualquer lar, mas, como a intensidade do sentimento dela quanto ao assunto parecia-lhe um tanto singular, e tão diferente da maneira como sua própria mãe lidara com seu pai, resolveu ficar calado.

Naquela noite, Henry sentou-se à escrivaninha de seu pai e contou a William o que havia feito no cemitério, tentando descrever vividamente ao irmão o modo como suas últimas palavras ao pai tinham sido ofertadas solenemente ao espírito do velho. Manifestou também sua crença de que a volta de William para casa seria um gesto inútil, e rogou-lhe que deixasse esse ímpeto serenar. Mas no momento mesmo em que fazia isso, sabia que William, ao tomar conhecimento do que Henry havia feito com sua carta íntima e sincera, ficaria ressentido com as liberdades tomadas, não importa com que solenidade.

Aguardou a resposta de seu irmão e quando ela veio estava cheia de aversão à Londres que ele estava sendo forçado, quase contra a vontade, a habitar. William escreveu sobre a névoa suja, gordurosa e fumarenta e sobre a estupidez universal da população, que não tinha equivalente, ele acreditava, em nenhum outro lugar sob o sol.

Henry estava ocupado. Como executor do testamento, tinha muitos encontros com os advogados. Ficara horrorizado com a decisão do pai de deixar Wilky fora do testamento, sob a justificativa de que este recebera o bastante ao longo da vida. Henry supunha que seus irmãos concordavam que isso não devia ser tolerado e tomou providências para que fosse corrigido, pedindo a cada um deles que cedesse uma porção de sua herança a Wilky, o bastante para tornar a herança dele equivalente à dos outros. Planejava viajar a Milwaukee para ver Wilky e Bob e depois fazer os preparativos para ir a Syracuse ver pessoalmente as propriedades que o pai tinha lá e avaliar se seria mais sensato vendê-las ou mantê-las e repartir os dividendos dos eventuais aluguéis.

Enquanto organizava esses negócios, com muita discussão sobre valores de ações e rendas, porcentagens e títulos, as constantes cartas de William de Londres, exibindo autopiedade e contendo ameaças de retorno, deixavam-no sem paciência. Sua cunhada parecia cada vez mais agitada diante da possibilidade do retorno súbito e precipitado do marido. Mostrava-lhe cada carta que William escrevia, suspirando com o seu tom.

Embora sentisse incômodo por lê-las, e especulasse sobre a situação do casamento do irmão, Henry não teve dificuldade em escrever a William mais uma vez, chamando-o à razão. Ao finalizar a carta tarde da noite, acrescentando muitos detalhes que provinham do seu papel de executor, sentiu uma força estranha que cresceu pela manhã, ao imaginar o quanto William ficaria magoado e furioso ao lê-la. Experimentou uma sensação de leveza diante dessa idéia, ao lado de um sentimento inequívoco de estar agindo corretamente e com o melhor intento.

William, em resposta às provocações de Henry, deixou clara sua indignação por ser tratado como uma criança que não compreendia suas próprias motivações e interesses. Fez muitos comentários injuriosos sobre Londres e o apartamento de Henry, e tentou boicotar o plano de reparar a injustiça que o pai deles fizera a Wilky. Então resolveu voltar a Cambridge antes do término de seu período sabático na Europa, em conseqüência de Henry ter lhe informado que abriria mão de seu próprio quinhão da herança em favor de sua irmã Alice, e de que deixaria a William o controle que este desejava, entregando em suas mãos as finanças da família. Henry dissera ao irmão que se dedicaria ao trabalho na mesma Londres que William tanto desprezava, trabalho do qual ele, de todo modo, extraía uma renda suficiente para não precisar se incomodar com novas discussões sobre o espólio de seu pai e sua administração.

A morte de Wilky no ano seguinte, seguida pela de Herman, o filhinho de William e Alice, e, pouco depois, da morte de sua irmã Alice, trouxe uma trégua às disputas deles, e as muitas cartas doces e consoladoras, cheias de gentileza e sentimentos generosos, escritas a Henry ao longo dos anos pela esposa de William ajudaram a restituir a ternura ao relacionamento entre Henry e William, assim como a vasta extensão do oceano Atlântico com certeza acabou colocando panos quentes em ambos os lados.

Agora, porém, duas décadas depois, era como se uma reverberação do rancor daqueles meses posteriores à morte de seu pai continuasse a se manifestar na Lamb House. Henry podia seguir sua rotina; tinha seu trabalho, seus criados, seus livros e mensagens constantes dos amigos e editores. William estava longe de casa. Quando William saía de sua casa em Cambridge para caminhar até o campus de Harvard, era observado com um respeito que raiava a reverência e saudado calorosamente, sua fama crescendo como uma grande sombra protetora. Essa fama não se estendia até Rye; e esse fato, Henry sentia, parecia deprimir William ainda mais, a ponto de ele não desejar mais sair de casa. Entretanto, o fato de ficar em casa fazia-o comportar-se como um animal enjaulado que não perdera nem um pouco da capacidade de rosnar.

Uma noite, ao procurar o livro que vinha lendo, quando já se preparava para se recolher ao seu quarto, Henry encontrou sua sobrinha numa das salas do andar de baixo. Parecia perturbada; ele se perguntou se o humor do pai a afetara e isso o deixou preocupado. Como a simpatia e o encanto dela na época do Natal tinham tido o poder de dispersar um pouco das trevas que pairavam sobre a Lamb House, ele passara a vê-la como uma jovem figura de charme e inteligência, uma fonte tanto de deleite como de orgulho para ele. Quando lhe perguntou se havia algo errado, ela em princípio mostrou-se pouco disposta a revelar por que parecia tão desatenta e quase desanimada. Quando lhe perguntou se sentia falta dos irmãos e dos amigos de Cambridge, ela abanou a cabeça. Quando ele ponderava em sua mente se deveria ou não aludir ao estado de espírito de William, sua sobrinha subitamente lhe perguntou se pretendia escrever um segundo volume, uma continuação de *O retrato de uma senhora*. Ela lhe contou que havia, menos de uma hora atrás, terminado de ler o livro. Henry lhe disse que escrevera o livro vinte anos antes e ficara muito tempo sem se lembrar dele; não pensava em escrever uma continuação.

"Por que ela volta?", perguntou Peggy.

"Volta para o marido, você quer dizer?"

"Por que ela faz isso?"

Peggy parecia quase furiosa. Henry se sentou diante dela e tentou pensar, sabendo que, acima de tudo, não devia lhe dizer que quando fosse mais velha ela iria entender como tais decisões, ligadas a assuntos de dever e resignação, eram muitas vezes mais fáceis de tomar do que outras que poderiam parecer corretas para uma mocinha imaginativa.

"É muito difícil para qualquer pessoa, em sua vida", começou Henry, "dar saltos na escuridão. A partida de Isabel de Albany para a Europa, deixando toda a sua família para trás, e depois, contra o conselho de todos e contra o seu próprio juízo, o casamento com Osmond, foram saltos no escuro. Dar tais saltos exige que sejamos corajosos e determinados, mas fazer isso pode também paralisar todas as outras possibilidades. É mais fácil renunciar à coragem do que ser corajoso vezes sem conta. No caso dela, não poderia ser feito de novo. A força de vontade e a ousadia exigidas por tais ações não se apresentam a nós com tanta freqüência, a qualquer um de nós, menos ainda a Isabel Archer de Albany."

Enquanto Peggy refletia em silêncio sobre o que ele dissera, um ruído veio do quarto que ficava acima deles, onde William e Alice estavam dormindo. Soava como se um dos dois tivesse caído da cama. Então ouviram a voz de William gritando e gemendo e a voz de Alice argumentando com ele, então mais ruídos, como se um deles estivesse golpeando alguma coisa contra o chão. Peggy ergueu-se e caminhou até a porta, enquanto Henry fez-lhe um gesto indicando que esperasse.

"Não", disse ela, empurrando-o para o lado. "Temos que subir já."

Ela se voltou e olhou de novo para ele, a expressão imóvel e obstinada, a boca e o queixo idênticos aos de sua mãe. Seus olhos, contudo, estavam diferentes, quase amáveis, quando ela tomou a mão dele.

"Precisamos ir já para cima", repetiu.

Peggy puxou-o escada acima para o quarto de seus pais e abriu a porta sem bater. William jazia no chão com sua camisa de pijama, suas pernas nuas à luz da lâmpada. Ele berrava e martelava o chão com os punhos. Alice estava em pé junto a ele, totalmente vestida, inerte, o rosto parecendo uma máscara.

"Você viu, já passou", disse ela a William, como se precisasse desesperadamente que suas palavras fossem atendidas e aceitas.

"Veio até você e agora foi embora, e nós todos vamos amparar você, vamos todos ficar com você. Você nunca estará sozinho."

Ela repetiu essas últimas palavras, mas nada era capaz de acalmar William, que seguia gemendo.

Henry não abriu a boca, mas, quando Burgess Noakes apareceu, ordenou-lhe firmemente que voltasse a seus aposentos. Teve o cuidado de permanecer no vão da porta com receio de que sua presença aumentasse a aflição de William. Logo recuou para a escuridão ao ver Alice ajudando William a levantar, levando-o para a cama e cobrindo-o com cobertores.

"Ficaremos aqui a noite toda, William", disse Alice, "e se você acordar, não importa que hora seja, vai encontrar um de nós aqui."

William resmungou suavemente, apaziguado, e se enrodilhou sob os cobertores.

"Estamos todos aqui e ficaremos todos aqui", disse Alice. "Peggy vai buscar uma cadeira no quarto dela e vai ficar sentada aqui conosco até você dormir profundamente. Mas eu não vou abandoná-lo. E Harry está velando você também."

Virou-se para apagar a luz de cabeceira do lado de William.

"Durma, agora, durma."

Manteve a mão na cabeça dele, exalando uma ternura serena e uma determinação misturada com tristeza. Quando Henry buscou atrair sua atenção para perguntar-lhe se queria alguma coisa da cozinha, ela não lhe respondeu. Finalmente, quando William parecia estar dormindo, ela caminhou até uma poltrona no canto do quarto e, uma vez acomodada nela, não tirou os olhos do marido. Peggy encontrara uma cadeira e estava sentada junto à cama dos pais. Henry se retirou, mas não fechou a porta; caminhou sem fazer ruído para o andar de baixo, onde tentou reavivar o fogo da lareira. Encontrou seu livro e manteve-o sobre o joelho, mas não leu, esperando em vez disso por algum ruído que viesse do andar de cima.

William parecera-lhe num estado de fúria e, ao mesmo tempo, em transe. Perguntava-se, uma vez que William escrevia sobre tais assuntos, que nome ele daria àquele estado e em que termos descreveria a reação de sua mulher e de sua filha a ele. Especulava se, ao se restabelecer, William comentaria o que acontecera.

Algum tempo depois, ouviu passos na escada e pôs-se ereto, saindo de um semi-sono. Sua cunhada entrou na sala.

"Peggy caiu no sono e deixei-a acomodar-se confortavelmente lá. Se ele precisar de mim, atenderei logo. Mas ele não vai precisar, vai dormir por horas e horas, nada o despertará."

Sorriu para Henry.

"Você é uma pessoa muito paciente", disse ela.

"E você?", perguntou ele. "Como posso descrevê-la?"

"Sou alguém", disse ela, "que tem aprendido muito, tendo sabido tão pouco."

"Quisera eu possuir um pouco da sua sabedoria e da sua calma", disse ele.

"Você tem muito mais. Sua sobrinha o adora, para ela você é o mais distinto cavalheiro. E para mim também."

"É a estação dos elogios", disse ele.

"William sofre às vezes. Seus sonhos tenebrosos o oprimem, e quando eu descobri isso, quis no início vê-lo longe de mim. Queria estar em outro lugar quando ele parecia prestes a sucumbir às trevas. Não havia nada que eu pudesse fazer por ele, mas tenho aprendido, e os meninos e Peggy também, que não é preciso muito para confortá-lo."

Henry tentava mostrar, com seu silêncio, que estava disposto a ouvi-la com simpatia por todo o tempo que ela quisesse falar.

"Peggy era uma criança muito difícil", prosseguiu Alice, "e noite após noite ela berrava quando estava na cama e a luz era apagada. E, por acharmos que ela devia aprender a dormir no escuro, nós a deixávamos berrando. Pensávamos que não havia motivo no mundo para aqueles gritos, mas havia. Uma freira lhe garantira que o fato de não ser católica significaria a danação eterna, e ela acreditou. Era por isso que ela berrava. Percebemos que se lhe tivéssemos perguntado desde o início por que estava assustada, ela talvez nos tivesse contado."

Henry se levantou para colocar mais lenha na lareira e eles ficaram sentados em silêncio, rompido apenas pelo suave vento marinho e pelo estalar da madeira em brasa. Alice suspirou. Quando Henry lhe ofereceu um cálice de vinho do Porto, ela aceitou. Encheu um cálice para ela e outro para si e, sorrindo com brandura, estendeu-lhe a bebida.

"Quando procurei meu primeiro médium", disse Alice, "quando conheci a senhora Piper, nenhum de nós conseguia dar sentido às mensagens que chegavam. Então um dia, talvez na terceira sessão, quando estávamos sozinhos com ela, intensamente concentrados, ela perguntou se meu pai tinha cometido suicídio e eu respondi que sim, então ela perguntou se minha mãe e minhas irmãs estavam distantes dele na época e eu disse que sim. Ela falou que alguém estava apelando desesperadamente para que eu não sentisse medo, pois aquilo não aconteceria de novo e eu deveria afastar meu temor, que era o que me fazia querer que William estivesse a milhas de distância de mim quando eu percebia sua aflição. Eu não deixava que ele ficasse perto de mim quando as trevas baixavam sobre ele. Quis que ele ficasse em Londres quando seu pai morreu e não quis que voltasse. A senhora Piper nunca soube dizer quem era, mas estavam me dizendo que eu devia trazê-lo para perto de mim e ser paciente com ele, e que nada poderia nos separar então, nada terrível nos aconteceria."

Ela olhou para Henry do outro lado da sala e sorriu.

"William vai ficar bem agora, vai ficar bem", disse ela. "De certo modo, é mais fácil para nós dois quando ele está frágil, é muito mais difícil quando ambos estamos animados. Nós brigamos muito."

Ambos olharam para o fogo. Henry estimava que já passava da uma da madrugada.

"Harry", disse Alice com muita delicadeza, "houve algo que não lhe contamos sobre a senhora Fredericks."

"Vocês disseram que minha mãe está em paz."

"Sim, ela está, Harry, mas havia algo que a preocupava."

"A meu respeito?"

"Alguma coisa, sim. Ela me pediu para acudi-lo se precisasse de mim. Não queria que você estivesse sozinho se por acaso ficasse doente."

"Ela zela por nós, então?"

Alice engoliu em seco como se estivesse contendo as lágrimas.

"Você será o último, Harry."

"Você quer dizer que William morrerá antes de mim."

"A mensagem dela foi clara."

"E Bob?"

"Você será o último, Harry, e eu virei até você quando me chamar. Você não estará sozinho quando se aproximar da morte. E eu não devo pedir-lhe nada em troca, a não ser sua confiança."

"Você a tem", disse ele.

"Então a mensagem dela está dada. Ela queria que você soubesse que não estará sozinho."

Quando Alice voltou a seu quarto para velar William, Henry se sentou diante das brasas e visualizou sua mãe tal como a vira pela última vez, no dia seguinte a sua morte, seu rosto em repouso, iluminado pela luz oscilante das velas, a idéia do seu amor por ele como uma delicada quietude enquanto ele a velava; ela era toda nobreza e ternura no papel de sua grande protetora e guardiã. Não era surpresa para ele, naquela casa escura, quando o ano estava para acabar, que ela pensasse no fim, já que colocara uma energia tão abundante no começo. A idéia de que ela não repousaria enquanto ele não repousasse não lhe parecia estranha. Sentia-se humilde, e tinha medo, mas estava também grato e preparado para qualquer coisa que pudesse lhe advir agora.

Para o dia de Ano-Novo, eles convidaram Edmund Gosse para almoçar. William havia passado os dias anteriores em seu estúdio; seu bom humor voltara e havia, Henry notou, um brilho em seus comentários à mesa. Descobriu uma caminhada curta em Rye de que ele e Maximilian gostavam e, por vários dias seguidos, chegava de volta à Lamb House muito revigorado, tendo conversado com vários habitantes locais e tendo começado, segundo disse, a apreciar a topografia local, a cor dos tijolos e das pedras do calçamento, os costumes das pessoas que encontravam. Não se fazia nenhuma menção ao que Henry presenciara no quarto de dormir.

Henry não incentivara nenhum visitante a vir à Lamb House e recusara todos os convites, mas quando disse que havia recebido uma carta de Edmund Gosse anunciando que estaria em Hastings e poderia facilmente viajar até Rye, William insistiu para que Gosse fosse convidado e acrescentou várias vezes o quanto ficaria contente em vê-lo, pois não o via há muito tempo e era um grande admirador da obra de seu pai.

Mais uma vez, Alice e Peggy entraram em ação, envolvendo Henry em longas discussões sobre os gostos de Gosse e de que modo poderiam satisfazê-los. Alice desenvolvera uma série de gracejos com Burgess Noakes que iam desde a qualidade dos calçados dele, que ela simulava desaprovar, até seu corte de cabelo, que ela considerava demasiado austero. Burgess agora se sentia livre para informar que Gosse se hospedara muitas vezes na Lamb House e não tivera motivo nenhum de queixa, pelo contrário, gostava do rebuliço que se fazia e entrava no espírito da ocasião, o qual Alice e Peggy tentavam elaborar o máximo possível, mas mantendo tudo simples, uma fórmula que parecia diverti-las e que elas ensaiavam inúmeras vezes ao preparar a sala de visitas, a sala de jantar e Burgess Noakes para a chegada de Gosse.

Henry explicou a Peggy, na presença de seus pais, para grande diversão deles, que, apesar de o próprio Gosse não ser grande, ele reconhecia a grandeza quando a via, e não apenas isso, ele conhecia pessoalmente o primeiro-ministro e o seu antecessor, assim como conheceria o seu sucessor e o sucessor deste. Peggy enrugou o nariz e perguntou se ele era velho.

"Ele não é tão velho quanto eu, minha querida", disse Henry, "mas eu sou de fato velho. Na verdade, vem à mente a palavra ancião. Mas o que há de importante sobre Gosse é que ele ama Londres mais do que a vida em si. Portanto, quando seu pai mencionar a pacata vida intelectual em Boston, ele não entenderá. O homem que está cansado de Londres está cansado da vida, esse é o seu lema. Então você, minha cara mocinha, trate de encontrar um assunto no qual seu pai e nosso convidado possam estar de acordo."

Nos dias que se seguiram ao restabelecimento de William, a Lamb House foi transformada num clube com muitas regras estabelecidas por Peggy e Henry, às vezes em comum acordo com os pais de Peggy, às vezes contra a opinião deles. A regra número um dizia respeito à hora de Peggy ir para a cama, que, por acordo entre Henry e ela, foi estendida à mesma hora dos adultos da casa, não só por causa da condição semi-adulta de Peggy, mas também porque ela descobrira Charles Dickens; devorara *Hard Times* em questão de dias e agora estava lendo *Bleak house*. A regra número dois governava o direito de Peggy de sair da mesa assim que tivesse comido o prato principal, podendo levar a sobremesa com ela para o cômodo em que quisesse prosseguir sua leitura. A regra número três dava a William o direito de roncar sem ser molestado em qualquer parte da casa. Outras regras permitiam a Burgess Noakes calçar o que quisesse nos pés, e dava a Alice o direito de mergulhar seu biscoito matinal na sua xícara de café, desde que nenhuma gota caísse nos tapetes da duquesa, como Peggy os chamava. William insistiu numa regra que permitisse a Henry ler uma vasta biografia de Napoleão em dois volumes sem se sentir culpado por desperdiçar seu tempo. Todas essas regras foram retransmitidas para a mãe de Alice em Cambridge e lidas pelos três irmãos de Peggy dos quais ela estava tomando conta. Uma vez que todos deviam assinar a carta, Alice e Peggy tiveram que arbitrar entre o desejo de William de acrescentar muitos pontos de exclamação e desenhos e a insistência de Henry em reduzi-los ao mínimo.

Gosse chegou com pequenos presentes de Londres e imediatamente declarou que era o homem mais feliz da Inglaterra agora que deixara a cidade, que era um lugar detestável durante as festas de fim de ano com sua vida social extremamente frívola e uma bruma inominável, parte da qual tinha penetrado nos melhores crânios de sua geração.

William sorriu em aprovação e Peggy lançou um olhar para Henry.

"Eu disse à minha sobrinha que você ama Londres mais do que ama a vida", disse Henry.

"E amo mesmo", replicou Gosse. "Mas isso não diz muito em favor da vida."

Gosse voltou-se então para William, que bebia lentamente seu xerez em pé junto à lareira. Ao dirigir-se a William, seu tom era formal, tendo deixado subitamente de ser divertido e agradável.

"Permita-me dizer quanto me dá prazer encontrá-lo novamente. Venho lendo você há muitos anos. Compartilho com Leslie Stephen o hábito de lê-lo por prazer, assim como leio seu irmão por prazer. Hoje em dia encontro muito pouca coisa com tamanha precisão, tamanha energia e tamanha poesia, se posso me expressar assim, ao mesmo tempo."

William sorriu, fez um pequeno gesto afirmativo e retribuiu o elogio. Alice parecia resplandecer de felicidade com a visita de alguém que não iria aborrecer William. Ela sorriu para Henry com cumplicidade.

Quando a comida foi servida, Gosse informou-os acerca da controvérsia sobre o dia de oração anunciado para celebrar a derrota dos Boers. Henry notou que ele não deixou clara sua própria opinião sobre o assunto, mas deu um jeito para que soubessem que ele ouvira o príncipe de Gales discursar sobre o tema, bem como lord Randolph Churchill, o sr. Asquith e o sr. Alfred Austen. Enquanto ele continuava a resumir as várias posições daqueles a quem citava, encarando cada um dos presentes à mesa com um olhar significativo cada vez que um novo dignitário era mencionado, Henry percebeu que Alice começava a ficar agitada e olhava para William de um jeito que ele ainda não tinha visto, um jeito quase ameaçador.

"Sim", disse William, quando Gosse fez uma pausa em sua narrativa, "escrevi uma carta ao *Times* sobre o assunto, mas eles não a publicaram."

"William!", interveio Alice.

"Uma carta ao *Times*?", perguntou Gosse. "Que linha você defendeu?"

William hesitou e então lançou o olhar a média distância.

"Eu disse que era um americano viajando por este país e que notara a controvérsia acerca do dia de oração e sugeri que os princípios estabelecidos por um dos primeiros colonizadores de Montana talvez fossem os mais úteis e amplamente aceitos."

"E quais eram eles?", perguntou Gosse.

"Nosso colonizador topou com um enorme e terrível urso pardo e caiu de joelhos, e sua prece foi a seguinte: 'Ó Senhor, nunca pedi sua ajuda, e num vou pedir agora. Mas, por misericórdia, ó Senhor, num vai ajudar o urso'. O *Times*, em sua sabedoria, não publicou a carta."

"Espero que você tenha indicado a roça como seu endereço", disse Henry.

"Dei meu endereço como hóspede da Lamb House, Rye", replicou William.

"Penso que essa é uma das principais diferenças", disse Gosse, "entre os Estados Unidos e o nosso país. Aqui podemos ter certeza quanto a muitas coisas, e uma delas é que o *Times* não publicaria aquela carta."

"Tanto melhor para o *Times*", disse Henry.

"Tanto pior para minha pobre carta", retrucou William.

"Estou certo de que existem numerosos periódicos irlandeses que a publicariam", disse Gosse. "Você não deveria deixá-la ir para o lixo."

"Ela não foi para o lixo", disse Alice. "Ele só contou a nós o seu conteúdo, tendo me prometido que nunca a mencionaria novamente a nenhuma alma viva."

"E não vou mesmo", disse William.

"Talvez você possa transmitir o conteúdo da carta ao príncipe de Gales", Henry disse a Gosse.

Gosse o encarou com firmeza.

"Já que estamos no início do novo ano, eu me pergunto se vocês dois, os escritores aqui presentes, poderiam nos dizer o que têm em projeto", disse Gosse.

"Meu irmão", disse Henry, "deverá dar as palestras sobre Gifford em Edimburgo."

"Sobre a nova ciência da psicologia?", perguntou Gosse.

"Sobre a velha ciência da religião", respondeu William.

"Você escreveu as palestras?", indagou Gosse.

"Tenho anotações, idéias, algumas páginas e um coração fraco", disse William. "Então isso leva tempo."

"Que posição defenderá?"

"Acredito que a religião, em seu sentido mais amplo, é indestrutível", disse William. "Acredito que a experiência mística do indivíduo, em qualquer de suas manifestações, é uma posse de um eu ampliado e subliminar."

Henry fez um sinal para Peggy indicando que, se ela quisesse sair agora e voltar para o seu livro, estava livre para fazê-lo. Sua mãe fez um gesto de concordância. Ela pediu licença e saiu da sala.

"Mas e se", perguntou Gosse, "a religião se revelar falsa?"

"Eu argumentaria", disse William, "que o sentimento religioso não pode ser desmentido, uma vez que pertence tão fundamentalmente ao eu. E se é uma crença que pertence tão fundamentalmente ao eu, então ela deve ser boa, e, enquanto dure, deve ser verdadeira."

"Mas, se você olhar para o que Darwin e seus partidários defendem, não é possível provar que certas crenças são falsas?"

"Estou interessado no sentimento ou na experiência religiosa, mais do que no debate religioso", disse William. "Desejo deixar claro que as próprias palavras que uso são abertas, evasivas e por vezes inúteis, que não existem palavras precisas porque não existem sentimentos precisos. Temos sentimentos misturados e sensibilidades complexas e devemos admitir isso em nossas vidas, em nosso direito e em nossa política, mas, mais importante que isso, no âmago mais profundo de nós mesmos."

"No qual o transcendente tem um papel?", perguntou Gosse.

"Sim, mas pode ser mais profundo que isso", disse William. "O mundo além dos sentidos, no qual existe uma esfera de vida maior e mais poderosa do que nós, pode ter uma relação de continuidade com a nossa consciência e podemos saber disso, e isso pode nos levar a crer ou a ter sentimentos religiosos, por vagos que sejam, de um modo mais satisfatório do que o modo como temos discussões religiosas."

William falava de modo natural e tranqüilo, adicionando seu bom humor ao tom quase coloquial de sua elocução, um tom que Henry nunca ouvira antes.

"Você soa como se tivesse escrito as palestras", disse Gosse.

"Eu as formulei", disse William. "Escrever não vem naturalmente para mim. Prefiro falar, mas se, neste caso, eles quiserem publicá-las também, terei que escrevê-las palavra por palavra."

"Talvez o *Times* publique-as quando forem divulgadas", disse Gosse.

"O *Times* não receberá mais nenhuma mensagem minha. Ele teve sua oportunidade", riu William, depois levantou seu copo e bebeu.

"Henry", disse Gosse, "é a sua vez. Você deve nos dizer agora o que vai escrever, para que possamos aguardar ansiosamente."

"Sou um pobre contador de histórias, um romancista", disse Henry, "alguém interessado em sutilezas dramáticas. Enquanto meu irmão busca o sentido do mundo, só posso tentar brevemente fazê-lo ganhar vida, ou torná-lo mais estranho. No passado escrevi sobre a juventude e a América e agora me restaram o exílio, a meia-idade e histórias de frustração que dificilmente me proporcionarão muitos leitores em qualquer dos lados do Atlântico."

"Harry, você tem muitos leitores devotos", disse Alice.

"Tenho em mente um homem que durante toda a sua vida acredita que algo terrível vai lhe acontecer", disse Henry. "Ele fala a uma mulher sobre essa catástrofe desconhecida e ela se torna sua melhor amiga, mas o que ele não vê é que sua incapacidade de acreditar nela, sua própria frieza, é a catástrofe, ela já veio, ela vive com ele o tempo todo."

"Acaba assim?", perguntou William.

"Sim, mas há também um homem, numa outra história, que sai da Nova Inglaterra e vai a Paris. É um americano de meia-idade, com muita inteligência e uma natureza sensual que ficou oculta ao longo de sua vida. Ele vê Paris e compreende, como o homem da história anterior, que é nosso dever viver tudo o que pudermos, mas é tarde demais, ou talvez não seja."

"E se houvesse um sacerdote aqui", perguntou William, sorrindo cordialmente, "e ele perguntasse a você qual é a moral dessas histórias, o que ele poderia concluir delas?"

"A moral?" Henry pensou por um momento. "A moral é a mais pragmática que se pode imaginar: que a vida é um mistério e que só as frases são lindas, e que devemos estar prontos para a mudança, especialmente quando vamos a Paris, e que ninguém", disse erguendo seu copo, "que tenha conhecido a doçura de Paris pode voltar tranqüilamente à doçura dos Estados Unidos."

"E qual dessas histórias você escreverá primeiro?", perguntou Gosse.

"Posso já ter embarcado em ambas", disse Henry.

"E o senhor, o que irá escrever?", William perguntou a Gosse.

"Quando eu encontrar o tom e a coragem", disse Gosse, "quero escrever um livro sobre meu pai."

"Mas o senhor já escreveu um e eu o admiro muito", disse William. "A tensão entre o espírito religioso e a busca da verdade científica é algo que significa muito para mim."

"Agora devo escrever", replicou Gosse, "sobre a tensão entre meu pai e seu filho, e não pouparei nenhum de nós. Preciso encontrar um novo estilo para ele, porém, e preciso encontrar tempo, mas não acho que esse livro conquistará nenhum novo admirador para meu pai."

"Isso seria uma grande pena", disse William.

"E, sem dúvida, um grande livro", acrescentou Henry.

Quando Henry voltou de sua caminhada, tendo Gosse os deixado uma hora antes do anoitecer, encontrou o Lamb House Club em plena atividade. Alice e Peggy estavam sentadas cada uma numa ponta do sofá, um lâmpada sobre a mesa de centro, lendo em silêncio. Burgess Noakes com seus sapatos ruins entrava e saía com lenha e carvão, até que o fogo ficou bem alto. As cortinas estavam fechadas. Henry sentou com sua biografia de Napoleão na poltrona ao lado da lareira.

"Foi um dia de inverno", disse William, "e agora é uma noite de inverno."

"Pela manhã", disse Alice, "temos que escrever outra carta aos meninos. Acho que eles anseiam por nossa volta para casa."

"Não quero escrever mais nenhuma carta", disse Peggy.

"Uma nova regra do nosso clube diz que você está dispensada", replicou Henry.

William saiu da sala e voltou com um livro.

"Esse era o sonho de minha mãe para nós", disse Henry.

"Que acabássemos na Inglaterra?", perguntou William.

"Não", disse Henry, sorrindo. "Ela sempre sonhou que cada um de nós iria sentar para desfrutar seu livro enquanto ela e tia Kate faziam suas tarefas, e que durante horas não haveria nenhum som que não fosse o das páginas sendo viradas."

"Nunca foi assim, Harry?", perguntou Alice.

"Nunca", disse Henry. "Meu pai começava uma discussão ou se irritava ou os mais jovens começavam a brigar."

"E você, tio Harry", Peggy levantou os olhos do livro. "O que você fazia?"

"Eu sonhava com uma velha casa inglesa, o fogo resplandecendo na lareira e nada com que se irritar."

"Vou me conter, se isso lhe serve de alívio", disse William. "Meus dias de irritação já passaram, em todo caso."

À medida que a noite avançava, o vento se intensificou e as janelas passaram a matraquear. Peggy, concentrada ferozmente em cada palavra que lia, havia se encolhido junto à mãe, que baixara o seu livro e encarava o fogo. O jantar deles fora servido em bandejas na sala de visitas. Quando Burgess Noakes levou embora os pratos e bandejas, Henry serviu bebidas para William e Alice e encontrou chocolate para Peggy. William voltou ao seu livro, fazendo anotações. Dava para ouvir o rabiscar de sua caneta no papel, e aos poucos cada um deles voltou a mergulhar em seu próprio livro, de modo que ninguém notou que William estava dormindo até ele começar a roncar.

"Vamos colocar mais lenha no fogo", sussurrou Henry, "mas sem acordá-lo."

Alice suspirou.

"Já é tarde", disse.

"As regras dizem que posso ficar acordada", disse Peggy.

"E permitem que William ronque", disse Henry docilmente, "quanto quiser."

Quando eles estavam prontos para partir, tendo providenciado para passar o resto do inverno no clima mais ameno do

Sul da França, Peggy já havia terminado de ler vários outros romances de Dickens e estava, conforme Henry notou na manhã da partida deles, profundamente imersa em *David Copperfield*. Ela não precisava saltar páginas, Henry lhe assegurara; podia levar com ela aquele e todos os outros livros que quisesse em sua viagem à França, exceto os dois volumes da biografia de Napoleão, dos quais nada no mundo conseguiria separá-lo até que ele tivesse lido a última página.

Depois do café-da-manhã, ao ver o livro de Peggy, William riu.

"Esse foi o que arrebatou Henry", disse ele.

Peggy ergueu os olhos para Henry.

"Ele foi mandado para a cama em nossa casa na Fourteenth Street", disse William, "porque uma prima nossa chegara de Albany com a primeira parte de *David Copperfield* e iria lê-lo em voz alta, e minha mãe achou que o livro não seria adequado para um menino pequeno. Em vez de obedecê-la, porém, ele ficou acordado."

"E o que você fez, papai?", perguntou Peggy.

"Eu não era um menino tão pequeno", disse William.

"Ele era um ano mais velho", disse Henry.

"E ela leu o livro?"

"Sim, e havia muito teatro, pois ela imitava todas as vozes. Mas de repente soluços de compaixão vieram do fundo da sala, onde Harry estivera ouvindo a história e sucumbira à opressão dos Murdstones, tendo então que ser efetivamente banido. Ele era um grande chorão."

"Você não chorou, papai?"

"Tenho um coração de pedra", disse William, tocando o peito e sorrindo.

Henry pensou na sala em Nova York em que o capítulo de *David Copperfield* fora lido, na mobília pesada, nos biombos, nas toalhas de mesa com borlas, e na voz de sua mãe, em vez da de sua prima, na aflição de sua mãe quando ele foi descoberto, e então em sua mãe pegando-o nos braços quando percebeu que ele estava chorando. Tudo aquilo tornou-se vívido para ele, como se nenhuma barreira existisse entre aquela noite e agora. Sabia quão distante aquilo deveria parecer a Peggy e sentiu também que para William era passado. William contara a história do mesmo modo que ela fora contada na família durante anos, ele a havia recolhido com o mesmo ar bem-humorado e prático com que recolhia suas malas. Henry saiu da sala de jantar e olhou para William, que se preparava para partir. Henry abanou a cabeça e suspirou.

Alice deixara cinco libras para Burgess Noakes, que olhou aflito para Henry, como se dissesse que era muito.

"Pegue", disse ele. "Minha cunhada vem do ramo abastado da família."

Burgess foi em frente com o carrinho de mão, seguido por Henry, William, Alice e Peggy, os três visitantes tendo ficado tempo bastante em Rye para receber despedidas calorosas de vários moradores. William, Henry notou com surpresa, mal podia esperar para partir, e ocorreu a Henry que William sempre fora assim, impaciente, pronto para as novidades, ansiando por novas aventuras, mesmo que estas significassem apenas sair de um cômodo para outro ou ficar em pé depois de ter estado sentado. Quando eram pequenos, ele virava a página do livro de figuras antes de Henry ter tempo para assimilar plenamente cada ilustração, e se recusava a voltar atrás; mais tarde, acabaria cansando até mesmo do livro de figuras e querendo sair de casa, deixando Henry livre para começar a folhear o livro de novo sozinho e contemplá-lo em paz, antes de ir até a janela para ver o que William estava fazendo.

Eles iriam a Dover e em seguida para a França. Quando

chegou o trem, Henry sentiu que eles não sabiam se sorriam ou ficavam tristes. Peggy, ele percebeu, estava ansiosa para voltar ao seu livro. Ele subiu com ela no trem e encontrou-lhe um assento junto à janela, e então recuou alguns passos enquanto a bagagem da família era embarcada. Alice advertia William para não levantar as malas. Ele abraçou William e Alice antes de descer de novo à plataforma. Ficou olhando, ao lado de Burgess, a pesada porta ser fechada.

A Lamb House era sua novamente. Caminhava por ela saboreando o silêncio e o vazio. Saudou com alegria o escocês que o aguardava para dar início a um dia de trabalho, mas antes precisava de mais um tempo sozinho. Subiu e desceu a escada, entrando nos cômodos como se eles também, no modo como se entregavam a ele, pertencessem a um passado irrecuperável, e se unissem à sala com toalhas de mesa de borlas, biombos e cantos sombreados, e a todas as outras salas de cujas janelas ele observara o mundo, de modo que elas pudessem todas ser relembradas, capturadas e abraçadas.

Agradecimentos

Durante a realização deste romance, encontrei numerosos livros extremamente úteis sobre Henry James e sua família. Eles incluem: a biografia de cinco volumes de autoria de Leon Edel e suas edições das cartas e cadernos de notas; *Henry James: The imagination of genius*, de Fred Kaplan; *Henry James: The young master*, de Sheldon M. Novick; *The Jameses: A family narrative*, de R. W. B. Lewis; *Alice James: A biography*, de Jean Strouse; *Biography of broken fortunes: Wilky and Bob, brothers of William, Henry and Alice James*, de Jane Maher; *The father: A life of Henry James Senior*, de Alfred Habegger; *A private life of Henry James: Two women and his art*, de Lyndall Gordon; *The Metaphysical Club*, de Louis Menand; *Alice James: Her life in letters*, editado por Linda Andersen; *Amato ragazzo: Lettere a Hendrik C. Andersen*, editado por Rosella Momoli Zorzi; *William and Henry James: Selected letters*, editado por Ignas K. Skripskelis e Elizabeth M. Berkeley; *Dear munificent friends: Henry James's Letters to four women*, editado por Susan E. Gunter; *The legend of the master*, compilado por Simon Nowell-Smith.

Desejo registrar que salpiquei o texto com expressões e frases dos escritos de Henry James e de sua família.

Sou grato a Peter Straus, Nan Graham, Andrew Kidd, Ellen Seligman, Catriona Crowe, Brendan Barrington e Angela Rohan pelo apoio e pelos comentários. Parte deste livro foi escrita na Fundação Santa Maddalena, perto de Florença, na Itália, e sou grato a Beatrice Monti por sua gentileza e hospitalidade.

ESTA OBRA FOI COMPOSTA PELO GRUPO DE CRIAÇÃO EM ELECTRA E
IMPRESSA PELA PROL EDITORA GRÁFICA EM OFSETE SOBRE PAPEL PÓLEN
SOFT DA SUZANO BAHIA SUL PARA A EDITORA SCHWARCZ EM ABRIL DE 2005